D1087896

Andy Weir a été engagé comme programmeur informatique par un laboratoire américain à l'âge de quinze ans. Il nourrit une passion pour l'espace et l'histoire des vols habités. Thriller survivaliste captivant, *Seul sur Mars* est son premier roman et déjà un succès mondial.

www.milady.fr

Andy Weir

Seul sur Mars

Traduit de l'anglais (États-Unis) par Nenad Savic

Bragelonne

Milady est un label des éditions Bragelonne

Cet ouvrage a été originellement publié en langue française
par Bragelonne

Titre original : *The Martian*

Carte :
D'après la carte originale de Fred Haynes

ISBN : 978-2-8112-1651-1

Bragelonne – Milady
60-62, rue d'Hauteville – 75010 Paris

E-mail : info@milady.fr
Site Internet : www.milady.fr

Pour maman,
Qui m'appelle « Pickle »,
Et papa,
Qui m'appelle « Dude ».

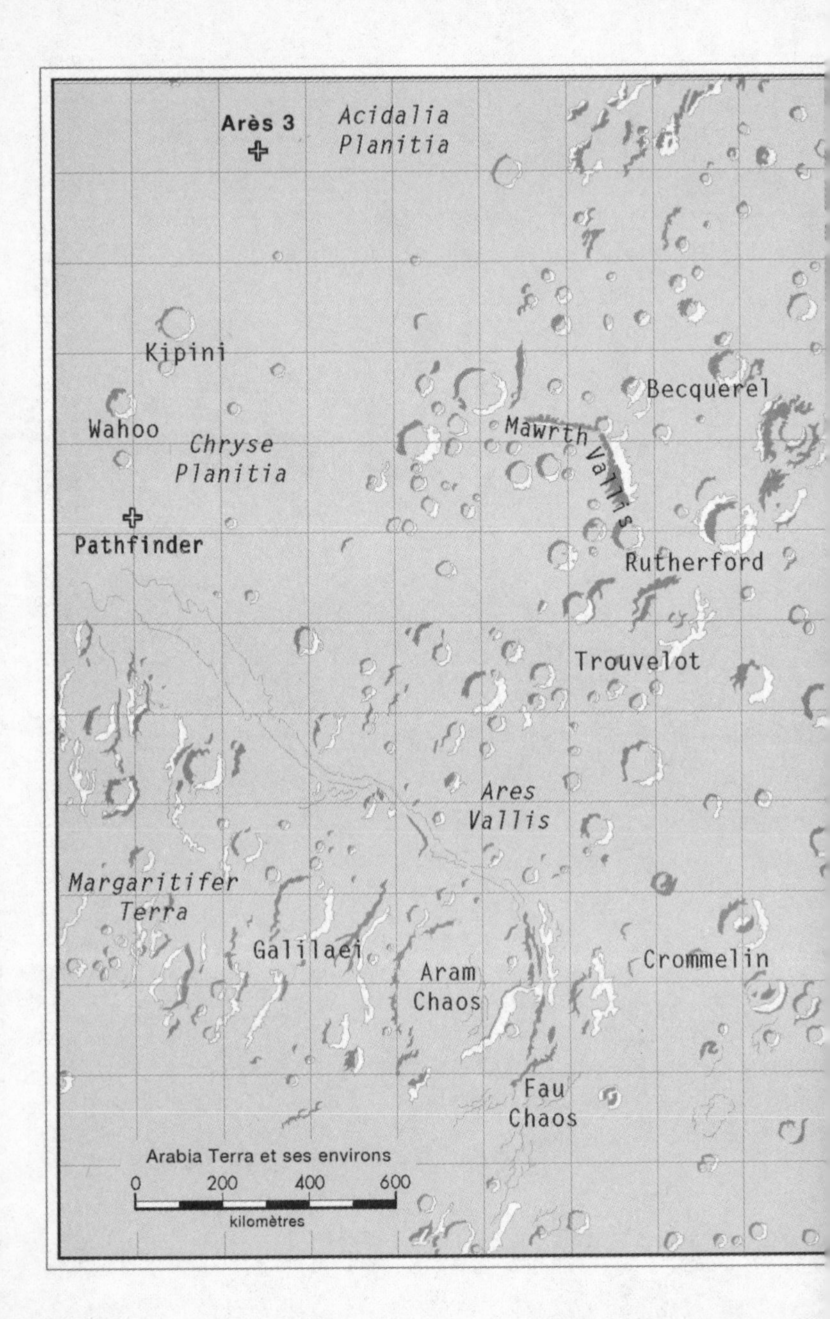
Arès 3
Acidalia Planitia
Kipini
Becquerel
Wahoo
Chryse Planitia
Mawrth Vallis
Pathfinder
Rutherford
Trouvelot
Ares Vallis
Margaritifer Terra
Galilaei
Aram Chaos
Crommelin
Fau Chaos
Arabia Terra et ses environs
0
200
400
600
kilomètres

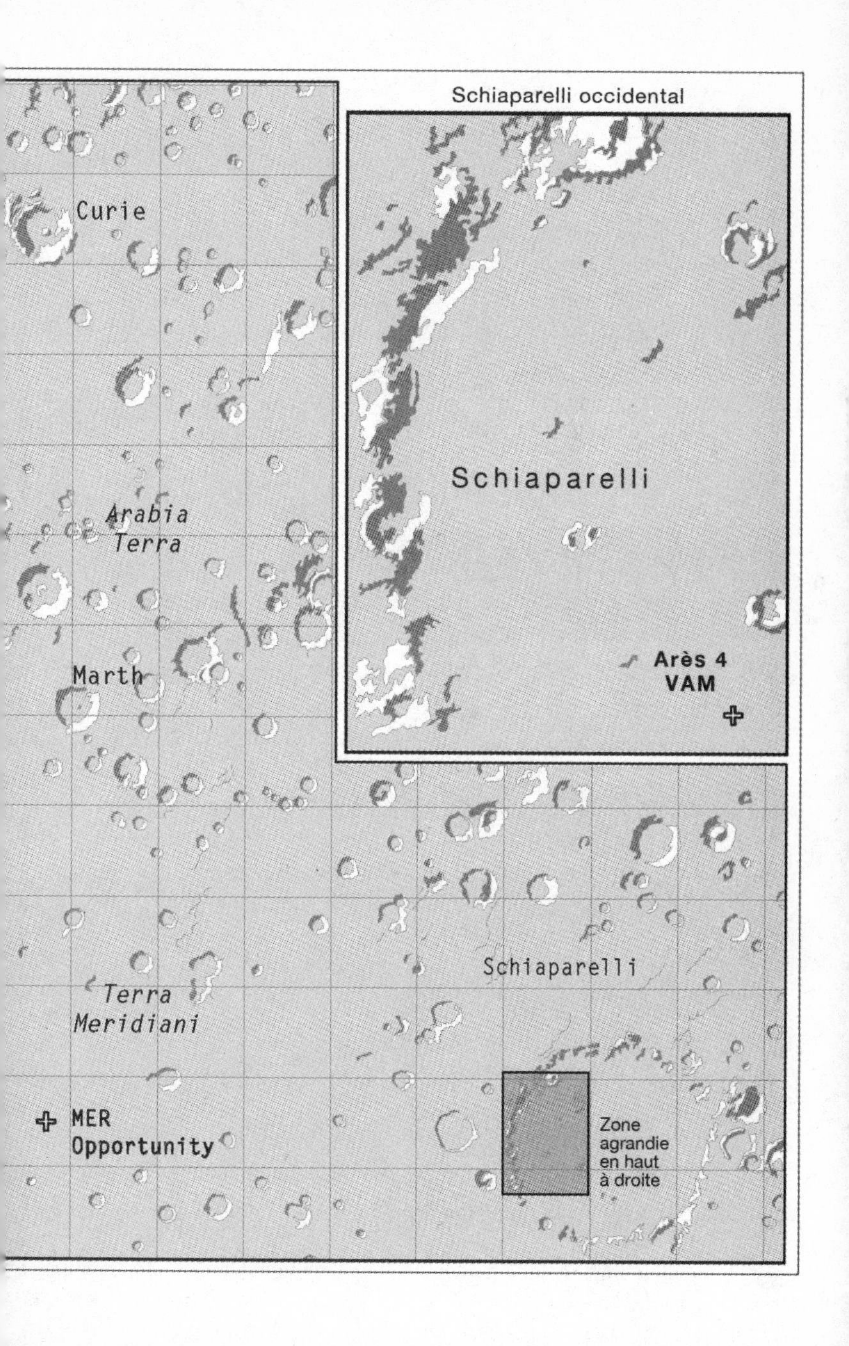
Schiaparelli occidental
Curie
Schiaparelli
Arabia
Terra
Marth
Arès 4
VAM
Schiaparelli
Terra
Meridiani
MER
Opportunity
Zone
agrandie
en haut
à droite

Chapitre premier

Journal de bord : Sol 6

J'ai bien réfléchi et maintenant j'en suis sûr : je suis foutu.
Foutu de chez foutu.

Dire que ce devaient être les deux mois les plus extraordinaires de ma vie… Six sols plus tard, le rêve s'est transformé en cauchemar.

Je ne sais pas qui lira ce truc. Quelqu'un finira bien par le trouver. Dans une centaine d'années, peut-être.

Pour information, je ne suis pas mort le sixième sol comme le pense le reste de l'équipage – mais je ne peux pas en vouloir à mes collègues. Peut-être aurai-je droit à une journée de deuil national ? Dans ma fiche Wikipédia, on lira : « Mark Watney est le seul être humain à avoir perdu la vie sur Mars. »

Et ce sera vrai, parce que je vais sûrement mourir, mais pas le sixième sol, désolé.

Voyons, par où commencer ?

Le programme Arès. L'humanité s'aventurant pour la toute première fois sur une autre planète, sur Mars, pour élargir son horizon, tout ça. L'équipage d'Arès 1 rentrant à la maison en héros une fois sa mission accomplie, les parades, la gloire, la reconnaissance, l'amour du monde entier…

Et puis Arès 2, qui se posa en un autre point de la planète et qui, de retour au bercail, eut droit à une poignée de main et à une tasse de café bien chaud.

Enfin, Arès 3. Ça, c'était ma mission. Enfin, je me comprends. La patronne, c'était le commandant Lewis ; moi, j'étais un simple membre d'équipage, le moins gradé de tous, en vérité, destiné à prendre les commandes en cas d'hécatombe ou de catastrophe majeure.

Vous savez quoi ? Les commandes, je les ai prises.

Je me demande si ce journal sera récupéré avant que le reste de l'équipage meure de sa belle mort. Partons du principe que mes camarades vont rentrer sur Terre en un seul morceau. Les gars, si vous lisez ça, ce n'était pas votre faute. Vous avez agi comme il fallait. À votre place, j'aurais fait la même chose. Je ne vous en veux pas et je suis heureux que vous ayez survécu.

Je suppose que je devrais, pour le profane, expliquer comment se déroulent ces missions. D'abord, on rejoint *Hermès* en orbite par des moyens conventionnels, c'est-à-dire à bord d'un lanceur ordinaire. Toutes les missions Arès utilisent *Hermès* pour rallier Mars et en revenir. *Hermès* est énorme et a coûté beaucoup d'argent, aussi la NASA ne l'a-t-elle construit qu'en un seul exemplaire.

Une fois à bord d'*Hermès*, pendant que nous nous préparons, quatre engins non habités nous apportent du carburant et des provisions. Et puis l'heure du grand départ – un départ ni spectaculaire ni très rapide, le temps des combustibles chimiques, des poussées violentes et des orbites d'injection transmartienne étant révolu.

Hermès est mû par des moteurs ioniques qui crachent de l'argon à grande vitesse, obtenant une toute petite accélération. Comme le procédé ne nécessite pas beaucoup de masse de réaction, une faible quantité d'argon – plus un réacteur nucléaire pour alimenter le tout – nous permet d'accélérer de façon constante durant tout le trajet. Vous seriez étonnés de connaître la vitesse qu'on peut atteindre avec une minuscule accélération prolongée dans le temps.

Je pourrais vous raconter dans le menu cet amusant voyage, mais je ne le ferai pas ; je n'ai pas envie de le revivre pour l'instant. Sachez simplement que nous arrivâmes à bon port cent vingt-quatre jours plus tard, et ce sans nous être entre-tués.

De là, nous prîmes le VDM (véhicule de descente martienne) pour nous poser sur la planète rouge. En gros, le VDM est une grosse boîte de conserve dotée de quelques propulseurs et de parachutes destinée à déposer six êtres humains à la surface d'une planète sans les tuer.

Et puis vint l'heure de l'exploration, car le matériel dont nous aurions besoin avait déjà été déposé sur place par un total de quatorze engins non habités. Ceux-ci s'étaient d'ailleurs plutôt bien débrouillés, larguant leurs colis dans un périmètre assez réduit. Moins fragile que les astronautes, l'équipement peut être posé sans ménagement, même s'il a tendance à rebondir dans tous les sens.

Naturellement, nous n'étions partis qu'après avoir reçu la confirmation que le matériel était bien arrivé et que les containers n'avaient pas été endommagés. En comptant les vols préparatoires, une mission martienne s'étale sur trois ans. Par exemple, la NASA n'avait pas attendu le retour d'Arès 2 pour envoyer l'équipement destiné à Arès 3.

L'élément le plus important de ces cargaisons était bien évidemment le VAM, le véhicule d'ascension martienne qui nous permettrait de retourner à bord d'*Hermès* une fois notre travail terminé. Le VAM avait été posé en douceur, contrairement aux autres colis, lâchés comme de vulgaires ballons de basket. Bien sûr, il était resté en communication permanente avec Houston ; s'il était survenu le moindre problème, nous aurions fait le tour de Mars sans nous poser et serions rentrés à la maison.

Le VAM est une superbe machine. Grâce à des réactions chimiques et à l'atmosphère de la planète, il est capable de transformer un kilogramme d'hydrogène embarqué en treize kilogrammes de carburant ; toutefois, le processus est lent, et il lui faut deux ans pour faire le plein. D'où l'intérêt de l'envoyer sur place longtemps à l'avance.

Vous imaginez ma déception quand je découvris qu'il n'était plus là.

Si je suis toujours en vie, c'est à la faveur d'une séquence d'événements encore plus improbables que ceux qui faillirent me tuer.

Nous étions censés travailler malgré les tempêtes de sable, et ce même si le vent soufflait à cent cinquante kilomètres par heure. Lorsque les rafales atteignirent cent soixante-quinze kilomètres par heure, Houston commença à flipper. Nous nous réfugiâmes au cœur de l'Habitat et enfilâmes nos combinaisons spatiales au cas où il y aurait une dépressurisation. Mais l'Habitat n'était pas notre souci principal.

Le VAM est un vaisseau spatial ; il comporte de nombreux composants fragiles. Il peut résister à une tempête, pas à un décapage en règle. Après une heure et demie de vents violents, la NASA nous donna l'ordre d'abandonner le site. Personne n'avait envie de stopper une mission censée durer un mois au bout de six sols seulement, mais le VAM n'aurait pas pu résister longtemps à ce traitement, et nous ne pouvions pas prendre le risque de rester coincés en bas.

Nous étions donc contraints de sortir dans la tempête pour monter à bord du VAM. C'était une manœuvre risquée, mais nous n'avions guère le choix.

Tout le monde y parvint sauf moi.

Notre parabole principale, celle qui permettait à l'Habitat de communiquer avec *Hermès*, se transforma en cerf-volant, arrachant ses fondations et s'envolant dans la tempête. Au passage, elle détruisit nos fines antennes de réception, dont l'une fut projetée dans ma direction, pointe la première. Elle transperça ma combinaison comme une balle traversant une motte de beurre et m'entailla le flanc. La douleur fut terrible. Je me rappelle vaguement que mes poumons se vidèrent de leur air – ou plutôt que l'air qu'ils contenaient fut aspiré – et de mes oreilles bouchées douloureusement à cause de la dépressurisation.

La dernière chose dont je me souvienne, c'est la main de Johanssen, désespérément tendue vers moi.

C'est l'alarme de ma combinaison qui me réveilla – excès d'oxygène. Un « bip ! » régulier et insupportable qui m'arracha à une putain de profonde envie de crever.

La tempête s'était calmée. J'étais allongé sur le ventre et presque entièrement enseveli sous le sable. Encore *groggy*, je me demandai pourquoi je n'étais pas un peu plus mort que cela.

L'antenne avait traversé ma combinaison et mon flanc, mais pas mon pelvis. Il n'y avait donc qu'un seul trou dans ma tenue – plus un dans mon corps, évidemment.

Après avoir été projeté en arrière, j'avais dégringolé une colline abrupte pour finir sur le ventre. L'antenne formait un angle assez prononcé avec mon flanc, tirant sur le matériau de la combinaison, qui émettait un léger sifflement.

J'avais beaucoup saigné et, à l'approche de la brèche, mon liquide vital s'était évaporé dans la faible pression, laissant un résidu collant. À la longue, celui-ci avait fini par sceller le trou, à le réduire à un niveau gérable par les systèmes de la combinaison.

Celle-ci avait rempli sa mission de façon admirable. Percevant la baisse de pression, elle s'était servie dans son réservoir d'azote pour compenser. Une fois la fuite réduite, elle n'avait eu qu'à compléter tranquillement les déperditions d'air.

Quelque temps plus tard, les absorbeurs de CO_2 (dioxyde de carbone) s'étaient épuisés. Voilà le facteur limitant des systèmes de support-vie dans un tel milieu – le problème n'est pas la quantité d'oxygène que vous emportez, mais plutôt celle de CO_2 dont vous pouvez vous débarrasser. Dans l'Habitat, j'ai un oxygénateur, une grosse machine qui décompose le CO_2 pour récupérer l'oxygène. Les combinaisons spatiales se devant d'être portables, elles n'utilisent qu'un simple procédé chimique d'absorption par des filtres. J'avais dormi assez longtemps pour que ces filtres soient inutilisables.

La combinaison avait pris note de ce problème et basculé en mode d'urgence, un mode que les ingénieurs appelaient « la saignée ». N'ayant pas la capacité d'extraire l'oxygène du CO_2, elle avait délibérément lâché de l'air dans l'atmosphère martienne avant de se remplir d'azote. Entre la brèche et la saignée, celui-ci vint vite à manquer. Ne restait donc plus que le réservoir d'oxygène.

Pour me maintenir en vie, la combinaison s'était donc remplie d'oxygène pur au risque de me tuer par hyperoxie... L'oxygène menaçait de brûler mon système nerveux, mes poumons et mes yeux. Une mort ironique pour un type vêtu d'une combinaison spatiale trouée : un surdosage d'oxygène.

Des alertes et alarmes diverses avaient accompagné ce long processus. J'avais fini par me réveiller en entendant retentir celle qui me mettait en garde contre un excès d'O_2.

Avant de prendre part à une mission spatiale, on subit un entraînement très complet. Par exemple, j'avais passé une semaine entière à travailler les procédures d'urgence, aussi savais-je exactement comment réagir.

Avec circonspection, j'attrapai mon kit antifuite sur le côté de mon casque. Le kit se résume à un genre d'entonnoir enduit d'une résine incroyablement collante autour de son extrémité évasée et équipé d'une valve de l'autre. L'idée est d'ouvrir cette dernière et de coller la résine autour de la brèche. Comme l'air peut s'échapper librement, il n'empêche pas la résine de bien adhérer. Alors il suffit de fermer la valve, et le tour est joué.

Le plus difficile fut de retirer l'antenne. Je l'arrachai d'un seul coup, aussi vite que possible, grimaçant comme la baisse subite de pression me faisait tourner la tête et ravivait la douleur de mon flanc.

Je plaçai le kit au-dessus du trou et le scellai. Cela fonctionna. La combinaison se servit de nouveau dans le réservoir d'oxygène pour pallier le manque d'air. Vérifiant le moniteur serti sur mon avant-bras, je constatai que l'atmosphère que je respirais contenait quatre-vingt-cinq pour cent d'oxygène, contre environ vingt et un pour cent sur Terre. Cela ne me tuerait pas, enfin, pas tout de suite.

Titubant, j'entrepris de gravir la pente que j'avais dégringolée. Arrivé au sommet, j'avisai quelque chose qui me fit plaisir et quelque chose qui m'accabla : l'Habitat était intact (youpi !) et le VAM n'était plus là (oh !...).

Je compris aussitôt que j'étais foutu, mais je ne voulais pas crever comme ça, à l'extérieur. Je boitillai jusqu'à l'Habitat et m'engouffrai comme je le pouvais dans le sas. Dès que la pression fut rétablie, je retirai mon casque.

Une fois à l'intérieur, j'ôtai ma combinaison et examinai pour la première fois ma blessure. Elle nécessiterait des points de suture, mais nous avions été formés à ce genre d'intervention, et la base était bien pourvue en matériel médical. Une petite anesthésie locale, irriguer la plaie, neuf agrafes, et c'était terminé. Je devrais prendre des antibiotiques pendant une quinzaine de jours, mais en dehors de cela, tout irait bien.

Je ne sais pas pourquoi, mais j'essayai de mettre en route le communicateur. Pas de signal, évidemment. La parabole principale était cassée, vous vous rappelez ? Et elle avait arraché les antennes de réception en s'envolant. L'Habitat possédait deux systèmes de communication auxiliaires, mais ils servaient uniquement à parler au VAM, dont les émetteurs pouvaient seuls atteindre *Hermès*. Le problème étant qu'il fallait pour cela que le VAM soit toujours dans les parages.

Je n'avais aucun moyen de communiquer avec le vaisseau resté en orbite. Je finirais bien par retrouver la parabole, mais il me faudrait des semaines pour tout réparer, et à ce moment-là il serait trop tard. En cas d'abandon de mission, *Hermès* quitterait la planète dans les vingt-quatre heures. Les dynamiques orbitales faisaient que le voyage était plus court et plus sûr si on partait au plus vite, alors pourquoi attendre ?

Vérifiant ma combinaison, je me rendis compte que l'antenne avait labouré l'ordinateur de biosurveillance. Pendant les AEV (activités extravéhiculaires), les ordinateurs forment un réseau afin de permettre à chacun de surveiller le statut de ses collègues. L'équipage avait donc vu la pression atteindre zéro ou presque dans ma combinaison. Si on ajoutait à cela des données médicales catastrophiques et la vue de ce type dégringolant le flanc d'une colline avec une lance plantée dans le corps en plein milieu d'une tempête de sable... Pour eux, j'étais mort, à n'en pas douter.

Peut-être envisagèrent-ils vaguement la possibilité de récupérer mon corps, mais les règles sont très claires : un équipier qui perd la vie sur Mars doit rester sur Mars. Laisser son corps sur place permet de réduire le poids embarqué dans le VAM, d'économiser du carburant et d'augmenter les chances de rentrer à la maison sains et saufs. C'était bon à prendre.

Laissez-moi vous résumer ma situation : je suis coincé sur Mars, je n'ai aucun moyen de communiquer avec *Hermès* ou la Terre, tout le monde me croit mort et je suis dans un Habitat censé pouvoir durer trente et un jours.

Si l'oxygénateur tombe en panne, je suffoque. Si le recycleur d'eau me lâche, je meurs de soif. Si l'Habitat se fissure, j'explose ou un truc comme ça. Dans le meilleur des cas, je finirai par crever de faim.

Ouais, je crois bien que je suis foutu.

Chapitre 2

Journal de bord : Sol 7

Après une bonne nuit de sommeil, les choses ne me semblent pas aussi désespérées.

Aujourd'hui, j'ai vérifié les stocks de nourriture et fait une courte AEV pour jeter un coup d'œil à l'équipement extérieur. Voici ma situation :

La mission à la surface de Mars était censée durer trente et un jours. Par sécurité, les cargos non habités avaient déposé assez de vivres pour cinquante-six jours. De cette manière, si un ou deux cargos n'étaient pas arrivés à bon port, il y aurait eu assez de réserves pour terminer la mission.

L'enfer s'étant déchaîné au bout de six sols, il me reste assez de vivres pour nourrir six personnes pendant cinquante jours. Comme je suis seul, j'ai de quoi manger pendant trois cents jours, plus si je me rationne, ce qui me laisse une belle marge de manœuvre.

J'ai également ce qu'il faut en matière de combinaison. Chaque membre d'équipage en possédait deux : une pour la descente sur Mars et le retour vers *Hermès*, et une autre, plus massive et plus robuste, pour les AEV et les opérations de surface. Ma combinaison de vol est percée, et l'équipage a enfilé les cinq autres. Toutefois, les six combinaisons de sortie sont toujours là et en parfait état.

L'Habitat ne semble pas avoir souffert de la tempête. Dehors, en revanche, les choses ne sont pas aussi roses. Impossible de remettre la main sur la parabole, par exemple ; elle doit être à des kilomètres.

Le VAM n'est plus là, puisque mes camarades sont partis avec, mais sa moitié inférieure – celle nécessaire à l'atterrissage – n'a pas bougé. Pourquoi la ramener à la maison, en effet ? Chacun sait que le poids est l'ennemi du voyage spatial. Cette moitié comprend les trains d'atterrissage, l'usine à carburant et tout ce qui, de l'avis de la NASA, risquerait de compromettre un retour en orbite.

Le VDM est couché sur le flanc, la coque déchirée. Apparemment, la tempête a arraché le capot du parachute de secours – non utilisé durant la descente –, qui a traîné l'engin dans tous les sens, le cognant contre les rochers du coin. De toute façon, il ne m'aurait servi à rien. Ses moteurs-fusées ne seraient même pas capables de soulever son poids pourtant modeste. Peut-être pour les pièces détachées. À voir…

Les deux rovers sont à moitié ensevelis sous le sable, mais en bon état. Leurs joints d'étanchéité sont intacts, ce qui est logique : en cas de tempête, ils sont programmés pour s'immobiliser et attendre. Et ils sont conçus pour résister à ce type d'épreuve. Je devrais pouvoir les dégager en une bonne journée de travail.

J'ai perdu tout contact avec les stations météo situées à un kilomètre de l'Habitat dans quatre directions différentes. Peut-être fonctionnent-elles. Les capacités d'émission et de réception de l'Habitat sont devenues si faibles qu'elles n'atteignent même plus mille mètres.

Les panneaux solaires étaient recouverts de sable et donc inutiles – pour information : les panneaux photovoltaïques ont besoin de la lumière du soleil pour produire de l'électricité –, mais tout est rentré dans l'ordre après un bon coup de balai. Je ne sais pas ce que je vais faire, mais en tout cas je ne manquerai pas d'énergie. Deux cents mètres carrés de cellules PV et des piles à hydrogène pour stocker un maximum d'électricité. Tout ce que j'ai à faire, c'est de balayer ces panneaux de temps en temps.

À l'intérieur, les conditions sont géniales. Cet Habitat, c'est vraiment du solide.

J'ai procédé à un diagnostic de l'oxygénateur. À deux diagnostics, en fait. Tout est parfait. Je dispose même d'un appareil de rechange, à n'utiliser toutefois qu'en cas d'urgence, le temps de réparer. En effet, ce dernier ne casse pas le CO_2 pour récupérer l'oxygène ; il se contente de l'absorber comme le font les combinaisons. Il est capable de fonctionner pendant cinq jours avant que ses filtres saturent, soit trente jours pour un homme seul – au lieu de six. J'ai donc de quoi voir venir.

Le recycleur d'eau fonctionne aussi correctement. En revanche, je ne dispose d'aucun système auxiliaire. S'il cessait de marcher, je serais contraint de puiser dans mes réserves en attendant de fabriquer une distillerie primitive pour faire bouillir mon urine. Par ailleurs, je perdrais un demi-litre d'eau par jour en respirant tant que l'humidité de l'Habitat ne serait pas suffisante pour que la condensation ruisselle sur toutes les surfaces. À ce moment-là, je n'aurais plus qu'à lécher les murs. Youpi… Enfin, je croise les doigts – le recycleur ne pose pas de problème pour l'instant.

Donc, ouais, pour le moment, j'ai de la nourriture, de l'eau et un abri. Dès aujourd'hui, je vais commencer à me rationner. Les repas sont déjà minimalistes, mais je pense pouvoir me contenter de trois quarts de portion. De cette façon, je passerai de trois cents à quatre cents jours de nourriture. En fouillant dans les fournitures médicales, j'ai trouvé le flacon de vitamines. J'ai suffisamment de comprimés multivitaminés pour plusieurs années. Je n'aurai donc aucun problème nutritionnel – ce qui ne m'empêchera pas de crever de faim quand je serai à court de nourriture.

J'ai aussi trouvé de la morphine pour les cas d'urgence. Il y en a assez pour tuer. Pas question que je meure lentement de faim, vous pouvez me croire. Si on doit en arriver là, je choisirai une voie plus facile.

À bord, tout le monde avait deux spécialités. Pour ma part, je suis botaniste et ingénieur en mécanique. J'étais le bricoleur de l'équipe, en somme. Un bricoleur qui jouait avec les plantes. L'ingénieur en mécanique pourrait bien me sauver la vie si quelque chose venait à casser.

Il n'est pas totalement exclu que je survive ; mon cas n'est pas désespéré. Arès 4 devrait arriver sur Mars dans environ quatre ans – à condition que le programme ne soit pas annulé à la suite de ma « mort ».

Arès 4 se posera dans le cratère de Schiaparelli, soit à environ trois mille deux cents kilomètres d'Acidalia Planitia où je me trouve. Je ne peux pas espérer me rendre là-bas par mes propres moyens. Si j'étais en mesure de communiquer, je pourrais peut-être obtenir de l'aide. Venir me chercher ne serait pas forcément facile avec les ressources disponibles, mais il y a beaucoup de gens intelligents à la NASA.

Ma mission est toute trouvée. Trouver un moyen de communiquer avec la Terre. Ou, à défaut, trouver une manière de communiquer avec *Hermès* à son retour dans quatre ans avec l'équipage d'Arès 4.

Je ne vois pas du tout comment je peux survivre pendant quatre ans avec un an de nourriture, mais chaque chose en son temps. Pour le moment, je suis bien nourri et j'ai un objectif: réparer cette putain de radio.

Journal de bord: Sol 10

J'ai fait trois AEV, mais je n'ai pas pu retrouver la parabole.

J'ai dégagé un des rovers et sillonné le coin mais, après des jours à rouler au hasard, je crois qu'il est temps d'abandonner. La tempête l'a sûrement emportée au loin, effaçant toute trace susceptible de me conduire à elle. Et puis, elle est sûrement enfouie sous des tonnes de sable.

J'ai passé la majeure partie de la journée dehors à travailler sur ce qui reste du système de communication. Je peux vous dire que ce n'est pas beau à voir. À la limite, je ferais mieux de hurler à la Terre; ce serait plus efficace.

Je pourrais fabriquer une parabole de fortune avec des morceaux de métal récupérés autour de la base, mais il ne s'agit pas de bricoler un talkie-walkie. Communiquer avec la Terre depuis Mars, ce n'est pas rien; cela nécessite du matériel spécialisé. On ne peut pas espérer se débrouiller avec du papier d'alu et du chewing-gum.

Je dois me rationner, mais aussi limiter mes sorties. Les filtres à CO_2 ne sont pas nettoyables. Une fois saturés, ils sont fichus. Chaque membre d'équipage était censé pouvoir travailler dehors quatre heures par jour. Par chance, les filtres étant petits et légers, la NASA nous en a donné plus que nécessaire. J'ai fait le calcul et je dispose d'environ mille cinq cents heures de filtres. Après ça, ne restera plus que la solution de la saignée.

Quinze cents heures, cela peut paraître beaucoup, mais je suis coincé ici pour au moins quatre ans au cours desquels je vais devoir passer plusieurs heures par semaine à nettoyer les panneaux solaires. Bref, je ne sortirai que quand ce sera nécessaire.

Au fait, j'ai également réfléchi à la question de la nourriture. Ma formation de botaniste pourrait bien s'avérer utile.

Pourquoi emmener un botaniste sur Mars ? Après tout, tout le monde sait que rien ne pousse, là-bas. L'idée était de voir comment la gravitation de la planète affecte les végétaux et d'étudier le potentiel du sol martien. Car il a un potentiel. Enfin presque. Il y a, dans le sol de la planète, pas mal d'éléments indispensables à la croissance des plantes, mais il lui manque aussi énormément de choses propres à la Terre. Et je ne parle ni de l'atmosphère ni de l'eau en abondance. Non, ce qui manque, c'est l'activité bactérienne et certains nutriments apportés par la vie animale. Il n'y a rien de tout cela sur Mars. Une des tâches qui m'incombaient consistait à étudier la croissance des plantes en combinant de diverses manières le sol et l'atmosphère de la Terre et de Mars.

Voilà pourquoi on m'a débarqué avec un peu de terre et des graines.

Mais bon, il n'y a pas de quoi s'emballer ; j'ai juste assez de terre pour remplir une jardinière et quelques graines d'herbes diverses et de fougères. Ce sont les plantes les plus rustiques et les plus résistantes de notre planète. Voilà pourquoi la NASA les a choisies.

J'ai donc deux gros problèmes : pas assez de terre, et rien de comestible à semer dedans.

Mais je suis botaniste, merde ! Je devrais pouvoir trouver une solution. Sinon, eh bien, dans environ un an, je serai un botaniste affamé.

Journal de bord : Sol 11

Je me demande comment se débrouillent les Cubs[1]...

Journal de bord : Sol 14

Je suis diplômé de l'université de Chicago. La moitié des étudiants en botanique y étaient des hippies persuadés de pouvoir revenir à un monde plus naturel. Comme s'il était possible de nourrir sept milliards de personnes en faisant la cueillette. De plus, ils passaient

1. Club de base-ball de Chicago. (*NdT*)

le plus clair de leur temps à chercher des moyens d'augmenter leur production de marijuana. Je ne les aimais pas trop. Moi, ce qui m'intéressait, c'était la science, pas le Nouvel Ordre mondial et ce genre de conneries.

Quand je les voyais préparer leur compost en essayant de conserver le plus petit gramme de matière organique, je ne pouvais m'empêcher de me foutre d'eux. *Regardez-moi ces hippies débiles ! Ils voudraient simuler un écosystème aussi complexe que le nôtre dans leur jardin !*

Aujourd'hui, c'est exactement ce que je fais. Je conserve la plus petite particule de biomasse. Chaque fois que je termine un repas, les restes vont dans un seau à compost. Quant aux déchets biologiques…

L'Habitat est pourvu de toilettes sophistiquées. Normalement, les excréments sont séchés dans le vide, puis accumulés dans des sachets scellés pour être abandonnés dans le paysage.

Plus maintenant !

J'ai même fait une AEV pour récupérer les sachets jetés par mes camarades avant leur départ. Complètement desséchés, ces excréments étaient dépourvus de bactéries, mais ils contenaient toujours des protéines complexes. Ils serviraient de fumier. Avec un peu d'eau et des bactéries actives, il serait facile de remplacer les organismes tués par les « Toilettes de la mort ».

J'ai trouvé une grosse boîte dans laquelle j'ai versé un peu d'eau et jeté la merde séchée. Depuis, j'y ajoute également mes propres excréments. Plus ça pue, plus je suis heureux. C'est signe que les bactéries sont à l'œuvre !

Après cela, je n'aurai plus qu'à ajouter un peu de sol martien, à mélanger le tout et à le répandre. Restera à saupoudrer un peu de sol terrestre par-dessus. Attention, ce sera une étape essentielle ! Des dizaines d'espèces de bactéries vivent dans le sol terrestre, et elles sont indispensables à la croissance des plantes. Elles vont se multiplier, pulluler comme… comme une infection bactérienne.

L'homme utilise ses excréments comme engrais depuis des siècles. En anglais, on a même un euphémisme pour désigner ce fumier à base d'excréments humains ; on parle de « *night soil* », le sol de nuit. C'est joli. Normalement, ce n'est pas une façon idéale de cultiver des plantes destinées à la consommation, car ça provoque des maladies. Nos excréments contiennent des agents pathogènes qui nous rendent malades. Toutefois, ce n'est pas un souci pour moi ; j'ai déjà attrapé tous les éléments pathogènes présents dans cette merde.

Dans une semaine, le sol martien sera prêt pour accueillir mes graines, mais je ne compte rien semer pour l'instant. J'irai chercher encore un peu de sol sans vie, que je saupoudrerai de ma terre chargée en bactéries. Celle-ci « infectera » le sol martien, et j'aurai bientôt doublé ma réserve de terre cultivable. Une semaine plus tard, j'aurai encore multiplié cette quantité par deux, et ainsi de suite. Ce faisant, bien sûr, je continuerai d'ajouter du fumier au mélange.

En résumé, mon trou du cul contribue à mon salut autant que mon cerveau.

Je n'ai rien inventé. Cela fait des décennies que les chercheurs spéculent sur la possibilité de rendre le sol de Mars cultivable. Je vais simplement mettre la théorie en pratique pour la première fois.

J'ai cherché dans les réserves de nourriture, et j'ai trouvé plein de graines à semer. De pois, par exemple. Et beaucoup de haricots. J'ai aussi découvert plusieurs pommes de terre. Après les épreuves qu'ils ont traversées, réussir à les faire germer serait génial. Étant très largement pourvu en vitamines, je n'ai besoin que de calories pour survivre.

L'Habitat mesure quatre-vingt-douze mètres carrés, que je compte mettre à profit. Je n'ai pas peur de marcher dans la terre. Cela va représenter un travail colossal, mais je compte recouvrir la totalité du sol de dix bons centimètres de terre. Ce qui signifie que je vais devoir transporter 9,2 m^3 de sol martien dans l'Habitat. Je pense pouvoir loger un dixième de mètre cube à la fois dans le sas. Ce ne sera pas facile, je vais me casser le dos, mais à la fin, si tout se passe bien, j'aurai quatre-vingt-douze mètres carrés de terre arable.

Je suis botaniste oui ou merde ! Faites gaffe, les mecs, Superbotaniste arrive !

Journal de bord : Sol 15

Ouah ! ce travail est épuisant !

Aujourd'hui, j'ai passé douze heures dehors à ramasser de la terre pour l'Habitat. J'ai tout juste réussi à tapisser un petit coin de la base, peut-être cinq mètres carrés. À ce rythme, cela va me prendre des semaines, mais on ne peut pas dire que je manque de temps, hein ?

Mes premières AEV ont été assez inefficaces – remplir de petits containers, les faire passer à travers le sas... Puis j'ai eu l'idée de placer un grand container dans le sas et de le remplir avec des petits. Cela m'a permis d'aller beaucoup plus vite, le cycle complet du sas durant une dizaine de minutes.

J'ai mal partout. En plus, je me sers de pelles destinées à la collecte d'échantillons et non aux travaux de terrassement. Mon dos me fait incroyablement souffrir. J'ai fouillé dans les fournitures médicales et trouvé un peu de Vicodin. J'en ai pris un il y a une dizaine de minutes. L'effet ne devrait pas tarder à se faire sentir.

En tout cas, cela fait plaisir de voir le résultat de mon travail. Il est temps de passer ces minéraux à la moulinette de mes bactéries. Mais après le déjeuner. Aujourd'hui, c'est ration complète !

Journal de bord : Sol 16

J'avais oublié un détail : l'eau. Après des millions d'années passées dans des conditions extrêmes, le sol martien en est dépourvu. Grâce à ma maîtrise de botanique, je puis affirmer que mes graines ont besoin d'une terre humide pour pousser... Humide et abritant des bactéries.

Heureusement, j'ai de l'eau. Pas autant que je le voudrais, toutefois. Pour être viable, ma terre a besoin de quarante litres d'eau par mètre cube. D'après mes calculs, il me faut 9,2 m^3 de terre et donc trois cent soixante-huit litres d'H_2O.

L'Habitat est équipé d'un excellent recycleur d'eau – la meilleure technologie disponible sur Terre. La NASA s'est dit : *Pourquoi envoyer de grosses quantités d'eau dans l'espace ? Le minimum vital suffira.* Un être humain a besoin de trois litres d'eau par jour pour vivre correctement. Nous sommes donc partis avec cinquante litres chacun, soit trois cents litres en tout.

Je suis prêt à tout verser dans mon futur champ. Enfin presque ; je garderai une cinquantaine de litres au cas où. Avec le reste, j'humidifierai 62,5 m^2 sur une profondeur de dix centimètres. Cela représente environ deux tiers de la surface de l'Habitat. Je ne pourrai pas faire mieux. C'est mon plan à long terme. Aujourd'hui, mon objectif était plus modeste : m'occuper de cinq petits mètres carrés.

J'ai délimité un petit jardin collé contre la paroi incurvée de l'Habitat à l'aide de couvertures et d'uniformes abandonnés par mes camarades. Cinq mètres carrés environ. J'ai rempli ce bac de fortune de dix centimètres de sable, puis j'ai sacrifié vingt litres d'eau aux dieux de la terre.

Alors les choses sont devenues un peu dégoûtantes. J'ai vidé mon grand container d'excréments sur le sable. L'odeur était insupportable ; j'ai bien cru que j'allais vomir. J'ai mélangé le tout avec une pelle avant d'étaler uniformément le sable et de le saupoudrer d'un peu de terre rapportée de la maison. Allez, au boulot les bactéries ! Je compte sur vous. Je vais devoir supporter cette odeur pendant un certain temps. Ce n'est pas comme si je pouvais ouvrir la fenêtre. Mais bon, on s'habitue à tout.

Au fait, aujourd'hui, c'est Thanksgiving. Ma famille va sans doute se réunir chez mes parents, à Chicago. À mon avis, ça ne va pas être très drôle, vu que je suis mort il y a dix jours… Merde, ils viennent à peine d'assister à mes funérailles.

Je me demande s'ils découvriront un jour ce qui s'est réellement passé. J'ai été tellement occupé à survivre que je n'ai pas vraiment eu le temps de penser à ce qu'enduraient mes parents. En ce moment, ils vivent la pire des situations. Je donnerais tout pour pouvoir leur dire que je suis toujours en vie.

Si je veux y arriver un jour, je n'ai d'autre choix que de survivre.

Journal de bord : Sol 22

Eh ! ça se passe plutôt bien !

J'ai fini de tapisser de sable deux tiers de la surface de l'Habitat. Et puis, j'ai bêché pour la première fois. Le sol martien transporté il y a près d'une semaine est devenu riche et parfait. Encore deux séances de bêchage, j'aurai terminé.

L'activité physique est importante pour le moral. J'aime être occupé. En fin de journée, après avoir dîné en écoutant une compilation des Beatles oubliée par Johanssen, je me suis mis à broyer du noir.

Pas besoin d'être un génie des maths pour comprendre que mon champ ne m'empêcherait pas de crever de faim.

Ce qu'il y a de mieux, pour produire des calories, c'est la pomme de terre. Son rendement est bon et elle contient pas mal de calories – sept cent soixante-dix par kilogramme. Je suis à peu près certain que celles dont je dispose vont germer. Le problème, c'est que je ne pourrai pas en faire pousser assez. Sur soixante-deux mètres carrés, je peux espérer récolter cent cinquante kilogrammes de pommes de terre en quatre cents jours – les quatre cents jours dont je dispose avant de me retrouver à court de provisions. Cela représente un total de cent quinze mille cinq cents calories, soit une moyenne de deux cent quatre-vingt-huit calories par jour. Je veux bien me serrer la ceinture, mais je ne pense pas pouvoir descendre en dessous de mille cinq cents calories quotidiennes.

Et on en est loin.

Impossible de survivre avec ce petit bout de terre. Enfin si, soixante-seize jours de plus.

Les pommes de terre poussant continuellement, je peux espérer cultiver vingt-deux mille calories supplémentaires en soixante-seize jours, soit assez pour deux semaines. Après... Inutile de calculer davantage. Dans le meilleur des cas, mon champ m'apportera quatre-vingt-dix jours de survie.

Je commencerai donc à crever de faim le 490e sol au lieu du 400e. C'est un progrès. Sauf qu'il faudrait que je tienne jusqu'au 1412e, date d'arrivée supposée d'Arès 4.

Me manque donc encore un bon millier de jours de nourriture, et je ne vois vraiment pas comment je pourrais me les procurer.

Merde.

Chapitre 3

Journal de bord : Sol 25

Vous vous rappelez ces bons vieux problèmes de maths ? ces histoires de baignoires qui fuient et se remplissent en même temps, mais à des rythmes différents, et où il faut calculer combien de temps elles mettront à se vider ? Eh bien, ma vie est devenue un problème d'algèbre, sauf qu'en bas de la copie, j'ai envie d'écrire : « Mark Watney ne meurt pas. »

Il me faut créer des calories. Suffisamment pour durer les mille trois cent quatre-vingt-sept sols qui me séparent de l'arrivée d'Arès 4. Sinon je suis mort. Un sol durant trente-neuf minutes de plus qu'une journée, cela nous donne mille quatre cent vingt-cinq jours. Voilà mon objectif : mille quatre cent vingt-cinq jours de nourriture.

J'ai plein de comprimés multivitaminés – deux fois trop. Chaque sachet-ration contient cinq fois la dose de protéines recommandée quotidiennement. En faisant attention, je peux donc avoir des protéines pour au moins quatre ans. D'un point de vue nutritionnel, mes besoins sont couverts ; ce qu'il me manque, c'est les calories.

J'ai besoin de mille cinq cents calories par jour et je dispose de quatre cents jours de nourriture pour commencer. Combien de calories dois-je donc produire par jour pendant cette période afin de tenir mille quatre cent vingt-cinq jours ?

Je vous épargnerai les calculs. La réponse est : environ mille cent. J'ai besoin de produire mille cent calories par jour grâce à mon exploitation miniature si je veux survivre jusqu'à l'arrivée d'Arès 4. Un peu plus même, car dix-neuf sols après le départ des autres, je n'ai toujours rien semé.

Avec mon champ de soixante-deux mètres carrés, je produirai à peu près deux cent quatre-vingt-huit calories par jour. Il me faudra multiplier ce rendement par quatre pour survivre.

Cela signifie que j'ai besoin de quatre fois plus de terre agricole et de quatre fois plus d'eau pour hydrater ce sol. Prenons les problèmes dans l'ordre.

Combien de terre puis-je vraiment espérer cultiver ?

L'Habitat mesure quatre-vingt-douze mètres carrés. Admettons que j'exploite la totalité de cette surface.

Je dispose également de cinq couchettes non utilisées. Supposons que je les tapisse de terre. Cinq fois deux mètres carrés à ajouter au total, ce qui nous donne cent deux mètres carrés.

Il y a trois tables, dans le labo. Chacune mesure deux mètres carrés. J'en garderai une pour travailler et exploiterai les deux autres. Cela représente quatre mètres carrés. J'en suis donc à cent six mètres carrés.

J'ai deux rovers martiens. Ils sont équipés de joints d'étanchéité permettant à leurs occupants de conduire sans combinaison spatiale pendant de longues périodes. Ils sont trop exigus pour que je puisse y planter quoi que ce soit, et puis, de toute façon, je préfère les garder pour me déplacer. Toutefois, les deux véhicules sont dotés de tentes d'urgence.

Y faire pousser mes pommes de terre poserait de sérieuses difficultés, mais les tentes couvrent chacune une surface de dix mètres carrés, ce qui, à condition que je résolve de nombreux problèmes, porterait mon total à cent vingt-six mètres carrés.

Une exploitation de cent vingt-six mètres carrés. Voilà avec quoi je dois travailler. Je n'ai toujours pas l'eau nécessaire pour humidifier tout cela, mais comme je l'ai déjà dit, chaque chose en son temps.

Se pose également la question de ma productivité, car mes estimations sont fondées sur les standards de l'agriculture terrienne. Sauf que les producteurs de pommes de terre sont rarement engagés dans une course contre la montre comme la mienne. Obtenir un meilleur rendement est-il envisageable ?

Il est vrai que je serai en mesure de soigner chaque plant individuellement. Je les taillerai pour qu'ils restent en bonne santé et ne se gênent pas. Par ailleurs, quand les plants seront en fleur, je les enterrerai plus profondément et ferai pousser de nouveaux plants plus près de la surface. Un agriculteur ne se donnerait jamais cette peine, sachant qu'il cultive des millions de plants.

Sans compter que cela finirait par détruire son sol. Une dizaine d'années de ce régime, et ses terres seraient réduites à l'état de désert de poussière. Ce n'est vraiment pas une solution viable, mais je m'en fous. J'ai uniquement besoin de survivre quatre ans.

J'estime être en mesure d'augmenter mon rendement de cinquante pour cent en mettant en œuvre ces techniques. Avec ces cent vingt-six mètres carrés de terre cultivée – un peu plus du double de mes soixante-deux mètres carrés de départ –, je peux espérer atteindre une production de huit cent cinquante calories par jour.

C'est un véritable progrès. La famine menacerait toujours, mais je ne serais pas forcément condamné. À l'arrivée d'Arès 4, je ne serais peut-être qu'à moitié mort. Et puis, je pourrais diminuer mes besoins en calories en limitant mon activité physique. Et si j'augmentais la température de l'Habitat, mon corps aurait besoin de moins d'énergie pour maintenir sa chaleur. Je pourrais aussi me couper un bras pour le manger – ingérer de précieuses calories tout en diminuant mes besoins.

N'importe quoi...

Bon, admettons que je cultive la surface susmentionnée. Cela me semble raisonnable. Où vais-je trouver l'eau nécessaire ? Pour passer de soixante-deux à cent vingt-six mètres carrés de terre sur dix centimètres d'épaisseur, j'aurai besoin de 6,4 m^3 de sol supplémentaires – du boulot à la pelle ! – et de plus de deux cent cinquante litres d'eau.

Les cinquante litres dont je dispose sont réservés à ma consommation personnelle, au cas où le recycleur tomberait en panne. Me manquent donc deux cent cinquante litres d'eau sur les deux cent cinquante dont j'ai besoin.

Fait chier. Bon, je vais me coucher.

Journal de bord : Sol 26

Journée harassante, mais productive.

J'en avais marre de réfléchir, du coup, au lieu de me creuser les méninges à essayer de trouver un moyen de dégotter deux cent cinquante litres d'eau, j'ai fait un peu de travail manuel. Il faut que je rapporte un sacré paquet de sable dans l'Habitat. Même s'il est sec et stérile pour le moment.

J'en ai trimballé un mètre cube, puis je me suis arrêté. J'étais épuisé.

Des vents violents ont soufflé pendant une heure, couvrant les panneaux solaires de saletés et m'obligeant à ressortir pour une nouvelle AEV. Cela m'a mis en rogne. Balayer un énorme champ de panneaux PV est ennuyeux et fatigant. Une fois cette corvée terminée, je suis retourné dans mon « Petit Habitat dans la prairie ».

Et puis je me suis dit que mon champ avait besoin d'être bêché. Je me suis retroussé les manches et j'ai travaillé pendant une heure supplémentaire. Encore une séance comme celle-ci, et cette terre agricole sera prête à l'emploi.

Il était également temps de commencer les plantations. J'avais assez bêché, et je pouvais bien cultiver un petit coin. Je disposais de douze pommes de terre.

J'ai quand même une putain de chance ! Ces patates auraient pu être débitées en frites et congelées ou réduites en purée. Pourquoi la NASA a-t-elle envoyé douze pommes de terre réfrigérées mais non surgelées ? Et pourquoi les a-t-elle stockées dans notre habitacle pressurisé et non dans une caisse avec le reste des fournitures destinées à l'Habitat ? À cause de Thanksgiving. Les psys de la NASA se sont dit que cela nous ferait du bien de prendre un repas convivial ensemble. Et de le préparer. Il y a une logique derrière tout cela, mais on s'en fout.

J'ai coupé chaque pomme de terre en quatre en m'assurant que chaque morceau comportait au moins deux yeux. C'est de là que les plantes vont germer. Je les ai laissés durcir à l'air libre pendant quelques heures, avant de les planter, bien espacés les uns des autres, dans mon petit coin. Bonne chance, petites patates. Ma survie dépend de vous.

Normalement, il faut quatre-vingt-dix jours pour récolter une pomme de terre mature, mais je ne peux pas attendre si longtemps. Je débiterai toutes les pommes de terre de cette récolte en morceaux que je replanterai aussitôt.

En réglant la température de l'Habitat sur 25,5 °C, une température très confortable, je peux faire grandir les plans plus vite. Et puis la lumière artificielle fournira tout le « soleil » nécessaire. Je me chargerai d'amener l'eau – dès que je l'aurai trouvée. En tout cas, il n'y aura pas d'intempéries ni de parasites ni de mauvaises herbes pour ralentir la croissance de mes plantes ou les priver de leurs nutriments. Si tout va bien, donc, je devrais avoir des tubercules en bonne santé au bout d'une quarantaine de jours.

La journée est finie et j'en ai ma claque de me prendre pour un fermier.

Un vrai repas pour le dîner – c'est ma récompense. Je l'ai bien mérité. En plus, j'ai grillé un maximum de calories, que je veux récupérer.

J'ai fouillé dans les affaires du commandant Lewis et j'ai trouvé sa clé USB. Chaque membre d'équipage pouvait apporter les loisirs numériques de son choix, et j'en avais marre d'écouter les albums des Beatles en boucle. Bref, je voulais voir à quoi elle s'intéressait.

Son truc, c'est les séries télé à la con. J'ai découvert des saisons entières de séries télé oubliées depuis belle lurette.

Mmh… C'est mieux que rien, j'imagine. Alors ce sera *Three's Company*[1].

Journal de bord : Sol 29

Ces quelques derniers jours, j'ai réussi à transporter et à répandre tout le sable dont j'aurai besoin. J'ai préparé les tables et les couchettes afin qu'elles puissent supporter le poids de cette terre. Je n'ai toujours pas d'eau pour rendre ce sol viable, mais j'ai des idées. De mauvaises idées, mais des idées quand même.

Mon exploit de la journée : avoir installé les tentes.

1. Sitcom américaine diffusée pour la première fois entre 1977 et 1984 sur la chaîne ABC. Intitulée *Vivre à trois* au Québec, mais restée inédite dans les autres pays francophones. (*NdT*)

Le problème avec les tentes de secours des rovers, c'est qu'elles n'ont pas été conçues pour un usage fréquent.

On déplie sa tente et on se réfugie dedans pour attendre les secours – voilà l'idée. En guise de sas, on a des soupapes et deux portes. On reproduit la pression externe pour pénétrer dans le sas, puis la pression interne pour entrer sous la tente, ce qui implique de perdre beaucoup d'air à chaque utilisation. Et je vais avoir besoin d'entrer là-dedans au moins une fois par jour. Le volume total d'une tente est assez faible, aussi est-il hors de question de gaspiller l'air qu'elle contient.

J'ai passé des heures à essayer d'imaginer un moyen de relier les tentes aux sas de l'Habitat. Celui-ci en possédant trois, ç'aurait été tout à fait envisageable. Et super pratique.

Le plus frustrant, c'est qu'il est effectivement possible de relier une tente à un autre sas ! On peut avoir un blessé à l'intérieur, ou bien manquer de combinaisons. Il faut être en mesure de sortir les gens sans les exposer à l'atmosphère martienne.

Toutefois, les tentes ont été conçues pour que vos camarades puissent venir vous secourir en rover. Les sas de l'Habitat sont plus grands et d'une tout autre facture. Pourquoi voudrait-on fixer une tente à un Habitat ?

À moins d'être coincé sur Mars, à moins que tout le monde vous croie mort et que vous luttiez désespérément contre le temps et les éléments pour tenter de survivre, à moins d'être dans une situation extrême, cela n'aurait aucun intérêt.

Finalement, j'ai décidé d'y aller franchement et de perdre un peu d'air chaque fois que j'entrerai dans une tente. La bonne nouvelle, c'est qu'elles sont pourvues d'une valve d'admission accessible de l'extérieur. Normal, vous me direz, puisqu'il s'agit d'abris de secours. Dans le cas où leurs occupants auraient besoin d'air, il suffirait de leur en injecter grâce à ce simple tube, afin d'équilibrer la pression atmosphérique de la tente et celle du rover.

L'Habitat et les rovers utilisent les mêmes standards pour les conduits et soupapes, ce qui m'a permis de relier directement les tentes à la base. De cette façon, l'air que je perdrai chaque fois que j'emprunterai le sas d'une tente sera immédiatement remplacé par les systèmes de l'Habitat.

La NASA n'a vraiment pas lésiné avec ces tentes de secours. Dès que j'ai appuyé sur le bouton d'urgence du rover, mes oreilles se sont bouchées et l'abri s'est déplié autour du sas du véhicule. Cela n'a pas pris plus de deux secondes.

J'ai scellé le sas côté rover pour me retrouver avec une belle petite tente parfaitement isolée. Fixer les tuyaux destinés à égaliser les pressions ne m'a posé aucun problème – d'autant que, pour une fois, je ne détournais pas le matériel de son usage normal. Quelques allers et retours plus tard – au cours desquels l'Habitat a pallié sans problème les déperditions d'air –, l'abri était tapissé de sable.

J'ai répété la même opération pour l'autre tente, et tout s'est passé pour le mieux.

Dommage que je n'aie pas d'eau.

Au lycée, je jouais pas mal à *Donjons et dragons*. Au cas où vous ne l'auriez pas deviné, le botaniste-ingénieur en mécanique que je suis était du genre intello-geek... Mon personnage, un clerc, avait le pouvoir de jeter des sorts et de « créer de l'eau ». J'ai toujours pensé que c'était un sort débile, et je ne m'en suis jamais servi. Comme j'aimerais posséder cette aptitude aujourd'hui !

Enfin... Je m'occuperai de ce problème d'eau demain.

Ce soir, *Three's Company* m'attend. Hier, je me suis arrêté au milieu d'un épisode dans lequel M. Roper, le propriétaire, surprenait ses trois jeunes locataires dans une situation compromettante – le quiproquo classique.

Journal de bord : Sol 30

J'ai élaboré un plan dangereux et complètement idiot pour me procurer l'eau dont j'ai besoin. Et quand je dis « dangereux »... Mais je n'ai pas le choix. Je n'ai plus d'idée, et je suis supposé doubler la quantité de terre cultivable dans quelques jours. Pour y parvenir, je suis censé répandre du sol vivant sur toute cette nouvelle terre que je viens de déposer à l'intérieur, Si je ne l'arrose pas d'abord, elle mourra, tout simplement.

Il n'y a pas beaucoup d'eau sur Mars. Il y a la glace des pôles, oui, mais c'est beaucoup trop loin. Si je veux de l'eau, je vais devoir la créer. Heureusement, je connais la recette : un peu d'hydrogène, de l'oxygène et du feu.

Prenons les ingrédients un par un et commençons par l'oxygène.

J'ai de bonnes réserves d'O_2, mais pas assez pour produire deux cent cinquante litres d'eau : deux réservoirs haute pression situés à chaque extrémité de l'Habitat, plus l'air contenu dans celui-ci, bien sûr. Chaque bouteille contient vingt-cinq litres d'O_2 liquide. L'Habitat ne les utiliserait qu'en cas d'urgence, puisque l'oxygénateur suffit à équilibrer l'atmosphère. Les réservoirs d'oxygène liquide servent normalement à recharger les combinaisons et les rovers.

De toute façon, cet O_2 liquide ne suffirait qu'à produire cent litres d'eau – cinquante litres d'O_2 donnant cent litres de molécules contenant chacune un atome d'O. Et puis, cela voudrait dire faire une croix sur les AEV et se passer de réserves d'urgence. Hors de question, surtout pour produire moins de la moitié de l'eau dont j'ai besoin.

Sur Mars, il est plus aisé de trouver de l'oxygène qu'on le pense. L'atmosphère est composée à quatre-vingt-quinze pour cent de CO_2, et il se trouve que je dispose d'une machine dont la seule fonction est de libérer l'oxygène contenu dans le CO_2. Eh oui, mon oxygénateur !

Problème : l'atmosphère est très peu dense – moins d'un pour cent de la pression terrestre – et difficile à collecter. Faire entrer de l'air venu de l'extérieur est quasi impossible. La mission de l'Habitat est d'ailleurs d'empêcher ce genre de chose d'arriver. Quand j'utilise le sas, il entre une quantité absolument ridicule d'atmosphère martienne.

C'est là qu'entre en jeu l'usine à carburant du VAM.

Mes coéquipiers sont repartis avec le VAM il y a plusieurs semaines, mais la moitié inférieure de l'engin est restée au sol. La NASA n'a pas l'habitude de mettre en orbite de la masse non nécessaire. Les trains d'atterrissage, la rampe d'accès et l'usine de carburant sont toujours là. Le VAM produit son carburant à partir de l'atmosphère martienne, vous vous rappelez ? La première étape consiste à capturer du CO_2 et à le stocker dans un réservoir haute pression. Quand j'aurai branché l'usine sur l'alimentation de l'Habitat, le dispositif produira un demi-litre de CO_2 par heure. Indéfiniment. Dix sols plus tard, je disposerai de cent vingt-cinq litres de CO_2 qui, une fois passés dans l'oxygénateur, donneront cent vingt-cinq litres d'O_2, soit de quoi fabriquer deux cent cinquante litres d'eau. Voilà mon plan pour l'oxygène.

Le problème de l'hydrogène est un peu plus complexe.

J'ai envisagé de désosser les piles à hydrogène, mais j'en ai vraiment besoin, surtout la nuit. Sans elles, la température chuterait beaucoup trop. Moi, je peux me couvrir, mais cela tuerait mes plantes. Et puis, de toute façon, chaque pile ne contient qu'une petite quantité de H_2. Pour si peu, cela ne vaudrait pas le coup. Je n'ai pas de soucis d'énergie, et j'ai l'intention que cela dure.

Je vais devoir trouver une autre solution.

Je mentionne souvent le VAM. Il est temps que je vous parle un peu du VDM.

Durant les vingt-trois minutes les plus terrifiantes de ma vie, quatre de mes coéquipiers et moi nous sommes efforcés de ne pas chier dans notre froc pendant que Martinez pilotait le VDM vers la surface martienne. Vous avez déjà fait un tour en séchoir ?

Pour commencer, on a quitté *Hermès* et décéléré tranquillement pour pouvoir commencer à tomber comme il se doit. Tout se passait comme sur des roulettes jusqu'au moment où on a rencontré l'atmosphère. Si vous avez peur des turbulences dans un avion de ligne volant à sept cent vingt kilomètres par heure, imaginez ce que cela donne à vingt-huit mille kilomètres par heure.

Plusieurs séries de parachutes se sont déployées automatiquement pour ralentir notre descente, après quoi Martinez a piloté manuellement jusqu'au sol, usant des propulseurs pour ralentir et contrôler nos mouvements latéraux. Il s'entraînait depuis des années, et il s'en est super bien tiré. Il a même explosé toutes les estimations en nous posant à neuf mètres de la cible. Martinez a tout déchiré.

Merci, Martinez ! Il se peut que tu m'aies sauvé la vie !

Non pas en posant le VDM, mais en ne brûlant pas tout son combustible. Des centaines de litres d'hydrazine non utilisés. Chaque molécule d'hydrazine contient quatre atomes d'hydrogène. Chaque litre d'hydrazine contient donc suffisamment d'hydrogène pour produire deux litres d'eau.

J'ai fait une petite AEV pour vérifier. Il reste deux cent quatre-vingt-douze litres de carburant dans les réservoirs du VDM, soit assez pour produire presque six cents litres d'eau ! Bien plus que nécessaire !

Enfin, ce n'est pas si simple. Libérer l'hydrogène contenu dans l'hydrazine… eh bien… c'est comme cela que fonctionnent les fusées. C'est très, très chaud. Et dangereux. Si je fais cela dans une atmosphère d'oxygène, l'hydrogène brûlant et fraîchement libéré explosera. À la fin, il y aura plein d'H_2O, mais je serai trop mort pour en profiter.

À la racine, l'hydrazine est assez simple. Les Allemands l'utilisaient déjà durant la Seconde Guerre mondiale dans leurs premiers chasseurs à réaction – et se faisaient exploser avec de temps à autre.

Tout ce qu'il faut, c'est un catalyseur – récupérable dans le moteur du VDM – pour la transformer en azote et en hydrogène. Je vous épargnerai l'équation, mais sachez que cinq molécules d'hydrazine donnent cinq inoffensives molécules de N_2 et dix adorables molécules de H_2. Au cours de ce processus, l'hydrazine passe par un stade intermédiaire où elle devient de l'ammoniac. La chimie ne fonctionnant jamais tout à fait comme elle devrait, on peut être certain qu'une partie de cet ammoniac restera de l'ammoniac. Vous aimez le parfum de l'ammoniac ? J'ai l'impression que je vais devoir m'y habituer.

La chimie est de mon côté. Reste à trouver un moyen de provoquer une réaction lente et de collecter l'hydrogène. Plus facile à dire qu'à faire.

Je trouverai bien quelque chose. Ou alors je mourrai.

Mais il y a bien plus important : je n'arrive tout simplement pas à accepter le remplacement de Chrissy par Cindy. *Three's Company* ne sera plus jamais pareil après ce fiasco. Enfin, qui vivra verra.

Chapitre 4

Journal de bord : Sol 32

J'ai rencontré plusieurs problèmes en essayant de produire de l'eau. Mon idée est d'obtenir six cents litres d'eau – grâce à l'hydrogène issu de l'hydrazine. Ce qui signifie que j'ai besoin de trois cents litres d'O_2 liquide.

Je peux créer de l'O_2 assez facilement. En vingt-quatre heures, l'usine à carburant du VAM remplit un réservoir de dix litres de CO_2. L'oxygénateur transformera ce CO_2 en O_2 ; le régulateur atmosphérique de l'Habitat, constatant une concentration en oxygène trop importante, le stockera dans les réservoirs principaux. Une fois ceux-ci pleins, je devrai transférer l'O_2 dans les réservoirs des rovers, voire des combinaisons si c'est nécessaire.

Toutefois, le processus est lent. Au rythme d'un demi-litre par heure, il me faudra vingt-cinq jours pour produire tout l'oxygène dont j'ai besoin. C'est trop à mon goût.

Et puis, il y a la question du stockage de l'hydrogène. Combinés, les réservoirs d'air de l'Habitat, des rovers et des combinaisons spatiales contiennent trois cent soixante-quatorze litres, alors que les ingrédients nécessaires à la fabrication de mon eau représenteront un volume de neuf cents litres.

J'ai même songé à utiliser un des rovers comme réservoir… Les rovers sont assez grands, mais ils n'ont pas été conçus pour résister à ce type de pression. Ils sont faits pour contenir – vous l'aurez deviné – une atmosphère. Il me faudrait quelque chose de beaucoup plus costaud. Le rover exploserait, j'en suis certain.

La meilleure manière de stocker les ingrédients qui composent l'eau, c'est encore de produire de l'eau, et je vais donc m'y employer.

Le concept est simple, mais sa mise en œuvre sera extrêmement dangereuse.

Toutes les vingt heures, je disposerai de dix litres de CO_2 grâce à l'usine à carburant du VAM. Ce CO_2, je le transférerai dans l'Habitat d'une manière hautement scientifique en démontant le réservoir fixé à une jambe d'un train d'atterrissage du VAM avant de le rapporter à l'intérieur et d'ouvrir sa soupape pour qu'il se vide.

Alors l'oxygénateur le transformera en O_2.

Après cela, je libérerai l'hydrazine *très lentement* au-dessous du catalyseur en iridium afin d'en faire du N_2 et du H_2. Je dirigerai le H_2 vers une petite zone où je le brûlerai.

Comme vous le voyez, ce plan me donnera de nombreuses occasions de mourir dans une violente explosion.

L'hydrazine à elle seule est extrêmement dangereuse. Si je commets la moindre erreur, il y aura bientôt un cratère à la place de cet Habitat. Le « cratère commémoratif de Mark Watney ».

En admettant que je ne foire pas avec l'hydrazine, restera la question de l'hydrogène. Je vais devoir allumer un feu dans l'Habitat. À dessein.

Demandez à n'importe quel ingénieur de la NASA : le pire des scénarios pour un Habitat, c'est le feu. Une véritable catastrophe. Mort par le feu. Demandez aux ingénieurs.

Mais je peux y arriver. Je vais produire de l'eau en continu sans avoir à stocker l'hydrogène ni l'oxygène. Cette eau sera mélangée à l'atmosphère, l'humidifiera, avant d'être récupérée par le recycleur.

Je n'ai même pas besoin de calculer précisément la quantité d'hydrazine transformée ou de CO_2 collecté. Il y a de l'oxygène à foison dans l'Habitat, et mes réserves sont pleines. Pour ne pas me retrouver à court d'O_2, il me suffit de limiter ma production d'eau.

J'ai branché l'usine à carburant du VAM à l'alimentation principale de l'Habitat. Heureusement, les deux utilisent le même voltage. Mon usine ronronne et collecte du CO_2 pour moi.

Une demi-ration pour le dîner. Aujourd'hui, je me suis contenté d'élaborer un plan qui va me tuer, ce qui ne m'a pas demandé trop d'énergie.

Je finis de regarder *Three's Company* ce soir. Franchement, je préfère M. Furley à M. et Mme Roper.

Journal de bord : Sol 33

C'est peut-être la dernière fois que je vous écris.

Depuis sol 6, je sais que j'ai de fortes chances de mourir ici. Sauf que je pensais mourir de faim. Et pas tout de suite.

Je suis sur le point d'enflammer l'hydrazine.

En planifiant cette mission, les ingénieurs de la NASA savaient qu'il y aurait beaucoup de maintenance à pratiquer, aussi suis-je très bien outillé. Vêtu d'une combinaison spatiale, j'ai pu démonter les panneaux du VDM et accéder aux six réservoirs d'hydrazine, que j'ai posés à l'ombre d'un rover pour qu'ils ne chauffent pas trop. Il y a davantage d'ombre à côté de l'Habitat, et il y fait plus frais, mais tant pis. S'ils doivent exploser, je préfère qu'ils fassent sauter un véhicule plutôt que ma maison.

Puis j'ai dégagé la chambre de réaction. Je me suis donné du mal, j'ai même dû ouvrir cette saloperie comme une boîte de conserve, mais j'ai réussi à la sortir. Heureusement que je n'ai pas besoin de la faire fonctionner à plein régime. Au contraire, je veux à tout prix éviter une combustion à plein régime !

Après avoir transporté la chambre dans l'Habitat, j'ai brièvement considéré l'idée d'apporter les réservoirs d'hydrazine un à un pour réduire les risques. Toutefois, quelques rapides calculs sur une nappe de restaurant mentale m'ont confirmé qu'un seul réservoir aurait pu à lui seul souffler mon Habitat. Alors je les ai tous rapportés d'un coup. Pourquoi pas ?

Les réservoirs sont dotés de valves manuelles. Je me demande bien à quoi elles servent. En tout cas, l'équipage n'est pas censé y toucher. À mon avis, elles permettent de relâcher un peu de pression au cours des nombreux tests de qualité pratiqués durant la construction et juste avant le remplissage. Quoi qu'il en soit, je dois ouvrir ces valves, et pour cela, j'ai simplement besoin d'une clé.

J'ai trouvé un tuyau de rechange dans le placard du recycleur d'eau. Avec un peu de fil récupéré sur un uniforme – désolé, Johanssen –, j'ai fixé le tuyau à la valve de sortie. L'hydrazine étant liquide, il suffit de la guider jusqu'à la chambre de réaction – devenue un « bol de réaction » pour l'occasion.

En attendant, l'usine à carburant du VAM fonctionne toujours. J'ai déjà récupéré un réservoir plein de CO_2, que j'ai vidé dans l'Habitat et mis à remplir.

Je n'ai donc plus d'excuses. Il est temps de commencer à faire de l'eau.

Si vous avez retrouvé la carcasse carbonisée de l'Habitat, c'est que je me suis trompé quelque part. J'ai copié ce journal de bord sur les systèmes des deux rovers, histoire qu'il ait plus de chances d'être retrouvé.

De toute façon, je n'ai plus rien à perdre.

Journal de bord : Sol 33 (2)

On dirait que je ne suis pas encore mort.

Pour commencer, j'ai enfilé la doublure de ma combinaison d'AEV. Juste la couche interne, gants et bottes compris. Puis j'ai passé un masque à oxygène trouvé dans le matériel médical et des lunettes de laborantin dénichées dans le kit de chimiste de Vogel. Je respirais de l'air en bouteille, et j'étais intégralement protégé. Enfin, presque.

Pourquoi ? Parce que l'hydrazine est très toxique. Si j'en respire trop, je vais avoir de gros problèmes de poumons. Si j'en reçois sur la peau, les brûlures chimiques resteront à vie. Pas question de prendre le moindre risque.

J'ai dévissé la valve jusqu'à ce que le liquide commence à couler. Une goutte est tombée dans le bol en iridium.

Elle a grésillé et disparu de façon peu spectaculaire.

Mais c'est ce que je voulais, libérer de l'hydrogène et de l'azote. Youpi !

J'ai des sacs en abondance. Des sacs qui ressemblent beaucoup à des sacs-poubelle ordinaires, mais qui doivent coûter cinquante mille dollars, parce que c'est la NASA qui les fabrique.

En plus d'être la patronne de l'expédition, Lewis était notre géologue. Elle était supposée ramasser des échantillons de roche et de sol dans toute la zone opérationnelle, soit un cercle de dix kilomètres de rayon. Comme il est impossible de rapporter trop de matériaux à la maison, elle était censée faire le tri sur place et sélectionner les cinquante kilogrammes les plus dignes d'intérêt. Ces sacs devaient servir à cela : stocker et marquer les échantillons. Certains sont plus petits que des sacs congélation, d'autres aussi gros que des sacs destinés aux déchets végétaux.

Et puis, j'ai du ruban adhésif. Du ruban ordinaire comme on en trouve dans les magasins de bricolage. Eh bien, oui, même la NASA ne peut pas améliorer le ruban adhésif.

J'ai découpé quelques-uns des plus gros sacs, que j'ai collés ensemble pour faire un genre de tente. Ou plutôt un sac géant. Ainsi, j'ai pu couvrir la table où j'avais installé ma petite usine à gaz de scientifique fou. J'avais posé divers objets sur la table pour empêcher le plastique de tomber dans le bol d'iridium. Par chance, les sacs sont transparents, ce qui me permet de surveiller les opérations.

Ensuite, j'ai sacrifié une combinaison spatiale à ma cause. J'avais besoin d'un conduit d'air, et comme j'ai un surplus de combinaisons – six en tout, une pour chaque membre d'équipage… Je pouvais bien en massacrer une, non ?

J'ai taillé un trou au centre de ma tente de fortune, où j'ai collé le conduit d'air avec le ruban adhésif. Et bien collé, je pense.

Avec deux longs fils récupérés sur les vêtements de Johanssen, j'ai suspendu l'autre extrémité du conduit au plafond de l'Habitat en prenant soin de ne pas attacher la fibre textile trop près de la bouche du tuyau. J'avais donc une petite cheminée. Elle mesurait environ un centimètre de diamètre, ce qui, je l'espérais, serait suffisant.

La réaction va énormément réchauffer l'hydrogène, et il aura tendance à s'élever. Il s'engouffrera dans le conduit et brûlera à sa sortie.

Alors il m'a fallu inventer le feu.

La NASA s'est donné beaucoup de mal pour s'assurer que rien ne puisse brûler dans l'Habitat. Tout est en métal, en plastique résistant à la chaleur, et même les uniformes sont constitués d'un matériau synthétique. J'avais besoin de quelque chose qui puisse brûler en continu, d'un genre de veilleuse. Je n'ai pas les compétences nécessaires pour contrôler le flot de H_2 et alimenter une flamme sans me tuer. Ma marge de manœuvre est bien trop faible.

J'ai fouillé dans les affaires de tout le monde – ils n'avaient qu'à pas m'abandonner sur Mars avec leurs sacs – et j'ai trouvé la solution à mon problème.

Je savais que Martinez était catholique pratiquant. En revanche, j'ignorais qu'il avait apporté une petite croix en bois. Je suis sûr que la NASA lui a cassé les pieds à son sujet, mais Martinez est du genre têtu.

J'ai taillé son petit objet sacré en petites esquilles à l'aide d'une pince et d'un tournevis. Si Dieu existe, il ne m'en voudra pas, compte tenu de ma situation.

Je dois prendre le risque, quitte à détruire la seule chose qui empêche encore les vampires martiens de s'en prendre à moi.

Générer des étincelles n'est pas un problème, car il y a des câbles et des piles partout. Cependant, on ne peut pas enflammer du bois avec une misérable étincelle électrique. C'est pourquoi j'ai arraché des languettes d'écorce aux palmiers locaux et ramassé deux bâtons que j'ai frottés l'un contre l'autre pour produire de la chaleur…

Je déconne. J'ai dirigé de l'oxygène pur vers un morceau de bois, j'ai produit une étincelle, et j'ai regardé le bâtonnet s'allumer comme une allumette.

Avec ma minitorche à la main, j'ai ouvert la vanne de l'hydrazine. Celle-ci a grésillé sur l'iridium et disparu. Très vite, ma cheminée s'est mise à crachoter des flammèches.

Je devais faire très attention à la température. Une fois décomposée, l'hydrazine devient très exothermique. J'ai procédé avec circonspection en surveillant constamment l'affichage du thermocouple que j'avais relié à la chambre en iridium.

Et cela a fonctionné !

Chaque réservoir d'hydrazine contient un peu plus de cinquante litres, soit de quoi produire cent litres d'eau. Je suis limité par ma production d'oxygène, mais tout excité que je suis, je suis prêt à utiliser la moitié de mes réserves. Bref, je ne compte arrêter que lorsque le réservoir sera à moitié vide. À ce moment-là, j'aurai cinquante litres d'eau !

Journal de bord : Sol 34

Cela m'a pris énormément de temps. J'y ai passé la nuit, mais j'ai fait ce que j'avais à faire.

J'aurais pu terminer plus vite, mais je me suis dit qu'il valait mieux être doublement prudent en mettant le feu au carburant de fusée dans un lieu clos.

Mon Dieu, cet endroit est devenu une jungle tropicale.

Il fait presque trente degrés, et le taux d'humidité est infernal. Je viens de déverser un maximum de chaleur et cinquante litres d'eau dans l'atmosphère de l'Habitat.

Durant le processus, l'Habitat s'est efforcé de maintenir un semblant d'ordre – comme la maman d'un bambin trop turbulent. Il est en train de remplacer l'oxygène que j'ai utilisé, et le recycleur d'air tente de faire baisser l'humidité de l'air. Pour la chaleur, il n'y a rien à faire. Il n'y a pas de climatiseur. Mars est froide. On ne s'attendait vraiment pas à avoir à se débarrasser d'un excédent de chaleur.

Je me suis habitué à entendre les alarmes beugler tout le temps. Maintenant qu'il n'y a plus de feu, l'alarme à incendie s'est tue. Celle qui me prévient du manque d'oxygène devrait bientôt suivre, contrairement à celle qui proteste contre l'excédent d'humidité. Le recycleur d'eau a du travail pour la journée.

Pendant quelques instants, j'ai même eu droit à une nouvelle alarme. Le réservoir principal du recycleur d'eau était plein. Ouais ! Voilà le genre de problème que je veux avoir !

Vous vous rappelez la combinaison que j'ai vandalisée hier ? Je l'ai suspendue à son rack, et j'ai fait l'aller et retour plusieurs fois depuis le recycleur avec des seaux pour la remplir. Ces combinaisons peuvent contenir une pression équivalente à une atmosphère, alors quelques seaux d'eau…

Putain, je suis crevé. Je suis resté debout toute la nuit et je ne rêve que de me coucher. Grâce à mon boulot, je vais faire de beaux rêves pour la première fois depuis sol 6.

Les choses se déroulent enfin comme prévu. Mieux que prévu, même ! Finalement, je ne vais peut-être pas mourir !

Journal de bord : Sol 37

Je suis foutu. Je vais crever.

Bon, je me calme. Je vais trouver une solution.

C'est à toi que j'écris, monsieur l'archéologue du futur. Je suis planqué dans le rover n° 2. Tu te demandes pourquoi je ne suis pas dans l'Habitat, hein ? Parce que j'ai fui la queue entre les jambes, tiens ! Je ne sais pas ce que je vais faire.

Commençons par le commencement. Vous avez le droit de savoir, puisqu'il s'agit peut-être de mon dernier témoignage.

Ces quelques derniers jours, j'étais occupé à produire de l'eau. Et ça coulait tout seul. Ça *coulait*, tu parles…

J'ai même trafiqué le compresseur de l'usine à carburant du VAM afin d'améliorer mon rendement. Ce n'était pas bien compliqué ; il suffisait d'augmenter le voltage de la pompe.

Après ma première moisson de cinquante litres, j'ai décidé de me calmer et de suivre le niveau de mes réserves d'O_2. Pas question de descendre en dessous de vingt-cinq litres. Lorsque le niveau est trop bas, je cesse de m'amuser avec mon hydrazine jusqu'à ce que l'oxygène remonte bien au-dessus de vingt-cinq litres.

Détail important : quand je dis que j'ai produit cinquante litres d'eau, ce n'est qu'une supposition. Je n'ai pas récupéré cette flotte. La terre nouvelle qui tapisse l'Habitat est extrêmement sèche, et elle n'a fait qu'une gorgée de toute cette humidité. De toute façon, c'est là que je l'aurais mise, cette eau, donc je ne m'en fais pas. Je n'ai pas du tout été étonné de ne pas voir ces cinquante litres dans le réservoir du recycleur.

Maintenant que la pompe est boostée, j'arrive à récolter dix litres de CO_2 toutes les quinze heures. J'ai pu le vérifier à quatre reprises. D'après mes calculs, en incluant les cinquante litres initiaux, je devrais avoir ajouté cent trente litres d'eau au système.

Eh bien, mes calculs mentent !

J'ai récupéré soixante-dix litres d'eau dans le recycleur et la combinaison transformée en citerne. Il y a plein de condensation sur les murs et le dôme du toit, et ma terre en absorbe une bonne partie. Mais pas soixante litres. Où sont passés mes soixante litres ? Quelque chose a foiré.

Et puis, j'ai remarqué l'autre réservoir d'O_2.

L'Habitat possède deux réservoirs d'O_2 – un de chaque côté de la structure, pour des raisons de sécurité. Et il décide seul d'utiliser l'un ou l'autre en fonction de ses besoins. Apparemment, le réservoir n° 1 a été mis à contribution pour équilibrer l'atmosphère de l'Habitat. Quand j'ai ajouté de l'O_2 au système – via l'oxygénateur –, celui-ci l'a distribué de façon égale aux deux réservoirs. Lentement, donc, le réservoir n° 2 a gagné de l'oxygène.

En soi, ce n'est pas un problème ; cela montre que l'Habitat fait son boulot. Sauf que le fait que je gagne de l'O_2 signifie que je ne le consomme pas aussi vite que prévu.

Au début, je me suis dit : *Génial ! Plus d'oxygène ! Je vais pouvoir produire de l'eau plus rapidement !* Mais alors, une pensée plus dérangeante m'est venue.

Suivez ma logique... Je gagne de l'O_2, mais la quantité qui me vient de l'extérieur reste constante. Cela veut dire que j'en utilise moins que ce que je croyais, alors que je n'ai pas cessé de catalyser l'hydrazine pour produire de l'humidité.

La seule explication logique, c'est que je n'ai pas brûlé tout l'hydrogène libéré.

Quand j'y repense, c'est évident. Et pourtant, il ne m'était pas venu à l'esprit qu'une partie de l'hydrogène ne brûlerait pas. Le gaz est passé à côté de la flamme et s'est taillé tranquillement dans l'Habitat. Putain, Jim, je suis botaniste, pas chimiste !

C'est chiant, la chimie. Et maintenant, j'ai plein d'hydrogène non brûlé dans mon air. Tout autour de moi. Mélangé à l'oxygène. Qui attend. Qui attend une toute petite étincelle pour foutre en l'air mon Habitat !

Il m'a fallu un peu de temps pour me remettre de cette prise de conscience.

J'ai pris un petit sac, je l'ai agité dans les airs, je l'ai refermé, puis j'ai fait une AEV rapide jusqu'à un rover – les véhicules sont équipés d'un analyseur atmosphérique. Azote : 22 %. Oxygène : 9 %. Hydrogène : 64 %.

Je n'ai pas bougé du rover depuis.

Pas question de retourner à Hydrogèneville.

J'ai eu beaucoup de chance que l'Habitat n'ait pas sauté. La plus petite décharge d'électricité statique aurait pu provoquer un *Hindenburg*[1] miniature.

Me voilà donc coincé dans le rover n° 2. Je peux rester ici un jour ou deux avant que les filtres à CO_2 du véhicule et de ma combinaison soient saturés. C'est le temps dont je dispose pour trouver une solution.

L'Habitat est devenu une bombe.

1. Allusion au LZ 129 *Hindenburg*, le plus grand dirigeable commercial jamais construit, détruit par un incendie le 6 mai 1937 lors de son atterrissage à Lakehurst dans le New Jersey après une traversée transatlantique. (*NdT*)

Chapitre 5

Journal de bord : Sol 38

Je suis toujours planqué dans le rover, mais j'ai eu le temps de réfléchir. Je sais comment m'occuper de cet hydrogène.

J'ai pensé au régulateur atmosphérique. Il surveille la composition de l'air et maintient son équilibre. Grâce à lui, l'O_2 que j'importe dans l'Habitat se retrouve dans les réservoirs. Le souci, c'est qu'il n'a pas été conçu pour extraire l'hydrogène de l'air.

Le régulateur fonctionne par solidification fractionnée ; c'est comme cela qu'il sépare les gaz. Quand il décide qu'il y a trop d'oxygène, il collecte de l'air dans une cuve et le refroidit à quatre-vingt-dix kelvins[1]. À cette température, l'oxygène se liquéfie, au contraire de l'azote qui reste gazeux (point de condensation : soixante-dix-sept kelvins). Puis il stocke l'O_2.

Je ne peux pas le forcer à faire la même chose avec l'hydrogène, celui-ci se liquéfiant en dessous de vingt et un kelvins, température que le régulateur ne peut atteindre. Une voie sans issue.

Voici la solution :

L'hydrogène est dangereux parce qu'il peut exploser. Cependant, il ne peut exploser que s'il y a de l'oxygène dans les parages. Sans oxygène, l'hydrogène est inoffensif. Et le régulateur a été conçu pour extraire l'oxygène de l'air.

Quatre sécurités successives empêchent le régulateur de puiser trop d'oxygène dans l'atmosphère. Conçues pour pallier des défaillances du système, elles ne peuvent rien contre un sabotage délibéré (mouahaha !).

1. Unité SI (Système international) de la température thermodynamique. Une variation d'un kelvin (K) est égale à celle d'un degré Celsius, mais il s'agit d'une mesure absolue de la température selon une échelle qui commence à 0 K (le zéro absolu), équivalent à -273,15 °C. (*NdT*)

Pour faire court, disons que je peux faire en sorte que le régulateur vide l'Habitat de son oxygène. Ensuite, il me suffira d'enfiler une combinaison spatiale – histoire de respirer quand même – pour faire ce que j'ai à faire sans crainte de tout faire sauter.

Je lâcherai de petites giclées d'O_2 avec une bouteille, et je me servirai de deux fils et d'une pile pour générer une étincelle et enflammer l'hydrogène, qui ne brûlera que tant qu'il y aura de l'oxygène.

Je recommencerai encore et encore, de façon brève et contrôlée, jusqu'à ce qu'il n'y ait plus d'hydrogène.

Un minuscule défaut dans ce plan : ça tuera ma terre.

Celle-ci n'est viable que tant qu'elle abrite des bactéries. Sans oxygène, les bactéries mourront. Malheureusement, je ne dispose pas de cent milliards de minicombinaisons spatiales.

Ce n'est qu'une demi-solution, en fait.

Assez réfléchi. Il est l'heure de prendre un peu de repos.

Lewis est la dernière à avoir piloté ce rover. Elle était supposée le reprendre le lendemain de son départ précipité. Son kit de voyage personnel est toujours à l'arrière. En fouillant un peu, j'ai trouvé une barre de protéines et sa clé USB, sans doute pleine de musique à écouter en conduisant.

Je vais donc manger un morceau et découvrir les goûts musicaux de notre commandant.

Journal de bord : Sol 38 (2)

Du disco. Putain, Lewis…

Journal de bord : Sol 39

Je crois que j'ai trouvé.

Les bactéries du sol sont habituées à l'hiver. Avec le froid, elles deviennent moins actives et requièrent moins d'oxygène. Je pourrais baisser la température de l'Habitat, la faire descendre jusqu'à 1 °C afin de les plonger en quasi-hibernation. Ce genre de truc se produit tout le temps sur Terre. Deux jours à ce régime ne leur feraient aucun mal. Vous vous demandez peut-être comment les bactéries survivent à de longues périodes de froid sur Terre ? Eh bien, elles ne survivent pas ! Elles sont tout simplement remplacées par d'autres bactéries, restées à l'abri dans les profondeurs du sol.

Elles auraient toujours besoin d'oxygène, mais en faible quantité. Un pour cent d'O_2 devrait leur suffire. En revanche, ce serait trop peu pour alimenter un feu et donc provoquer une explosion d'hydrogène.

Autre problème : mes pommes de terre ne vont pas beaucoup aimer cela.

Je parle du froid. Il n'y a qu'une solution : les mettre en pots – ou plutôt en sacs – et les transporter dans les rovers. Vu qu'elles n'ont même pas encore germé, elles n'ont pas besoin de lumière.

Bizarrement, je me suis longtemps demandé comment maintenir de la chaleur dans le rover pendant mon absence. Mais j'ai fini par trouver. J'ai tout le temps qu'il faut pour réfléchir, ici.

Voici mon plan : fourrer les pommes de terre dans des sacs pour les mettre à l'abri dans le rover, en m'assurant que ce satané chauffage continue de tourner ; régler la température de l'Habitat sur 1 °C ; extraire l'oxygène de l'atmosphère de l'Habitat jusqu'à ce qu'il n'en reste qu'un pour cent, puis brûler l'hydrogène à l'aide d'une pile, de quelques câbles et d'une bouteille d'O_2.

Ouais. Cela m'a l'air d'être une idée super. Sans risque de catastrophe majeure.

Nan, je déconne.

Bon, allez, j'y vais.

Journal de bord : Sol 40

On ne peut pas parler de réussite totale.

On dit qu'aucun plan ne survit à sa mise en œuvre. C'est tout à fait vrai. Voici comment cela s'est passé :

J'ai rassemblé ce qui me restait de courage pour retourner dans l'Habitat. Une fois sur place, ma confiance est remontée d'un cran.

Rien n'avait bougé en mon absence. (Je m'attendais à quoi ? À ce que les Martiens aient pillé l'installation ?)

J'ai commencé par régler le thermostat sur 1 °C, car la température mettrait du temps à descendre.

J'ai mis les pommes de terre dans des sachets, et j'en ai profité pour les examiner. Les racines sont sorties, et elles sont sur le point de germer. Je n'avais pas réfléchi à la manière dont j'allais les transporter jusqu'au rover.

Rien de plus facile. Je les ai mises dans la combinaison spatiale de Martinez, que j'ai traînée jusqu'au véhicule transformé en pépinière temporaire.

Après avoir bricolé le chauffage afin qu'il reste allumé, je suis retourné dans l'Habitat.

Le temps de faire l'aller et retour, il faisait déjà bien froid. Dans les 5 °C. Tout en frissonnant et en regardant ma respiration se condenser devant moi, j'ai enfilé quelques couches de vêtements supplémentaires. Par chance, je ne suis pas très baraqué. Je peux mettre les vêtements de Martinez par-dessus les miens. Et ceux de Vogel par-dessus ceux de Martinez. Ces saloperies de sapes ont été prévues pour être portées dans un environnement contrôlé. Malgré les trois couches, j'avais toujours froid. Alors je suis monté dans mon lit pour me planquer sous les couvertures.

Une fois la température descendue à 1 °C, j'ai attendu une bonne heure, histoire de laisser le temps aux bactéries du sol de piger qu'elles devaient ralentir leur métabolisme.

Et puis le régulateur a fait des siennes. Alors que j'étais sûr de moi, je n'ai pas réussi à contourner les sécurités. Impossible de l'obliger à extraire trop d'O_2 de l'atmosphère. Quinze pour cent – c'était son minimum. Il n'y avait rien à faire. Un temps, j'ai songé à entrer dans le système, à tout reprogrammer, mais les protocoles de sécurité sont inscrits sur des ROM.

Je ne peux pas lui en vouloir. Sa raison d'être est justement d'empêcher l'atmosphère de devenir dangereuse. Personne, à la NASA, ne s'est dit : *Eh ! et si on autorisait un taux d'oxygène fatal qui finirait par tuer tout le monde !*

Non, évidemment. D'où la nécessité d'appliquer un plan plus primitif.

Le régulateur n'utilise pas les mêmes prises d'air pour l'analyse et la décomposition de l'atmosphère. Le gaz qui doit subir une solidification fractionnée passe par la grille principale de l'unité principale, alors que celui qui est analysé est aspiré par neuf minces conduits qui serpentent jusqu'à l'appareil. De cette façon, la machine analyse des échantillons différents et se fait une image réaliste de l'atmosphère de l'Habitat, éliminant les risques d'erreur due à un déséquilibre local.

J'ai bouché huit des entrées d'air sur neuf, puis collé un de mes gros sacs à l'encolure d'une combinaison spatiale – celle de Johanssen – à l'aide de ruban adhésif. Enfin, j'ai percé un petit trou dans le fond du sac, que j'ai collé autour de la dernière prise d'air.

Alors j'ai gonflé le sac avec de l'O_2 pur issu du réservoir de la combinaison. Le régulateur a halluciné. *Putain de merde ! Il faut vite extraire cet O_2 de l'atmosphère de l'Habitat !*

Ça a marché !

J'ai décidé de ne pas enfiler de combinaison spatiale, car la pression atmosphérique serait bonne. J'ai seulement pris une bouteille et un masque à oxygène dans le matériel médical. De cette façon, ma liberté de mouvement serait bien meilleure. Le masque était même pourvu d'un bandeau en caoutchouc qui le maintenait sur mon visage.

Toutefois, j'avais besoin d'une combinaison pour surveiller le niveau d'oxygène réel de l'Habitat, l'ordinateur principal étant convaincu qu'il atteignait cent pour cent. La combinaison de Martinez était dans le rover, celle de Johanssen scotchée au régulateur, celle de Lewis servait de réservoir d'eau, et je n'avais pas envie d'abîmer la mienne – eh ! elles sont faites sur mesure ! M'en restait donc deux.

J'ai pris celle de Vogel, dont j'ai retiré le casque et désactivé les capteurs d'air internes. Lorsque l'oxygène est tombé à douze pour cent, j'ai mis mon masque. Puis il a baissé encore et encore. À un pour cent, j'ai coupé l'alimentation du régulateur.

Je ne peux peut-être pas le reprogrammer, mais je peux l'éteindre, ce connard !

Il y a des veilleuses un peu partout en cas de coupure de courant majeure. J'ai démonté les LED de l'une d'entre elles, laissant les fils d'alimentation dénudés très proches l'un de l'autre. Ainsi, lorsque je l'allumais, j'obtenais une belle étincelle.

J'ai pris la bouteille d'O_2 de la combinaison de Vogel, j'y ai attaché une courroie aux deux extrémités et je me la suis mise sur l'épaule. Puis j'y ai vissé un tuyau que j'ai bouché avec le pouce tout en ouvrant doucement le robinet.

Debout sur la table avec ma lampe dans une main et mon tuyau d'oxygène dans l'autre, j'ai levé les bras et tenté le coup.

Et, bordel, ça a marché ! Le jet d'O_2 dirigé au-dessus de ma lampe allumée produisait une flamme magnifique. L'alarme à incendie s'est déclenchée, évidemment, mais je l'avais tellement entendue ces derniers temps que je ne la remarquais même plus.

Et puis j'ai recommencé encore et encore. Par petits jets pas du tout spectaculaires. J'étais content de prendre mon temps.

C'était génial ! C'était le meilleur plan de l'histoire de l'humanité ! Non seulement je nettoyais l'atmosphère de son hydrogène, mais je fabriquais de l'eau !

Tout se passait super bien jusqu'à l'explosion.

Alors que je brûlais tranquillement mon hydrogène, je me suis soudain retrouvé à l'autre bout de l'Habitat sous une pile d'objets divers. Je me suis relevé tant bien que mal, avisant le désordre qui m'entourait.

Putain, j'ai mal aux oreilles ! me suis-je dit aussitôt. *J'ai la tête qui tourne !*

Je suis tombé à genoux, puis je me suis carrément écroulé par terre. J'étais vraiment dans un sale état. Je me suis pris la tête à deux mains en espérant surtout ne pas découvrir de blessure. Il ne me manquait rien, apparemment.

Enfin, presque… Mon masque à oxygène avait été arraché par l'explosion. Je respirais de l'azote presque pur.

Le sol étant jonché de débris divers, je n'avais aucune chance de mettre rapidement la main sur la bouteille d'O_2 médicale avant de tomber dans les pommes.

C'est alors que j'ai vu la combinaison de Lewis, accrochée à sa place. Le souffle ne l'avait pas soulevée. Il faut dire qu'elle était lourde et qu'elle contenait en plus soixante-dix litres d'eau.

Je me suis précipité vers elle, j'ai ouvert le robinet d'O_2 et j'ai fourré ma tête dans l'encolure – j'avais démonté le casque depuis longtemps pour faciliter l'accès à l'eau. J'ai respiré doucement pour m'éclaircir les idées, avant de prendre une profonde inspiration et de retenir mon souffle.

Relevant la tête, j'ai avisé la combinaison et le sac dont je m'étais servi pour berner le régulateur. La mauvaise nouvelle, c'est que je n'avais pas retiré le sac ; la bonne, que l'explosion s'en était en partie chargée. Huit des neuf prises d'air étaient toujours bouchées, mais la neuvième dirait la vérité au régulateur.

Tant bien que mal, je me suis approché de la machine pour la rallumer.

Deux secondes plus tard, elle était opérationnelle – pour des raisons évidentes, elle a été conçue pour s'allumer rapidement – et elle a tout de suite identifié le problème.

Tandis que l'alarme criarde mettant en garde contre le faible niveau d'oxygène beuglait dans tout l'Habitat, le régulateur s'est mis à lâcher de l'O_2 en masse dans l'atmosphère. Extraire l'oxygène de l'air est difficile et prend du temps. En ajouter est très simple ; il suffit d'ouvrir le robinet.

Je suis retourné en titubant à la combinaison de Lewis pour inspirer une grande bouffée d'air dans son encolure. Trois minutes plus tard, l'atmosphère était de nouveau respirable.

C'est à ce moment-là que j'ai remarqué que mes vêtements étaient brûlés. J'avais bien choisi mon moment pour en porter trois couches. Les manches avaient subi le plus de dégâts. La couche externe avait disparu. La couche intermédiaire était roussie, transpercée par endroits. La couche interne, mon propre uniforme, était en assez bon état. J'avais eu du bol, une fois de plus.

J'ai jeté un coup d'œil à l'ordinateur principal de l'Habitat et constaté que la température était remontée à 15 °C. Il s'était donc passé quelque chose d'explosif et… de chaud. Mais quoi ? Et comment ?

Voilà où j'en suis. Je n'ai toujours pas compris ce qui s'était passé.

Après tout ce boulot, après l'explosion, je suis épuisé. Demain, je vais devoir effectuer un million de vérifications pour tenter de piger ce qui est arrivé, mais pour l'instant, j'ai besoin de dormir.

Je suis de retour dans le rover. L'hydrogène n'est plus là, mais je rechigne à passer la nuit dans un Habitat qui a subi une explosion inexpliquée. Et puis, si ça se trouve, il y a une fuite quelque part.

Cette fois, j'ai apporté un repas digne de ce nom. Et autre chose que du disco à écouter.

Journal de bord : Sol 41

J'ai passé la journée à lancer des diagnostics dans tous les systèmes de l'Habitat. C'est chiant, mais ma survie dépend de ces machines, aussi n'avais-je pas le choix. Je ne pouvais pas me contenter de me dire que cette explosion n'avait causé aucun dégât à long terme.

J'ai procédé aux tests les plus importants en premier, vérifiant d'abord l'intégrité du tissu de la base. J'étais confiant, car, après avoir dormi quelques heures dans le rover, la pression y était toujours normale – en dehors des variations dues aux changements de température.

J'ai vérifié l'oxygénateur. S'il cesse de fonctionner et que je ne puisse pas le réparer, je suis un homme mort. Mais non, aucun problème à déplorer.

Puis le régulateur atmosphérique. Encore une fois, pas de souci.

Le chauffage, les batteries primaires, les cuves d'O_2 et de N_2, le recycleur d'eau, les trois sas, l'éclairage, l'ordinateur principal… Comme tout semblait fonctionner correctement, je me suis détendu.

Je peux remercier la NASA. Elle ne s'est pas fichue de notre gueule en fabriquant ce matériel.

Rassuré, je me suis alors intéressé à un autre sujet critique : ma terre. J'ai prélevé des échantillons un peu partout – le plancher est entièrement tapissé de terre, vous vous rappelez ? – pour les analyser.

Les mains tremblantes, j'ai posé les échantillons sous mon microscope et affiché l'image sur le moniteur. Elles étaient là ! Des bactéries en bonne santé, actives, affairées. On dirait bien que je ne vais pas crever de faim après sol 400 ! Je me suis affalé sur une chaise en attendant que ma respiration redevienne normale.

Et puis il a fallu nettoyer ce bordel. J'avais tout le temps de réfléchir à ce qui s'était passé.

Alors ? Eh bien, j'ai une théorie…

D'après l'ordinateur principal, au moment de l'explosion, la pression interne a atteint 1,4 atmosphère, et la température est montée à 15 °C en une seconde. La pression, toutefois, est vite retombée à son niveau normal, et ce sans l'intervention du régulateur, qui était éteint.

La température est restée élevée pendant un certain temps, aussi la pression aurait-elle dû se maintenir – à cause de la dilatation. Et pourtant, elle est retombée… Augmenter la température tout en maintenant un nombre constant d'atomes dans un volume clos résulte nécessairement dans une hausse de la pression. Mais non.

Je n'ai pas mis longtemps à comprendre. L'hydrogène – le seul combustible présent – s'est combiné à l'oxygène – d'où la combustion – pour devenir de l'eau. L'eau est mille fois plus dense que le gaz. La chaleur a donc augmenté la pression, mais la transformation de l'hydrogène et de l'oxygène en eau l'a fait retomber.

Question à un million de dollars : D'où est venu cet oxygène ? Mon plan consistait justement à limiter la quantité d'oxygène pour empêcher qu'une explosion survienne. Et il avait l'air de marcher jusqu'au « boum ! » fatidique.

Je crois avoir la réponse. J'ai été complètement débile. Dire que j'avais choisi de ne pas porter de combinaison spatiale… Cette décision a bien failli me tuer.

La bouteille d'O_2 médicale mélange l'oxygène pur à l'air ambiant avant d'alimenter le masque, maintenu sur le visage par un ruban en caoutchouc passé derrière la tête. L'étanchéité du dispositif est donc tout à fait relative.

Je sais, vous pensez que l'oxygène fuyait autour du masque. Mais non. L'oxygène, je le respirais. Chaque fois que j'inspirais, le masque était aspiré contre mon visage.

Quand j'expirais, en revanche… Vous savez quelle proportion de l'oxygène contenu dans l'air est absorbé par nos poumons quand on respire ? Je ne sais pas moi non plus, mais ce n'est pas cent pour cent. Chaque fois que j'expirais, j'ajoutais un peu d'oxygène au système.

Cela ne m'est pas venu à l'esprit. Ç'aurait dû, pourtant. Si nos poumons absorbaient cent pour cent de l'oxygène, le bouche-à-bouche ne fonctionnerait pas. Quel abruti je fais ! Ma connerie a failli me tuer !

Je vais devoir faire preuve de plus de prudence.

Heureusement que j'avais brûlé la majeure partie de l'hydrogène avant l'explosion. Autrement, ç'aurait été la fin. Par chance, la déflagration n'a pas soufflé l'Habitat, mais elle a bien failli venir à bout de mes tympans.

Tout cela a commencé quand j'ai remarqué qu'il me manquait soixante litres d'eau. Bref, entre mon opération de combustion contrôlée et cette explosion inattendue, je suis de nouveau sur de bons rails. Le recycleur d'eau a fait son boulot la nuit dernière en extrayant de l'atmosphère cinquante litres d'eau nouvellement créée et en la stockant dans la combinaison de Lewis, que j'ai décidé d'appeler ma « citerne » parce que c'est plus cool. Les dix autres litres ont été absorbés par le sol desséché.

Beaucoup de travail physique accompli aujourd'hui. J'ai mérité un repas complet. Pour fêter mon retour dans l'Habitat, j'ai décidé de regarder l'une de ces séries merdiques du XXe siècle apportées par le commandant Lewis.

Shérif, fais-moi peur[1] ? Pourquoi pas.

Journal de bord : Sol 42

J'ai dormi tard, aujourd'hui. Après quatre nuits passées dans le rover, ma couchette m'a fait l'effet du lit de plume le plus confortable et le plus moelleux de la Création.

Je me suis quand même levé pour finir de nettoyer le merdier d'hier.

J'ai rapporté les pommes de terre dans l'Habitat. Juste à temps, d'ailleurs, car elles germent. Elles m'ont l'air heureuses et en bonne santé. Ce n'est ni de la chimie ni de la médecine ni de la bactériologie ni de l'analyse nutritionnelle ni de la dynamique des explosions ni aucun autre des trucs ésotériques que j'ai faits ces derniers temps. C'est de la bo-ta-nique. Je suis à peu près certain d'être capable de faire pousser quelques plantes sans foirer.

Non ?

---

1. Série télévisée américaine (titre en anglais : *The Dukes of Hazzard*) diffusée pour la première fois en 1979 sur la chaîne CBS. (*NdT*)

Ce qui craint, en revanche, c'est que je n'ai réussi à produire que cent trente litres d'eau. Sur six cents. Vous vous dites qu'après être passé tout près de la mort deux fois je vais cesser de déconner avec l'hydrazine. Eh bien, non. Je vais continuer à décomposer l'hydrazine et à cramer de l'hydrogène dans l'Habitat toutes les dix heures pendant encore dix jours. Mais je ferai plus attention. Au lieu de compter sur une réaction complète, j'éliminerai l'hydrogène petit à petit, par flammèches. Je procéderai progressivement au lieu de risquer la mort avec de grosses quantités.

Je vais avoir pas mal de temps libre. Il faut dix heures aux réservoirs de CO_2 pour se remplir. Puis seulement vingt minutes pour extraire l'hydrogène et le brûler. Le reste du temps, je regarderai la télé.

Bon, j'ai vite compris que le *Général Lee* pouvait facilement distancer n'importe quelle voiture de police, mais… Pourquoi Roscoe ne va-t-il pas arrêter les Duke chez eux, à la ferme, au lieu d'attendre qu'ils montent dans leur bagnole ?

Chapitre 6

Venkat Kapoor retourna dans son bureau, laissa tomber sa mallette sur le sol et s'affaissa dans son fauteuil en cuir. Il prit un moment pour regarder par la fenêtre. Depuis son bureau du Bâtiment 1, la vue sur le parc situé au cœur du Johnson Space Center était parfaite. Au-delà, des dizaines de bâtiments dominaient le paysage jusqu'à Mud Lake, situé au loin.

Jetant un coup d'œil au moniteur de son ordinateur, il avisa une liste de quarante-sept e-mails non lus. Et urgents, bien sûr. Ils attendraient. La journée avait été difficile, triste. On avait célébré les funérailles de Mark Watney.

Le Président avait prononcé un discours, louant le courage et le sacrifice de Watney, félicitant le commandant Lewis, dont la présence d'esprit avait permis de mettre les autres à l'abri. Le commandant Lewis et les autres camarades de la victime avaient prononcé son éloge funèbre depuis *Hermès*, via une communication longue distance. Encore dix mois, et ils seraient à la maison.

L'administrateur aussi s'était fendu d'un discours, rappelant à tout le monde que les voyages spatiaux restaient très dangereux, affirmant qu'il était hors de question de renoncer dans l'adversité.

Ils avaient demandé à Venkat s'il voulait prendre la parole. Il avait refusé. À quoi bon ? Watney était mort. Les belles paroles du directeur des opérations martiennes ne le ramèneraient pas à la vie.

— Ça va, Venk ? résonna une voix dans l'encadrement de la porte.

Venkat pivota sur son fauteuil.

— À peu près.

Teddy Sanders épousseta du revers de la main son blazer immaculé.

— Vous auriez pu prononcer un discours.

— Je n'en avais pas envie, et vous le savez.

— Oui, je sais. Moi non plus, d'ailleurs, mais je suis l'administrateur de la NASA. C'était un peu obligé. Vous êtes sûr d'aller bien ?

— Oui, oui.

— Parfait, dit Teddy en ajustant ses boutons de manchettes. Remettons-nous au travail, alors.

— Bien sûr, acquiesça Venkat dans un haussement d'épaules. Commençons par mon temps de satellite, alors.

Teddy s'adossa contre le mur et lâcha un soupir.

— Encore...

— Oui, confirma Venkat. Encore. Où est le problème ?

— D'accord. Je vous écoute. De quoi avez-vous besoin, exactement ?

— Arès 3 a été un échec, reprit Venkat en se penchant en avant. Mais on peut quand même en tirer quelque chose. On a eu de l'argent pour financer cinq missions Arès. Je pense qu'on peut convaincre le Congrès d'en financer une sixième.

— Je ne sais pas, Venk...

— C'est simple, Teddy, le pressa Venkat. Ils ont évacué après six sols seulement. Tout le matériel de la mission est resté sur place. Une nouvelle mission ne coûterait qu'une fraction du prix normal. Chaque mission Arès est précédée de quatorze vols non habités destinés à larguer du matériel. Cette fois, seuls trois voire deux vols suffiraient.

— Venk, le site a été frappé par des rafales dépassant les cent soixante-quinze kilomètres par heure. La base doit être dans un sale état.

— C'est pour cela qu'il me faut des images, rétorqua Venkat. J'ai juste besoin de quelques vues du site. On pourrait en apprendre beaucoup.

— C'est-à-dire ? Vous croyez qu'on prendrait le risque d'envoyer des gens là-bas sans avoir la certitude que tout est en parfait état de fonctionnement ?

— Tout n'a pas à être en parfait état de fonctionnement, reprit aussitôt Venkat. S'il y a de la casse, on peut envoyer des pièces détachées.

— L'imagerie ne suffira pas pour évaluer la situation.

— Ce serait une première étape. Ils ont évacué parce que le vent menaçait le VAM, mais l'Habitat est beaucoup plus résistant. Il est possible qu'il soit en un seul morceau. S'il a subi des dégâts, ils doivent être évidents, c'est sûr. Une brèche serait synonyme d'effondrement complet. S'il est toujours debout, c'est que tout est intact à l'intérieur. Et les rovers sont robustes. Les tempêtes de sable martiennes ne leur feront rien. Laissez-moi seulement jeter un coup d'œil, Teddy, c'est tout ce que je veux.

Teddy s'avança jusqu'à la fenêtre et embrassa du regard les bâtiments nombreux.

— Vous n'êtes pas le seul à demander du temps de satellite. Le matériel destiné à Arès 4 est en cours d'acheminement. Nous devons nous concentrer sur le cratère de Schiaparelli.

— Je ne comprends pas. Où est le problème ? demanda Venkat. Je parle simplement d'organiser une autre mission. Nous avons douze satellites en orbite autour de Mars. Je suis sûr que vous pouvez m'en prêter un ou deux pendant quelques heures. Je peux vous indiquer les fenêtres idéales pour obtenir de bonnes prises de vue d'Arès 3...

— Ce n'est pas une question de temps de satellite, Venk, l'interrompit Teddy.

Venkat se figea.

— Mais alors... quoi ?...

Teddy se retourna pour lui faire face.

— Nous sommes une organisation publique. Nous n'avons ni secrets ni informations classées.

— Et ?

— Toutes les images que nous prendrons seront directement accessibles au public.

— Et alors ?

— Le corps de Mark Watney doit être à une vingtaine de mètres à peine de l'Habitat. Peut-être partiellement couvert de sable, mais sans doute bien visible, avec une antenne de communication plantée dans le torse. Une image satellite ne manquerait pas de nous le montrer.

Venk écarquilla les yeux, puis fronça les sourcils.

— C'est pour ça que vous me refusez ces images depuis deux mois ?

— Venk, réfléchissez...

— Vous êtes en train de me dire que c'est un vulgaire problème de relations publiques ?

— Lentement, les médias commencent à se désintéresser de la mort de Watney, expliqua Teddy d'un ton neutre. Depuis deux mois, on a enchaîné les mauvais papiers. La cérémonie d'aujourd'hui a mis un terme à cette séquence, et les journalistes vont pouvoir passer à autre chose. La dernière chose dont on a besoin, c'est raviver leur intérêt.

— Qu'est-ce qu'on fait, alors ? Il ne va pas se décomposer. Il va rester là-bas pour toujours.

— Non, pas pour toujours. D'ici à un an, il sera totalement recouvert de sable à cause de l'activité météorologique ordinaire.

— Un an ? répéta Venkat en se levant. C'est ridicule. On ne peut pas attendre un an.

— Et pourquoi pas ? Arès 4 ne décollera que dans cinq ans. Cela nous laisse largement le temps.

Venkat prit une profonde inspiration, réfléchit longuement et proposa :

— Écoutez, tout le monde a beaucoup de compassion pour la famille de Watney. La mission Arès 6 pourrait ramener son corps. Ce ne serait pas sa raison d'être, seulement un de ses objectifs ; nous serions très clairs à ce sujet. En présentant les choses de cette manière, nous obtiendrions le soutien du Congrès. Enfin, à condition de ne pas attendre un an. Dans un an, les gens auront oublié.

— Mmh..., fit Teddy en se frottant le menton.

* * *

Mindy Park contemplait le plafond. Elle n'avait pas grand-chose d'autre à faire. Son tour de garde commencé à 3 heures était ennuyeux à mourir. Seule sa perfusion de café la maintenait éveillée.

L'idée de surveiller le fonctionnement des satellites positionnés autour de Mars lui avait paru excitante quand elle avait accepté le poste, sauf que les satellites n'avaient pas besoin qu'on s'occupe d'eux. Son travail se résumait donc à envoyer quelques e-mails dès que l'imagerie devenait accessible.

— Une maîtrise en ingénierie mécanique, marmonna-t-elle. Tout ça pour bosser dans un Photomaton géant ouvert la nuit.

Elle avala une gorgée de café.

Un clignotement, sur son moniteur, l'informa que de nouvelles images étaient prêtes. Elle vérifia le nom sur le bon de travail. Venkat Kapoor.

Elle posta les données sur un serveur interne et tapa l'adresse e-mail du docteur Kapoor. Comme elle entrait la latitude et la longitude de l'image, les nombres lui parurent familiers.

31,2° N... 28,5° W... Acidalia Planitia... Arès 3 ?

Par curiosité, elle ouvrit la première des dix-sept images.

Comme elle s'en doutait, il s'agissait bien du site d'Arès 3. Elle avait entendu dire qu'ils allaient le photographier. Un peu honteuse, elle scruta l'image à la recherche du corps sans vie de Mark Watney. Après une minute de vaines recherches, elle abandonna, à la fois soulagée et déçue.

Puis elle entreprit d'examiner le reste de l'image. L'Habitat était intact ; le docteur Kapoor serait content.

Elle porta son mug de café à ses lèvres et se figea.

— Mmh... Euh...

Elle se connecta à l'intranet de la NASA et navigua sur le site qui décrivait les spécificités des missions Arès. Après quelques recherches, elle décrocha son téléphone.

— Eh ! ici Mindy Park. J'appelle depuis SatCon. J'ai besoin du journal de bord d'Arès 3 ; où puis-je le trouver ? Oui... d'accord... merci.

Elle passa encore un peu de temps sur l'intranet et s'adossa à son fauteuil. Elle n'avait plus besoin de café pour rester éveillée.

Décrochant de nouveau son téléphone, elle dit :

— Allô, la sécurité ? Mindy Park, de SatCon, à l'appareil. Il me faut le numéro personnel du docteur Kapoor... Oui, c'est très urgent.

* * *

Mindy s'agitait dans son fauteuil lorsque Venkat entra d'un pas lourd. Il était très inhabituel que le directeur des opérations martiennes rende visite à SatCon. Surtout en jean et tee-shirt.

— Vous êtes Mindy Park ? commença-t-il avec le front plissé d'un homme qui n'avait dormi que deux heures.

— Oui, répondit-elle d'une voix chevrotante. Désolée de vous avoir réveillé.

— Je suppose que vous avez une bonne raison de l'avoir fait. Alors ?

— Euh…, commença-t-elle en baissant les yeux. Eh bien… les images que vous aviez demandées… Venez jeter un coup d'œil.

Il tira une chaise jusqu'à son poste de travail et s'assit.

— C'est le corps de Watney ? C'est pour ça que vous êtes toute retournée ?

— Euh… non. Enfin, je veux dire…

Embarrassée par sa maladresse, elle préféra désigner le moniteur du doigt.

Venkat inspecta l'image.

— On dirait que l'Habitat est en un seul morceau. C'est une bonne nouvelle. Les panneaux solaires sont en bon état. Les rovers aussi. La parabole principale a disparu, mais ce n'est pas une surprise. Qu'est-ce qu'il y a de tellement urgent ?

— Euh…, fit-elle en tapotant l'écran. Ça.

Venkat se pencha pour regarder de plus près. Juste en dessous de l'Habitat, à côté des rovers, il y avait deux cercles blancs dans le sable.

— Mmh… On dirait le matériau de l'Habitat. La toile s'est déchirée, apparemment… Ce sont des morceaux de…

— Euh…, l'interrompit-elle. On dirait plutôt les tentes d'urgence des rovers.

Venkat regarda mieux.

— Mmh… Vous avez sans doute raison.

— Qui les a dépliées ?

— Le commandant Lewis a sans doute ordonné leur déploiement durant l'évacuation, répondit Venkat en haussant les épaules. Ce n'était pas une mauvaise idée. Le VAM aurait pu ne pas fonctionner et l'Habitat être endommagé.

— Oui mais…, rétorqua Mindy en ouvrant un document sur son ordinateur. Ceci est le journal de bord de la mission jusqu'à sol 6. Depuis l'atterrissage de VDM jusqu'au décollage en urgence du VAM.

— Et alors ?

— Je l'ai lu. Plusieurs fois. Personne n'a déplié les *tentes*.

Sa voix se cassa lorsqu'elle prononça ce dernier mot.

—Sans doute n'ont-ils pas jugé utile de le consigner dans le journal de bord, rétorqua Venkat en fronçant les sourcils.

—Ils auraient activé deux tentes d'urgence et n'en auraient rien dit à personne ?

—Ce n'est pas très logique, c'est vrai. Il se peut que la tempête ait secoué les rovers et que les tentes se soient dépliées toutes seules.

—Et après s'être autodépliées, elles se seraient détachées des rovers pour aller se positionner l'une à côté de l'autre à vingt mètres de là ?

Venkat examina de nouveau l'image.

—En tout cas, elles se sont bel et bien activées, acquiesça-t-il.

—Et pourquoi les panneaux photovoltaïques sont-ils si propres ? insista Mindy en contenant ses larmes. Il y a eu une énorme tempête. Ils devraient être recouverts de sable.

—Peut-être que quelques bonnes rafales… ? tenta Venkat d'un ton incertain.

—Au fait, je ne vous ai pas dit qu'on ne voit le corps de Watney nulle part…, ajouta-t-elle en reniflant.

Venkat écarquilla les yeux et regarda fixement l'image.

—Oh !…, lâcha-t-il doucement. Mon Dieu…

Mindy se prit le visage à deux mains et sanglota en silence.

* * *

—Putain ! s'exclama Annie Montrose. Vous vous foutez de ma gueule !

Teddy fit les gros yeux à la responsable des relations médias, de l'autre côté de son imposant et immaculé bureau en acajou.

—Annie, tenez-vous, je vous prie.

Puis, se tournant vers son directeur des opérations martiennes, il demanda :

—Vous êtes sûr ?

—À presque cent pour cent, confirma Venkat.

—Putain ! répéta Annie.

Teddy déplaça très légèrement un classeur afin de l'aligner parfaitement avec son tapis de souris.

— C'est comme ça. On va devoir assumer.

— Vous avez idée de l'intensité de la tempête que cette nouvelle va provoquer ? s'emporta Annie. Ce n'est pas vous qui devez affronter ces satanés journalistes tous les jours. C'est moi !

— Chaque chose en son temps. Venk, qu'est-ce qui vous fait dire qu'il est encore en vie ?

— Pour commencer, il n'y a pas de corps. Les tentes ont été dépliées. Et puis, les panneaux solaires ont été nettoyés. À ce propos, vous pouvez remercier Mindy Park et SatCon d'avoir remarqué tout ça. Néanmoins, poursuivit-il, son corps a pu être recouvert de sable durant la tempête de sol 6. Quant aux tentes, il est tout à fait possible qu'elles se soient déployées toutes seules et que le vent les ait déplacées. Après quoi des vents de trente kilomètres par heure auraient pu nettoyer les panneaux solaires. C'est peu probable, mais possible.

» J'ai passé les dernières heures à vérifier tout ce que je pouvais. Le commandant Lewis a fait deux sorties à bord du rover n° 2. La seconde, la veille de l'évacuation. D'après le journal de bord, de retour de mission, elle aurait branché le véhicule sur l'Habitat pour le recharger. Le rover n'aurait pas bougé jusqu'au départ précipité de l'équipage treize heures plus tard.

Il fit glisser une photo sur le bureau de Teddy.

— Ceci est une des images de la nuit dernière, reprit-il. Le rover n° 2 tourne le dos à l'Habitat alors que la prise pour recharger les batteries se trouve à l'avant et que le câble est trop court pour atteindre l'arrière.

L'air absent, Teddy fit pivoter le cliché pour qu'il soit parallèle au rebord de son bureau.

— Lewis l'avait forcément garé dans le bon sens, autrement, elle n'aurait pas pu effectuer les branchements, réfléchit-il tout haut. Le véhicule a donc été déplacé depuis sol 5.

— En effet, acquiesça Venkat. Mais voici la véritable preuve, ajouta-t-il en faisant glisser une nouvelle photo sur l'acajou. En bas à droite de l'image, on voit le VDM. Il a été désossé. Je suis à peu près sûr que l'équipage n'aurait jamais fait ça sans nous en parler. Le détail crucial est à la droite de l'image. Là, ce sont les trains d'atterrissage du VAM ; ils semblent avoir été endommagés par le démontage de l'usine à carburant.

Jamais Lewis n'aurait permis une chose pareille. Le risque aurait été trop grand de compromettre leur départ.

— Eh ! intervint Annie. Pourquoi ne pas en parler à Lewis, justement ? Allons à CAPCOM et posons-lui la question.

Plutôt que de répondre, Venkat regarda Teddy d'un air entendu.

— Si Watney est vraiment en vie, expliqua Teddy, nous préférons que l'équipage d'Arès ne le sache pas.

— Quoi ? Vous ne pouvez pas leur cacher ça !

— Il leur reste dix mois de vol spatial. Dix mois très dangereux. Ils ont besoin de rester concentrés sur leur tâche, d'avoir les idées claires. Ils sont tristes d'avoir perdu un camarade, mais ils seraient dévastés d'apprendre qu'ils l'ont abandonné sur place vivant.

— Vous êtes d'accord ? demanda Annie à Venkat.

— La question ne se pose pas, répondit Venkat. Ce sera un traumatisme pour eux, mais il vaut mieux qu'ils l'encaissent une fois de retour à la maison.

— Ça va être énorme, remarqua Annie. Le plus gros événement depuis Apollo 11. Comment comptez-vous le leur cacher ?

— Rien de plus facile, rétorqua Teddy en haussant les épaules. C'est nous qui contrôlons toutes les communications avec eux.

— Putain !…, lâcha Annie en ouvrant son ordinateur portable. Quand comptez-vous rendre l'information publique ?

— Qu'en pensez-vous ?

— Mmh… On peut retenir les images pendant vingt-quatre heures avant de les diffuser. Avec le commentaire qui va avec. On aura l'air ridicules si les gens découvrent la vérité seuls.

— Effectivement, approuva Teddy. Je vous laisse rédiger le commentaire.

— Génial. Je vais bien m'amuser, marmonna-t-elle.

— Bon, et ensuite ? demanda Teddy à Venkat.

— Pour commencer, il faut trouver un moyen de communiquer. Les images sont très claires : le dispositif radio longue distance est mort. Il nous faut autre chose. Alors seulement, on pourra réfléchir et élaborer un plan.

— D'accord. Commencez sans attendre. Prenez qui vous voulez, piochez dans tous les services. On paiera toutes les heures supplémentaires qu'il faudra. Trouvez un moyen de lui parler. C'est votre seul boulot pour l'instant.

— Entendu.

— Annie, je compte sur vous pour que rien ne fuite avant l'annonce officielle.

— D'accord. Qui d'autre est au courant ?

— À part nous trois, il n'y a que Mindy Park, de SatCon, répondit Venkat.

— Je vais la briefer.

Teddy se leva et sortit son téléphone portable de sa poche.

— Je vais à Chicago. Je reviens demain.

— Pourquoi ? s'enquit Annie.

— Je vais voir les parents de Watney, expliqua Teddy. Je préfère leur annoncer la nouvelle de vive voix avant que les médias s'en mêlent.

— Ils seront heureux d'apprendre que leur fils est en vie, remarqua Annie.

— Oui, il est en vie. Mais si mes calculs sont bons, il est condamné à mourir de faim avant qu'on soit en mesure de l'aider. Je n'ai pas vraiment hâte de leur parler.

— Putain..., lâcha Annie, pensive.

* * *

— Rien ? Rien du tout ? gronda Venkat. Vous vous fichez de moi ? Vingt experts ont bossé douze heures d'affilée sur ce problème. Notre réseau de communication a coûté des milliards de dollars, et vous n'avez trouvé aucun moyen de lui parler ?

Devant le bureau de Venkat, les deux hommes s'agitèrent dans leur fauteuil.

— Il n'a pas de radio, dit Chuck.

— Ou plutôt, il a une radio, mais pas de parabole, précisa Morris.

— Et sans parabole, poursuivit Chuck, il faudrait un signal vraiment très puissant.

— Genre, assez puissant pour cramer les pigeons.

— Sinon, il ne le captera jamais.

— On a pensé aux satellites en orbite autour de Mars, continua Morris. Ils sont beaucoup plus proches, mais ça ne marchera pas non plus. On a fait les calculs ; même SuperSurveyor 3, qui a le plus gros transmetteur, aurait besoin d'être quatorze fois plus puissant…

— Dix-sept fois, le corrigea Chuck.

— Quatorze, répéta Morris.

— Non, dix-sept. Vous avez oublié l'ampérage minimal pour que le radiateur maintienne…

— D'accord, d'accord, les gars, j'ai compris, le coupa Venkat.

— Désolé.

— Désolé.

— Excusez-moi d'être de si mauvaise humeur, mais j'ai dû dormir deux heures cette nuit.

— Pas de problème, dit Morris.

— On vous comprend parfaitement, lui assura Chuck.

— Bon, expliquez-moi comment une simple tempête de sable a pu anéantir notre capacité à communiquer avec Arès 3.

— On a manqué d'imagination, proposa Chuck.

— On n'a rien vu venir, enchérit Morris.

— De combien de systèmes de communication auxiliaires une mission Arès dispose-t-elle ? demanda Venkat.

— Quatre, répondit Chuck.

— Trois, le contra Morris.

— Non, quatre, insista Chuck.

— Il a dit *auxiliaires*. Sans compter le système primaire, donc.

— Oh !… Excusez-moi. Oui, trois.

— Il y a quatre systèmes au total, alors, reprit Venkat. Comment avons-nous pu perdre les quatre d'un coup ?

— Eh bien, commença Chuck, le système primaire fonctionnait grâce à la grande parabole, qui a été arrachée par la tempête. Les autres sont dans le VAM.

— Exact, confirma Morris. Le VAM est une machine à communiquer. Il peut parler à la Terre, à *Hermès*, et même aux satellites autour de Mars, en cas de besoin. Ses trois systèmes sont indépendants, histoire que rien ne puisse interrompre les communications, en dehors d'une collision avec un météore, évidemment.

— Le souci, c'est que le commandant Lewis et les autres sont repartis avec le VAM, expliqua Chuck.

— Donc, sur quatre systèmes indépendants, il n'y en a qu'un de dispo, et la tempête l'a rendu inutilisable, conclut Morris.

Venkat se pinça l'arête du nez.

— Comment a-t-on pu commettre une erreur pareille ?

— Ça ne nous est pas venu à l'esprit, se défendit Chuck dans un haussement d'épaules. Jamais on n'aurait pu deviner qu'un astronaute se retrouverait sur Mars sans le VAM…

— C'est vrai, quoi ! abonda Morris. Statistiquement, quelles sont les chances pour que ça se produise ?

— Une sur trois, si on se fie aux données empiriques, répondit Chuck en le regardant. Quand on y pense, c'est vrai que ça fait beaucoup.

* * *

Cela n'allait pas être facile, et Annie le savait. Non seulement elle allait prononcer le plus grand *mea-culpa* de l'histoire de la NASA, mais en plus, la moindre seconde de son allocution resterait gravée dans toutes les mémoires. Le moindre mouvement de bras, ses intonations, ses expressions seraient vus et entendus par des millions de personnes. Sans compter les rediffusions au cours des décennies à venir. On la reverrait dans tous les reportages, tous les documentaires qui raconteraient l'histoire de Watney.

Inquiète, quoique convaincue que cela ne se voyait pas sur son visage, elle monta sur l'estrade.

— Je vous remercie tous d'être venus si vite, dit-elle à l'assemblée de journalistes. Nous avons une annonce importante à faire. Asseyez-vous, je vous prie.

— Qu'y a-t-il, Annie ? commença sans attendre Bryan Hess, de la NBC. Il s'est passé quelque chose avec *Hermès* ?

— Asseyez-vous, insista Annie.

Les journalistes tardèrent un peu, se disputant parfois les meilleures places, mais finirent par s'asseoir.

— L'annonce sera brève, mais d'une extrême importance, reprit Annie. Je ne répondrai à aucune question pour l'instant, mais nous aurons une conférence de presse en bonne et due forme dans environ une heure. Après un examen approfondi des dernières images envoyées par les satellites orbitant autour de Mars, nous avons la certitude que l'astronaute Mark Watney est toujours en vie.

Après une seconde de silence absolu, la salle explosa littéralement de bruit.

* * *

Une semaine après la stupéfiante annonce, la nouvelle continuait à faire les gros titres de tous les médias du monde.

— J'en ai marre de faire une conférence de presse par jour, chuchota Venkat à Annie.

— Et moi d'en faire une par heure.

En compagnie de nombreux cadres et dirigeants de la NASA, ils occupaient la petite estrade de la salle de presse. Ils faisaient face à une foule de journalistes avides d'informations nouvelles, même sans intérêt.

— Désolé d'être en retard, commença Teddy en entrant par une porte latérale. (Il sortit quelques cartes flash de sa poche, les disposa dans sa main et s'éclaircit la voix.) Cela fait maintenant neuf jours que nous avons annoncé la bonne nouvelle, et nous avons reçu des offres de toutes parts, de tous les secteurs. Nous comptons bien en profiter de toutes les manières imaginables.

Une cascade de gloussements contenus parcourut la salle.

— Hier, à notre demande, le réseau SETI tout entier s'est focalisé sur Mars. Simplement au cas où Mark Watney nous aurait envoyé un signal radio. Nous n'avons rien capté, mais cela montre le degré d'implication de la communauté. La population se mobilise, et nous ferons notre possible pour vous tenir informés. Je viens d'apprendre que CNN réserverait une demi-heure tous les jours de la semaine à notre travail. Plusieurs membres de notre équipe médias participeront à ce programme afin de transmettre les dernières informations aussi vite que possible.

» Nous avons ajusté les orbites de trois satellites afin d'obtenir des images supplémentaires d'Arès 3, et peut-être, avec un peu de chance, de voir Mark. Sa posture et son activité nous donneraient une idée de sa forme physique.

» Les interrogations restent nombreuses. Combien de temps pourra-t-il tenir ? De combien de nourriture dispose-t-il ? Pourra-t-il être secouru par Arès 4 ? Comment parviendrons-nous à communiquer avec lui ? Pour le moment, les réponses à ces questions ne nous satisfont pas.

» Je ne peux pas promettre que nous le sauverons, mais je puis affirmer que la NASA tout entière n'est plus obsédée que par une chose : ramener Mark Watney à la maison. Tant que nous n'aurons pas réussi ou que Mark ne sera pas mort, nous ne penserons plus qu'à ça.

* * *

— Chouette discours, dit Venkat en entrant dans le bureau de Teddy.

— J'étais convaincu par le message que j'avais à délivrer.

— Je n'en doute pas.

— Que puis-je pour vous, Venk ?

— J'ai une idée. Enfin, le Jet Propulsion Laboratory a une idée. Je ne suis que le messager.

— Les idées, j'adore ça, sourit Teddy en lui faisant signe de s'asseoir.

Venkat ne se fit pas prier.

— On peut le sauver avec Arès 4. C'est très risqué. On a soumis l'idée à l'équipage. Ils sont plus que d'accord. Ils veulent y aller.

— Évidemment. Les astronautes sont fous ; c'est dans leur nature. Nobles, aussi. Je vous écoute.

— Bon, c'est encore très vague, mais JPL pense que le VDM pourrait être utilisé pour le récupérer. En le détournant de son usage normal.

— Arès 4 n'est même pas encore parti. Pourquoi utiliser le VDM ? Pourquoi ne pas concevoir quelque chose de plus adapté ?

— Nous n'avons pas le temps de construire un engin adapté. Vous me direz qu'il ne survivra pas jusqu'à l'arrivée d'Arès 4, mais c'est un autre problème.

— Parlez-moi du VDM.

— JPL le désosse, l'allège et en profite pour ajouter des réservoirs de carburant. L'équipage d'Arès 4 se pose sur le site d'Arès 3 avec une efficacité maximale. Après, il redécolle en mettant pleins gaz – et quand je dis pleins gaz, je veux dire *pleins* gaz… Il ne s'agira pas de retourner en orbite, ce qui est impossible, mais de voler latéralement jusqu'au site d'Arès 4 – manœuvre carrément flippante ; où l'attendra le VA.

— Et comment vont-ils faire pour alléger le VDM ? demanda Teddy. N'est-il pas déjà aussi léger que possible ?

— En retirant les équipements d'urgence et de sécurité.

— Génial. On risquerait donc la vie de six personnes supplémentaires.

— Ouais, confirma Venkat. En fait, il serait plus sage de laisser l'équipage d'Arès 4 à bord d'*Hermès* et de n'envoyer au sol que le pilote du VDM, mais cela reviendrait à abandonner la mission, et les hommes préféreraient encore risquer leur vie.

— Ce sont des astronautes, remarqua Teddy.

— En effet.

— C'est une idée ridicule. Je refuse d'avaliser un truc pareil.

— On va encore travailler dessus pour tenter de l'améliorer.

— Faites. Une idée de la manière dont on pourrait le garder en vie pendant quatre ans ?

— Pas la moindre.

— Travaillez là-dessus aussi.

— Entendu, acquiesça Venkat.

Teddy fit pivoter son fauteuil et se retourna vers la baie vitrée et le ciel, au-delà. La nuit était en train de tomber.

— Ça doit être affreux, pensa-t-il tout haut. Être coincé là-bas. Il est persuadé d'être seul, d'avoir été totalement abandonné. Quels peuvent être les effets d'une telle situation sur la psyché humaine ? (Il se retourna vers Venkat.) Je me demande ce qu'il pense en ce moment.

Journal de bord : Sol 61

Comment se fait-il qu'Aquaman puisse contrôler les baleines ? Ce sont des mammifères ! C'est débile.

Chapitre 7

Journal de bord : Sol 63

J'ai terminé de faire de l'eau depuis un moment. Je ne risque plus de tout faire sauter. Les pommes de terre poussent tranquillement. Cela fait plusieurs semaines maintenant que rien n'a essayé de me tuer ! Les séries télé des années soixante-dix se montrent plus distrayantes que prévu, ce que je trouve assez déconcertant. Ma situation est stable.

Il est temps de réfléchir à long terme.

Même si je trouve un moyen de prévenir la NASA de la situation, rien ne me garantit qu'elle trouvera une manière de me secourir. Je me dois d'être proactif. Ma priorité : imaginer une façon de rallier Arès 4.

Ce ne sera pas facile.

Arès 4 doit se poser dans le cratère de Schiaparelli, à trois mille deux cents kilomètres. Le VAM est déjà sur place. Je le sais, parce que j'ai vu Martinez le poser.

Il faut dix-huit mois à un VAM pour produire le carburant dont il aura besoin, aussi la NASA l'envoie-t-elle en premier – quarante-huit mois avant la mission, au cas où la production de combustible serait plus lente que prévu. Toutefois, plus important encore, cela signifie qu'un atterrissage de précision est possible grâce à un pilotage à distance, depuis le vaisseau resté en orbite. Un pilotage direct par Houston est exclu, l'engin étant éloigné de quatre à vingt minutes-lumière.

Le VAM d'Arès 4 a mis onze mois pour atteindre Mars. Il est parti avant nous et est arrivé à peu près au même moment qu'*Hermès*. Martinez l'a posé sans aucune difficulté, comme on s'y attendait. C'est d'ailleurs une des dernières choses que nous ayons faites avant de nous enfermer dans le VDM. Ah ! c'était le bon vieux temps où j'avais des coéquipiers.

J'ai de la chance. Trois mille deux cents kilomètres, ce n'est pas la mer à boire. Arès 4 aurait pu se trouver à dix mille kilomètres. Parce que je me trouve au cœur du paysage le plus plat de la planète, les premiers six cent cinquante kilomètres seront lisses et agréables – la bienheureuse Acidalia Planitia ! –, le reste étant un enfer accidenté constellé de cratères.

Je ferai ce trajet en rover. Et vous savez quoi ? Ces engins n'ont pas du tout été conçus pour ce genre de virée dans un paysage hostile.

Je vais devoir expérimenter, essayer des choses, devenir ma propre petite NASA, trouver des façons d'explorer les environs. Le bon côté des choses, c'est que je vais avoir du temps pour réfléchir. Presque quatre ans.

Certaines choses sont évidentes. Le rover par exemple. Comme ce périple prendra beaucoup de temps, il me faudra des provisions. Et un moyen de recharger les batteries en chemin, alors que les rovers sont dépourvus de panneaux solaires. Il n'y aura pas d'autre solution que de démonter en partie les panneaux PV de la base. Durant le voyage, j'aurai besoin de respirer, de manger, de boire.

Heureusement pour moi, toutes les données techniques nécessaires sont dans mon ordinateur.

Je vais devoir trafiquer un véhicule, en faire un Habitat mobile, en quelque sorte. J'ai jeté mon dévolu sur le rover n° 2. Lui et moi avons tissé des liens solides durant les deux jours de la Grande Crise de l'hydrogène de sol 37.

Cela fait trop de choses à prévoir d'un seul coup. Pour le moment, je me consacrerai à la question de l'énergie.

Notre mission était circonscrite dans un cercle de dix kilomètres de rayon. Partant du principe que nous ne roulerions pas seulement en ligne droite, la NASA a conçu des batteries nous permettant de parcourir jusqu'à trente-cinq kilomètres sans devoir être rechargées. Sur un terrain plat et raisonnablement facile. Chaque véhicule dispose d'une batterie fournissant neuf mille watts par heure.

La première étape consistera à démonter la batterie du rover n° 1 pour l'installer dans le rover n° 2. Tada ! Voilà comment doubler mon rayon d'action.

Ce ne sera pas si simple, cependant, car il faudra résoudre le problème du chauffage.

Une partie de l'énergie de l'engin est utilisée pour chauffer l'habitacle. Sur Mars, il fait vraiment froid. Alors que nos AEV ne sont pas censées durer plus de cinq heures, je passerai vingt-quatre heures et trente minutes par jour dans ce rover. D'après les données techniques, le système de chauffage consomme environ quatre cents watts, ce qui représente neuf mille huit cents watts par jour. Plus de la moitié de mon énergie !

Je dispose toutefois d'une source de chaleur naturelle : moi. Deux millions d'années d'évolution m'ont doté d'une technologie fonctionnant au sang chaud. Rien ne m'empêche de baisser le chauffage et de multiplier les couches de vêtements. Le rover est bien isolé. Il faudra bien que cela suffise, car j'ai vraiment besoin de l'énergie de cette batterie.

D'après mes ennuyeux calculs, le rover consomme deux cents watts pour parcourir un kilomètre, aussi mes dix-huit mille watts – moins la quantité négligeable d'énergie nécessaire au fonctionnement de l'ordinateur et des systèmes qui me maintiendront en vie – me permettront-ils d'avaler quatre-vingt-dix kilomètres. Enfin un chiffre intéressant.

En réalité, je ne parcourrai jamais une telle distance avec une seule charge. Il y aura des collines à gravir, des terrains difficiles et sablonneux à traverser... etc. Toutefois, c'est une bonne estimation de départ. Ainsi, rallier Arès 4 me prendrait au moins trente-cinq jours. Je parierais plutôt sur cinquante. En tout cas, cela paraît plausible.

Si je roulais à vingt-cinq kilomètres par heure, vitesse de pointe fulgurante de mon bolide, les batteries se videraient en trois heures et demie. Je pourrais conduire au crépuscule, après les avoir rechargées durant la journée. À cette période de l'année, je dispose d'environ treize heures d'ensoleillement par jour. Combien de panneaux solaires vais-je devoir chiper à l'Habitat ?

Grâce au gentil contribuable américain, j'ai à ma disposition plus de cent mètres carrés des meilleurs panneaux solaires qui soient, avec une efficacité de 10,2 %, ce qui est un bon résultat compte tenu de l'ensoleillement moindre de Mars – seulement cinq cents à sept cents watts par mètre carré, contre mille quatre cents sur Terre.

Pour résumer, je dois emporter avec moi vingt-huit mètres carrés de panneaux solaires, soit quatorze panneaux.

Je peux en mettre deux piles de sept sur le toit du véhicule. Ils dépasseront un peu de tous les côtés, mais du moment qu'ils sont bien attachés, cela ira. Chaque jour, après avoir conduit, je les disposerai par terre et… j'attendrai toute la journée. Je vais m'emmerder comme un rat mort.

Mais c'est un bon début. Ma mission de demain : transférer la batterie du rover n° 1 dans le rover n° 2.

Journal de bord : Sol 64

Parfois, les choses sont faciles, parfois non. Extraire la batterie du rover n° 1 a été une partie de plaisir. Il m'a suffi de retirer deux pinces sous le châssis, et elle est tombée tout de suite. Les câbles ne m'ont pas non plus posé de problème ; seulement quelques fiches compliquées à détacher.

L'installer dans le rover n° 2 a été plus problématique. Il n'y avait de place nulle part !

Ce truc est énorme. J'ai eu un mal fou à la transporter, malgré la pesanteur réduite de Mars. Vraiment trop énorme ! Sous le châssis, il n'y avait plus de place. Sur le toit, non plus, puisqu'il y aura déjà les panneaux solaires. Pas d'espace non plus dans l'habitacle, et puis, de toute façon, elle ne passerait pas par le sas.

N'ayez crainte, j'ai trouvé la solution.

Pour les cas d'urgence, la NASA nous a fourni six mètres carrés du matériau qui constitue les parois de l'Habitat, ainsi qu'une résine vraiment impressionnante. Le genre de résine qui m'a sauvé la vie pendant la tempête en me permettant de sceller ma combinaison.

En cas de brèche dans l'Habitat, on est censés se réfugier dans les sas – plutôt le laisser exploser que de mourir en essayant de le préserver, donc – et enfiler une combinaison pour aller estimer les dégâts. Une fois la brèche localisée, il suffit de la réparer avec la toile fournie et la résine. Après cela, on regonfle et c'est reparti pour un tour.

Je dispose donc d'un rouleau d'un mètre sur six, ce qui est bien pratique. J'en ai découpé des rubans de dix centimètres de large, grâce auxquels j'ai confectionné un genre de harnais.

J'ai utilisé la résine et les rubans pour fabriquer deux boucles de dix mètres de circonférence, aux extrémités desquelles j'ai fixé un grand morceau de toile. Et voilà ! J'avais des sacoches de fortune pour mon rover.

Je me croirais de plus en plus dans *La Grande Caravane*[1].

La résine durcit presque instantanément, mais elle est plus résistante si on attend une heure. C'est ce que j'ai fait. Le moment venu, j'ai enfilé ma combinaison et je suis sorti.

J'ai traîné la batterie à côté du rover, je l'ai entourée avec mon harnais, puis j'ai jeté l'autre extrémité de ce dernier par-dessus le toit du véhicule, avant de remplir la deuxième sacoche de pierres. Une fois les poids à peu près équivalents, j'ai tiré un peu sur les cailloux pour soulever la batterie.

Youpi !

J'ai débranché la batterie du rover n° 2 et branché celle du rover n° 1 à la place, puis je suis monté à bord de l'engin, via le sas, pour vérifier les systèmes. Tout fonctionnait correctement.

J'ai fait un tour en rover pour m'assurer que le harnais tenait le choc. J'ai même roulé sur de grosses pierres pour secouer un peu la structure, mais elle n'a pas lâché. Le harnais a résisté. *Yes !*

J'ai perdu un peu de temps en me demandant comment relier définitivement la batterie n° 1 à l'alimentation générale, puis j'ai laissé tomber. « Fait chier... », ai-je conclu.

Je n'ai pas besoin d'être alimenté en continu. Quand la première batterie sera déchargée, je sortirai pour connecter la seconde, tout simplement. Pourquoi pas ? Cela fera une AEV de dix minutes par jour. Je devrai aussi échanger les batteries quand je les rechargerai, mais ce ne sera pas la mer à boire.

J'ai passé le restant de la journée à balayer les panneaux solaires. Bientôt, je les démonterai.

---

1. Série américaine diffusée pour la première fois en 1957 et inspirée du *Convoi des braves* de John Ford (1950). Titre en anglais : *Wagon Train*. (*NdT*)

Journal de bord : Sol 65

Les cellules photovoltaïques m'ont causé beaucoup moins de soucis que la batterie.

Elles sont fines, légères et simplement disposées par terre. Sans compter que je partais avec un avantage considérable : c'est moi qui les avais installées à notre arrivée.

Enfin, quand je dis « moi », je n'étais pas seul, mais avec Vogel. On connaissait notre boulot par cœur. À la maison, lui et moi, on s'est entraînés comme des fous pendant une semaine entière à monter ces trucs. Et dès qu'on avait un peu de temps libre, on nous forçait à remettre ça. Il faut dire que l'alimentation en électricité était primordiale pour la mission. Des cellules cassées ou endommagées, et l'Habitat est privé de courant, la mission compromise.

Vous vous demandez peut-être ce que le reste de l'équipage faisait pendant ce temps-là ? Eh bien, ils montaient l'Habitat. Rappelez-vous : mon glorieux royaume a été livré en pièces détachées. Le montage a duré deux jours.

Chaque panneau PV est monté sur un cadre léger incliné à quatorze degrés. Pourquoi quatorze ? Je n'en sais rien. Pour optimiser l'énergie solaire, sans doute. Bref, déplacer les cellules n'a pas été difficile, et l'Habitat peut très bien s'en passer. Vu que je suis tout seul, une baisse de quatorze pour cent de la production énergétique ne se sentira pas.

Puis il a fallu les empiler sur le toit du rover.

J'ai songé un temps à retirer le container réservé aux échantillons de roche, qui n'est en réalité qu'un vulgaire sac de toile attaché au toit – sac trop petit pour contenir les cellules, par ailleurs. Mais j'ai décidé de le laisser en me disant qu'il ferait un bon pare-chocs.

Les panneaux se sont facilement emboîtés – ils ont été conçus pour ça –, et les deux piles étaient stables. Elles dépassaient un peu de chaque côté, mais comme je n'allais pas traverser des tunnels…

J'ai découpé des lanières dans la toile fournie pour réparer l'Habitat et confectionné des sangles pour les maintenir en place, les attachant aux poignées situées à l'avant et à l'arrière du véhicule pour faciliter le chargement d'échantillons de cailloux sur le toit.

J'ai fait quelques pas en arrière pour admirer mon œuvre. Eh ! je pouvais être fier de moi. Il n'était même pas midi, et j'avais fini mon travail.

Je suis retourné dans l'Habitat pour manger un morceau et m'occuper de mon champ de pommes de terre jusqu'à la fin de la journée. Cela faisait trente-neuf sols que je les avais plantées – ce qui correspond à quarante jours terrestres –, aussi était-il temps de récolter et de replanter.

Elles avaient mieux poussé que prévu. Sur Mars, il n'y a ni insectes ni parasites ni mildiou, et l'Habitat maintient une température et une humidité constantes et idéales.

Elles étaient un peu petites comparées à celles que j'avais l'habitude de manger, mais ce n'était pas grave. Tout ce que je voulais, c'était les replanter.

J'ai déterré mes patates en prenant garde à ne pas les abîmer, puis je les ai coupées en petits morceaux comportant au moins un œil chacun pour les replanter. Si elles continuent de pousser comme cela, je vais pouvoir survivre un bon moment ici.

Après tout ce travail physique, j'avais besoin d'une pause. J'ai trouvé un tas de livres numériques dans l'ordinateur de Johanssen, aujourd'hui. On dirait qu'elle est fan d'Agatha Christie. Les Beatles, Agatha Christie... Elle doit être anglophile.

Quand j'étais môme, j'étais fan des enquêtes d'Hercule Poirot qui passaient à la télé. Je vais commencer par *La Mystérieuse Affaire de Styles*. C'est le premier de la liste.

Journal de bord : Sol 66

Le temps est venu de... – attention, suspense et roulement de tambour – ... d'accomplir quelques missions.

La NASA a l'habitude de baptiser ses missions du nom de dieux grecs ou autres, alors pourquoi pas moi ? Les sorties expérimentales du rover seront donc les « missions Sirius ». Vous avez pigé ? Le Grand Chien… Non ? Alors allez vous faire foutre[1].

Sirius 1 aura lieu demain.

La mission : partir avec des batteries pleines et mes panneaux sur le toit, rouler jusqu'à me retrouver à court de jus et voir où je suis arrivé.

Je ne suis pas débile ; je ne vais pas trop m'éloigner. Je ferai des allers et retours d'un demi-kilomètre. Je ne serai donc jamais très loin de la maison. Je vais charger les batteries ce soir pour être prêt à partir demain. J'estime pouvoir rouler environ trois heures et demie. Je vais donc avoir besoin de filtres à CO_2. Le chauffage sera éteint, aussi porterai-je trois couches de vêtements.

Journal de bord : Sol 67

Sirius 1 est terminée ! Ou plutôt, Sirius a été stoppée au bout d'une heure. On peut dire que c'est un échec, même si je préfère parler d'expérience, d'apprentissage.

Cela avait pourtant bien commencé. J'ai roulé jusqu'à une zone bien plane située à un kilomètre de l'Habitat, puis j'ai fait des allers et retours. Toutefois, j'ai rapidement compris que mon test ne prouverait rien. À force de passer et de repasser sur la même piste, j'avais compacté, lissé le terrain. Rien à voir avec des conditions réelles, donc. Impossible d'estimer vraiment ma consommation.

J'ai donc modifié mon plan, roulant au hasard, mais sans jamais m'éloigner de plus d'un kilomètre de l'Habitat – test bien plus réaliste.

Au bout d'une heure, il s'est mis à faire froid. Je veux dire *vraiment* froid.

Le rover est toujours très froid quand on entre dedans, mais la température monte très vite, à condition que le chauffage fonctionne. Je m'attendais à cailler, mais là !

Au début, je me suis contenté de ma chaleur corporelle, contenue par trois couches de vêtements. Et puis, l'isolation de l'habitacle est

1. Jeux de mots en anglais, « *dog* » (chien) étant « *god* » (dieu) écrit à l'envers, et « Sirius » étant très proche de « *serious* » (sérieux). (*NdT*)

très efficace. La chaleur qui émanait de mon corps le réchauffait, en quelque sorte. Malheureusement, l'isolation parfaite n'a pas encore été inventée, et cette chaleur a fini par s'échapper dans l'atmosphère. Alors la température a baissé progressivement.

Au bout d'une heure, je claquais des dents et j'étais tout engourdi. C'en était trop. Il était totalement exclu que je fasse un long voyage dans ces conditions.

J'ai rallumé le chauffage et je suis rentré à l'Habitat.

Une fois à la maison, j'ai boudé pendant un long moment. La thermodynamique avait ruiné mon plan si brillant. Putain d'entropie de merde !

Je suis dans une situation inextricable. Ce satané chauffage va bouffer la moitié de mon énergie. Et même si je le baisse, si je fais en sorte d'avoir froid sans en crever, je perdrai au moins un quart de la charge de mes batteries.

Il va falloir réfléchir à ce problème. Que ferait Hercule Poirot à ma place ? Voilà ce que je dois me demander. Je dois mettre mes « petites cellules grises » à contribution.

Journal de bord : Sol 68

Bordel…

J'ai la solution, mais… Vous vous rappelez quand je brûlais du carburant de fusée dans l'Habitat ? Voilà. Cela risque d'être dangereux.

Je vais utiliser le GTR.

Le GTR (générateur thermoélectrique à radio-isotope) est une grosse boîte de plutonium. Pas celui dont on se sert dans les bombes atomiques, non. Ce plutonium-là est bien plus dangereux !

Le plutonium-238 est un isotope incroyablement instable. Il est tellement radioactif qu'il se chauffe au rouge tout seul. Comme vous pouvez l'imaginer, un matériau assez radioactif pour cuire un œuf est du genre dangereux.

Le GTR contient le plutonium. Il récupère les radiations sous forme de chaleur et les transforme en électricité. Ce n'est pas un réacteur. On ne peut pas contrôler l'émission de rayons. C'est un processus entièrement naturel qui se déroule à un niveau atomique.

Dans les années soixante déjà, la NASA utilisait des GTR pour alimenter ses sondes non habitées. Comparé à l'énergie solaire, le GTR est très avantageux. Il n'est pas affecté par les tempêtes ; il fonctionne de jour comme de nuit. Tout se passe en interne – nul besoin de délicates cellules PV sur votre sonde, donc.

Les gros GTR ne sont apparus dans les vols habités qu'avec le programme Arès.

Pourquoi ? C'est évident, non ? Pas question de mettre des astronautes à côté d'une boule brûlante de mort radioactive !

J'exagère un peu. Le plutonium est recouvert de plusieurs couches scellées destinées à prévenir toute irradiation, et ce même si le boîtier extérieur devait être endommagé. Le risque a donc été pris pour le programme Arès.

Une mission Arès se résume presque au VAM. C'est vraiment l'élément le plus important, le système qui ne peut être ni remplacé ni contourné. C'est le seul élément qui, s'il tombe en panne, peut compromettre toute la mission.

Les panneaux PV sont très bien pour le court terme – voire le long terme, à condition qu'il y ait quelqu'un pour les nettoyer régulièrement. Le VAM, lui, ne bouge pas pendant des années, produisant du carburant, et attendant l'arrivée des hommes. Même quand il ne fait rien, il a besoin d'énergie pour que la NASA puisse le surveiller et lancer les opérations de maintenance à distance.

L'idée d'annuler une mission à cause de panneaux PV un peu trop sales était insupportable. Il fallait donc une source d'énergie plus fiable. Le VAM est donc équipé d'un GTR qui contient 2,6 kg de plutonium-238 fournissant mille cinq cents watts de chaleur. Soit cent watts d'électricité. C'est ce qui alimente le VAM jusqu'à l'arrivée de l'équipage.

Cent watts, ce n'est pas suffisant pour faire fonctionner le chauffage, mais la puissance électrique de l'engin ne m'intéresse pas. Ce que je veux, c'est de la chaleur. Un radiateur de mille cinq cents watts serait tellement chaud que je serais contraint de dépouiller l'habitacle de son isolation pour éviter une surchauffe.

Une fois les rovers déchargés et activés, le commandant Lewis a eu la responsabilité et le plaisir de se débarrasser du GTR. Dangereux ou pas, la NASA ne voulait pas du générateur trop près de ses astronautes. Voilà pourquoi, après l'avoir démonté, le commandant est allé l'enterrer à quatre kilomètres de la base.

Le site de cette inhumation n'avait pas été défini à l'avance. « À au moins quatre kilomètres » – telles étaient les consignes. Je vais donc devoir le retrouver.

Mais bon, je ne vais pas chercher au hasard. J'étais en train d'assembler les panneaux PV avec Vogel quand Lewis est partie, et j'ai vu qu'elle roulait vers le sud. Et puis, l'endroit est marqué d'un drapeau vert juché sur un piquet haut de trois mètres. Le vert se voit très bien sur la toile de fond martienne. Le drapeau est là pour nous tenir éloignés de la radioactivité au cas où, par le plus grand des hasards, une AEV nous conduirait jusque-là.

Mon plan est simple : parcourir quatre kilomètres vers le sud et scruter les environs.

Ayant rendu le rover n° 1 inutilisable, je vais devoir y aller avec mon véhicule mutant. Cela me permettra aussi de le tester, de voir si le harnais retenant la batterie résiste au terrain et si les panneaux n'ont pas la bougeotte.

Ce sera donc la mission Sirius 2.

Journal de bord : Sol 69

Je ne suis plus un étranger, sur Mars. Je suis ici depuis suffisamment longtemps. Toutefois, je n'avais encore jamais perdu l'Habitat de vue. Vous vous dites que ça ne change pas grand-chose. Eh bien, si.

Cela m'a frappé comme je me dirigeais vers la sépulture de notre GTR : Mars est un désert nu, et je suis complètement seul. Je le savais déjà, évidemment, mais il y a une différence entre savoir une chose et en faire l'expérience. Tout autour de moi, il n'y avait que de la poussière et des cailloux dans toutes les directions. Et à l'infini. La célèbre couleur rouge de Mars vient de l'oxyde de fer qui couvre tout. Ce n'est donc pas un désert ordinaire ; c'est un désert si vieux qu'il rouille.

L'Habitat est un havre de civilisation, et le voir disparaître m'a perturbé bien plus que je ne l'aurais imaginé.

Néanmoins, j'ai vite abandonné ces pensées néfastes pour me concentrer sur ma tâche. Le GTR était exactement à l'endroit prévu, à quatre kilomètres au sud de l'Habitat. Le trouver n'a pas été très dur, Lewis l'ayant enterré au sommet d'une petite colline pour qu'on ne puisse pas le rater. Et je ne l'ai pas raté, justement ; j'ai foncé dessus, pied au plancher. Lewis n'avait pas prévu ça, j'imagine.

C'était un large cylindre avec des dissipateurs tout autour. Même à travers mes gants, je sentais la chaleur qu'il émettait, et c'était déconcertant. Car j'en connaissais la source.

Le hisser sur le toit était exclu et, de toute façon, j'avais prévu de l'avoir avec moi dans l'habitacle. Après avoir éteint le chauffage, je suis retourné à l'Habitat.

Le trajet a duré une dizaine de minutes durant lesquelles, même sans chauffage, la température a eu le temps de monter à 37 °C. C'était trop. Le GTR n'aurait donc aucun problème à me tenir chaud.

Cette sortie a également démontré que mon harnais était solide. Les panneaux solaires et la batterie sont restés bien en place sur ces huit kilomètres de terrain accidenté.

Je peux donc déclarer que Sirius 2 a été un succès !

J'ai passé le restant de la journée à vandaliser l'intérieur du rover. Le compartiment pressurisé est composé de matériau composite, sous lequel se situe la couche isolante recouverte d'un plastique dur. J'ai arraché des sections de plastique en utilisant une méthode sophistiquée – à coups de marteau –, avant d'extraire avec circonspection la mousse isolante – à coups de marteau, encore une fois.

Après avoir déshabillé en partie l'habitacle, j'ai sorti le GTR dehors et attendu que le véhicule se refroidisse, puis j'ai remis le dispositif dans le rover et j'ai regardé la température remonter lentement – beaucoup plus lentement que précédemment.

J'ai retiré encore un peu de mousse – de nouveau avec circonspection et mon marteau – en surveillant la température. Après plusieurs interventions identiques, j'avais enlevé suffisamment d'isolant pour que le GTR ait du mal à suivre. À tel point qu'il perdait même la bataille, puisque, à la longue, l'habitacle se refroidissait. Mais cela ne me dérangeait pas. Quand ce serait nécessaire, j'allumerais un peu le chauffage.

De retour dans l'Habitat, j'ai mis en pratique des techniques de construction avancées – à base de ruban adhésif – pour former un carré avec les morceaux de mousse récupérés dans le rover. Ainsi, en cas de grand froid, je pourrai toujours coller celui-ci dans l'habitacle pour aider le GTR à gagner son combat contre les éléments.

Demain, Sirius 3 – en réalité Sirius 1 revisitée, mais sans le froid glacial.

Journal de bord : Sol 70

Aujourd'hui, je vous écris depuis le rover. Je suis au milieu de Sirius 3, et la mission se déroule bien.

Dès le lever du jour, je me suis mis à rouler autour de l'Habitat en prenant soin de ne pas repasser deux fois au même endroit. La première batterie a duré un peu moins de deux heures. Après une AEV rapide pour débrancher et rebrancher les câbles, j'ai repris le volant. En tout, j'ai parcouru quatre-vingt-un kilomètres en trois heures et vingt-sept minutes.

C'est excellent ! Bon, c'est vrai que le terrain autour de l'Habitat est très plat, comme le reste d'Acidalia Planitia. Impossible d'évaluer l'efficacité du rover dans les paysages plus difficiles que je risque de traverser sur la route vers Arès 4.

Il restait un peu de jus dans la seconde batterie, mais je n'avais pas le droit de l'épuiser complètement – j'ai besoin des systèmes de support-vie du véhicule pendant que je fais le plein d'énergie. Le CO_2 est absorbé chimiquement, mais si le ventilateur qui le pousse ne fonctionne plus, je meurs étouffé. La pompe à oxygène est importante, elle aussi.

Après ma petite balade, j'ai installé les panneaux solaires. Quelle corvée. La dernière fois, Vogel était là pour m'aider. Les panneaux sont légers, mais encombrants. Après en avoir trimballé la moitié, j'ai décidé de les traîner par terre au lieu de les porter. De là, mon travail s'est accéléré.

Maintenant, j'attends que les batteries se rechargent. Comme je m'ennuie, je complète ce journal de bord. J'ai toutes les enquêtes de Poirot dans mon ordinateur. Cela va m'aider à patienter. Il faut quand même douze heures pour recharger les batteries.

Comment ça, douze heures ? vous vous demandez. N'avais-je pas dit treize heures ? Ne vous emballez pas. Laissez-moi vous expliquer.

Le GTR est un *générateur*, mais il génère une puissance négligeable comparée à la consommation du rover. Enfin, *négligeable*, pas tout à fait. Cent watts, ce n'est pas rien. Ils me permettent de charger mes batteries plus vite. Pourquoi ne pas en profiter ?

Je me demande ce que la NASA penserait si elle savait comment j'utilise le GTR. Ses ingénieurs se planqueraient sans doute sous leur bureau avec leur règle à calcul.

Journal de bord : Sol 71

Comme prévu, les batteries ont mis douze heures à se recharger complètement. Après cela, j'ai foncé directement à la maison.

Le moment est venu de planifier Sirius 4, sortie qui s'étalera sans doute sur plusieurs jours.

On dirait que la question de l'énergie et des batteries est réglée. La nourriture n'est pas un problème ; je dispose de largement assez de place pour emporter des vivres. Pour l'eau, c'est encore plus facile, puisque je n'ai besoin que de deux litres par jour.

Quand je partirai pour de bon, je devrai prendre l'oxygénateur, mais comme il est gros, je préfère ne pas le manipuler pour l'instant. Je me contenterai donc d'O_2 et des filtres à CO_2 pour Sirius 4.

Le CO_2 n'est pas un souci. J'ai démarré cette aventure avec mille cinq cents heures de filtres, plus sept cent vingt autres en cas d'urgence. Tous les systèmes utilisent des filtres standards – Apollo 13 nous aura appris certaines choses. Depuis le début, j'ai utilisé environ cent trente et une heures de filtres au cours de diverses AEV. Il m'en reste donc deux mille quatre-vingt-neuf. Quatre-vingt-sept jours en tout. Largement assez, quoi.

La question de l'oxygène est un peu plus délicate. Le rover a été conçu pour abriter trois personnes pendant deux jours, plus une marge de sécurité. Ses bouteilles d'O_2 me permettront donc de tenir sept jours, ce qui n'est pas assez.

Sur Mars, la pression atmosphérique est quasi nulle, alors qu'elle est égale à une atmosphère, justement, dans l'habitacle du véhicule. Voilà pourquoi les réserves d'O_2 sont à l'intérieur, la différence de pression étant moindre et, de ce fait, plus facile à gérer. Et alors ? me demanderez-vous. Cela signifie que je peux embarquer d'autres bouteilles d'oxygène et économiser quelques AEV.

Voilà pourquoi j'ai rapporté dans le rover une des bouteilles d'oxygène de vingt-cinq litres de l'Habitat. D'après la NASA, un être humain a besoin de cinq cent quatre-vingt-huit litres d'oxygène par jour pour vivre. L'oxygène liquide comprimé est environ mille fois plus dense que l'oxygène gazeux dans une atmosphère idéale. Pour résumer : dans cette bouteille, j'ai assez d'O_2 pour quarante-neuf jours. Ce sera largement suffisant.

Sirius 4 en durera une vingtaine.

Cela peut paraître long, mais j'ai un objectif spécifique en tête. Par ailleurs, mon voyage jusqu'à Arès 4 sera au moins deux fois plus long. Voilà donc un test en conditions réelles.

Pendant mon absence, l'Habitat prendra soin de lui-même, mais mes pommes de terre sont un souci. Je vais saturer le sol avec la majeure partie de mon eau, puis je désactiverai le régulateur atmosphérique pour qu'il n'assèche pas l'air ambiant. Celui-ci deviendra très humide ; la condensation ruissellera sur les parois. Cela devrait suffire à arroser mon champ pendant mon absence.

Il y a aussi la question du CO_2. Mes patates ont besoin de respirer ! Je sais ce que vous vous dites. « Mark, mon vieux, du CO_2, vous en produisez ! Cela fait partie du majestueux mécanisme de la vie ! »

D'accord, mais je le mets où, moi, mon CO_2 ? C'est vrai, chaque fois que j'expire, je libère du CO_2, mais je n'ai aucun moyen de le stocker. Je pourrais désactiver l'oxygénateur et le régulateur atmosphérique et remplir l'Habitat de mon souffle. Enfin, si le CO_2 n'était pas mortel pour moi. Je vais donc devoir libérer une grosse quantité de CO_2 et prendre mes jambes à mon cou.

Vous vous rappelez l'usine à carburant du VAM ? Elle absorbe du CO_2 dans l'atmosphère martienne. Une bouteille de dix litres de CO_2 comprimé ouverte dans l'Habitat devrait suffire. Il me faudra moins d'une journée pour la remplir.

Voilà. Je libère le CO_2 dans l'Habitat, je désactive l'oxygénateur et le régulateur atmosphérique, je déverse une tonne d'eau sur mon champ et je file.

Sirius 4. Une mission capitale pour mon avenir. Demain sera le grand jour.

Chapitre 8

— Bonjour et merci de nous avoir rejoints sur CNN, commença Cathy Warner en regardant la caméra. Aujourd'hui, dans *Opération Mark Watney*, plusieurs AEV au cours des derniers jours. Que signifient-elles ? Où en est la NASA dans l'élaboration d'une mission de sauvetage, et en quoi celle-ci affectera-t-elle Arès 4 ?

» Est présent avec nous sur le plateau le docteur Venkat Kapoor, directeur des opérations de la NASA. Docteur Kapoor, merci d'être venu.

— C'est un plaisir, Cathy, répondit Venkat.

— Docteur Kapoor, peut-on dire que Mark Watney est l'homme le plus surveillé de tout le système solaire ?

— En tout cas, le plus surveillé par la NASA, assurément. Nos douze satellites en orbite autour de Mars prennent des photos dès qu'ils le peuvent, et les deux satellites de l'Agence spatiale européenne font de même.

— À quelle fréquence ces images vous parviennent-elles ?

— Oh ! toutes les quelques minutes. Il y a quelques trous dans la surveillance, dus à la position des satellites, mais ils ne nous empêchent pas de suivre ses AEV.

— Parlez-nous des dernières AEV…

— Eh bien, il semblerait qu'il soit en train d'équiper un rover pour un long voyage. Il a notamment retiré la batterie du rover n° 1 pour la monter sur le n° 2 en l'attachant avec un harnais de sa fabrication. Là, je vous parle de sol 64. Le lendemain, il a démonté quatorze panneaux photovoltaïques et les a empilés sur le toit de son véhicule.

— Et puis il est parti en promenade, n'est-ce pas ? l'encouragea Cathy.

— En effet. Il a roulé au hasard pendant une heure avant de rentrer à l'Habitat. C'était sans doute un genre de test. Quand nous avons retrouvé sa trace, deux jours plus tard, il avait roulé sur quatre kilomètres en ligne droite avant de retourner à la base. Pour tester son rover, encore une fois. Les quelques jours suivants, il a accumulé des provisions dans son véhicule.

— Mmh…, fit Cathy. La plupart des analystes s'accordent à dire que le seul espoir de Mark consiste à rejoindre le site d'Arès 4. Croyez-vous qu'il soit arrivé à la même conclusion ?

— C'est probable. Il ne sait pas que nous le regardons. Il pense qu'Arès 4 est son seul espoir.

— Pensez-vous qu'il va partir bientôt ? Il semble se préparer sérieusement.

— J'espère que non. En dehors du VAM, il n'y a rien sur le site en question. Le matériel n'est pas encore arrivé. Ce serait un voyage très long et très dangereux, et il abandonnerait le havre de paix relative de l'Habitat.

— Pourquoi prendrait-il ce risque ?

— Pour nous contacter. Grâce au VAM, il pourrait communiquer avec nous.

— Ce serait une bonne chose, non ?

— Certainement. Toutefois, traverser trois mille deux cents kilomètres de paysage martien serait extrêmement dangereux. Nous préférerions qu'il reste où il est. Si nous pouvions lui parler, c'est ce que nous lui demanderions.

— Mais il ne peut pas rester éternellement là-bas. Il lui faudra rejoindre le VAM à un moment ou à un autre…

— Pas nécessairement. JPL réfléchit à la possibilité de modifier un VDM afin de lui permettre d'effectuer un vol latéral bref après son atterrissage.

— Je croyais que cette idée avait été rejetée, car jugée trop dangereuse…

— Sa première mouture, oui. Depuis, les ingénieurs ont planché sur des façons plus sûres de procéder.

— Arès 4 est prévue dans trois ans et demi ; pensez-vous que ce sera suffisant pour modifier et tester le VDM ?

— On ne peut être sûr de rien, mais n'oubliez pas que nous avons fabriqué un engin capable de se poser sur la Lune en sept ans seulement, et en partant de zéro.

— C'est tout à fait vrai, docteur, lui concéda Cathy dans un sourire. À l'heure qu'il est, à combien estimez-vous ses chances de survie ?

— Je n'en sais rien, admit Venkat. En tout cas, nous ferons le maximum pour le ramener parmi nous vivant.

* * *

Mindy jeta un regard circulaire nerveux à la salle de conférences. Jamais elle ne s'était sentie si insignifiante. Le docteur Venkat Kapoor, classé quatre échelons au-dessus d'elle dans la hiérarchie de la NASA, était assis à sa gauche.

À côté de lui était installé Bruce Ng, directeur de JPL. Il était venu de Pasadena uniquement pour participer à cette réunion. N'étant pas du genre à perdre son temps précieux, il tapait furieusement sur son ordinateur portable. Mindy avisa ses énormes cernes et se demanda à quel point il était surmené.

Concentré sur les informations qui lui parvenaient dans son oreillette, Mitch Henderson, le directeur de vol d'Arès 3, se balançait sur sa chaise. Il était en contact permanent avec le Centre de contrôle de la mission. Bien qu'il ne soit pas de garde, on le maintenait au courant des derniers développements.

Annie Montrose entra dans la salle de conférences tout en tapotant un SMS. Sans lâcher son téléphone des yeux, elle navigua autour de la pièce, évitant les gens et les chaises, et trouva automatiquement sa place habituelle. Mindy ne put s'empêcher d'être un peu envieuse en observant la directrice des relations médias. Elle était tout ce que Mindy aurait rêvé d'être. Sûre d'elle-même, distinguée, belle et respectée de tous.

— Comment je me suis débrouillé, aujourd'hui ? demanda Venkat.

— Euh…, réfléchit Annie. Vous devriez éviter les expressions telles que « le ramener parmi nous vivant ». Cela implique qu'il pourrait mourir.

— Vous croyez que les téléspectateurs ne s'en doutent pas ?

— Vous m'avez demandé mon opinion. Si elle ne vous plaît pas, allez vous faire foutre.

— Vous êtes une fleur délicate, Annie. On se demande comment vous avez atterri à la tête des relations médias de la NASA.

— Je n'en reviens pas moi-même.

— Bien, intervint Bruce, j'ai un avion pour LA dans trois heures. Teddy va venir, oui ou non ?

— Cessez de vous plaindre, Bruce, lança Annie. Aucun d'entre nous n'a envie d'être ici.

Mitch baissa le volume de son oreillette et se tourna vers Mindy.

— Au fait, vous êtes qui, vous ?

— Euh... je m'appelle Mindy Park. Je travaille à SatCon.

— Vous êtes directrice ou un truc comme ça ?

— Non, je ne suis personne ; je travaille à SatCon, tout simplement.

— Je lui ai demandé de suivre Watney à la trace. C'est elle qui nous fournit les images.

— Et... elle n'est pas directrice de SatCon, donc ?

— Bob a beaucoup de responsabilités ; il n'a pas le temps de s'occuper spécifiquement de Mars. C'est Mindy qui gère les satellites pour nous. Elle les garde pointés vers Mark.

— Et pourquoi Mindy ? demanda Mitch.

— C'est elle qui a découvert qu'il était toujours en vie.

— Elle a eu une promotion parce qu'elle était assise dans le bon fauteuil au bon moment ?

— Non, rétorqua Venkat en fronçant les sourcils. Elle a eu une promotion parce qu'elle a interprété les images et en a conclu qu'il était en vie. Cessez d'être désagréable, Mitch, vous la mettez mal à l'aise.

— Ah !... Désolé, Mindy, dit Mitch en haussant les épaules.

— Pas grave, parvint à articuler la jeune femme, le regard fixé sur la table.

Teddy arriva enfin.

— Désolé pour le retard. (Il s'assit, sortit plusieurs dossiers de sa mallette, les empila parfaitement devant lui, ouvrit le premier et mit de l'ordre dans les feuilles qu'il contenait.) Bon, nous pouvons commencer. Venkat, quel est l'état de Watney ?

— Il est vivant et va bien. Rien de neuf depuis l'e-mail que je vous ai envoyé plus tôt aujourd'hui.

— Et le GTR ? Le public est-il au courant ?

— Jusqu'ici, tout va bien, intervint Annie en se penchant en avant. Les images sont publiques, mais rien ne nous oblige à fournir nos analyses aux médias. Pour l'instant, personne n'a rien découvert.

— Pourquoi l'a-t-il déterré ?

— Pour sa chaleur, sans doute, répondit Venkat. Il veut faire de longues sorties, et le véhicule gaspille beaucoup d'énergie pour se chauffer. Le GTR est capable de chauffer l'habitacle sans recourir à la batterie. C'est vraiment une excellente idée.

— C'est dangereux ?

— Tant que le container est intact, il n'y a aucun danger. Et même s'il est ouvert, il n'y aura pas de problème s'il ne touche pas aux couches protectrices. Dans le cas contraire, évidemment, il mourra.

— Espérons que cela n'arrivera pas. Bruce, où en sont les plans du nouveau véhicule de descente ?

— Nos plans, nous vous les avions soumis il y a longtemps, et vous les aviez rejetés.

— Bruce..., soupira Teddy.

— Le VDM n'a pas été conçu pour décoller ni voler latéralement. Et surtout pas avec une charge supplémentaire de carburant. Nous avons besoin d'un plus gros moteur, mais nous n'avons pas le temps d'en inventer un. Nous n'avons d'autre choix que de l'alléger. Et nous avons une idée pour cela.

» Le VDM effectuerait son atterrissage primaire normalement. Ensuite, on se débarrasserait du bouclier thermique et de la coque externe. Cela permettrait d'alléger considérablement le véhicule sur le site d'Arès 3 avant de voler jusqu'à Arès 4. Nous sommes en train de faire les calculs nécessaires.

— Tenez-moi au courant, dit Teddy, avant de se tourner vers Mindy. Mademoiselle Park, bienvenue en première division.

— Monsieur, articula-t-elle difficilement en essayant de ne pas prêter attention à la boule dans sa gorge.

— Votre surveillance n'est pas continue ; quelle est la durée des zones d'ombre les plus longues ?

— Euh... Toutes les quarante et une heures, nous avons une coupure de dix-sept minutes. C'est à cause des orbites.

— Réponse précise et immédiate. Excellent. J'aime quand les gens sont organisés.

— Merci, monsieur.

— Je veux que ces coupures ne dépassent pas quatre minutes. Modifiez les trajectoires et les orbites des satellites comme bon vous semblera. Débrouillez-vous.

— Oui, monsieur, acquiesça Mindy, qui n'avait pas la moindre idée de ce qu'il fallait faire pour accomplir ce prodige.

— Mitch, reprit Teddy. Dans votre e-mail, vous disiez que c'était urgent…

— Absolument. Pendant combien de temps encore allons-nous cacher ça à l'équipage d'Arès 3 ? Ils sont persuadés que Watney est mort, et ce n'est pas bon pour leur moral.

Teddy se tourna vers Venkat.

— Mitch, commença celui-ci. Nous en avons déjà parlé et…

— Non, *vous* en avez déjà parlé. Ils sont persuadés d'avoir perdu un camarade. Ils sont anéantis.

— Et quand ils découvriront qu'ils l'ont *abandonné*? le contra Venkat. Se sentiront-ils mieux ?

— Ils ont le droit de savoir, assena Mitch en tapotant du doigt sur la table. Vous pensez que le commandant Lewis n'est pas capable d'assumer la vérité ?

— C'est un problème de moral, expliqua Venkat. Ils doivent rester concentrés sur leur voyage de retour…

— De toute façon, c'est ma responsabilité. C'est à moi de décider ce qui est mieux pour l'équipage, et je dis qu'il faut les mettre au courant de la situation.

Après quelques secondes de silence, tous les regards se braquèrent vers Teddy.

Celui-ci prit le temps de réfléchir avant de répondre.

— Désolé, Mitch, mais je suis d'accord avec Venkat. Toutefois, dès que nous aurons un plan précis, nous en informerons *Hermès*. Ils ont besoin d'un peu d'espoir. Je ne vois pas l'intérêt de le leur dire maintenant.

— N'importe quoi…, grommela Mitch en croisant les bras sur sa poitrine.

— Je sais que ça vous embête, tenta de tempérer Teddy. Nous rétablirons la situation. Dès que nous aurons trouvé un moyen de sauver Watney.

Il laissa passer quelques secondes de calme avant de reprendre en désignant Bruce de la tête :

— Nous disions donc que JPL travaille à un plan. Il faudra néanmoins attendre Arès 4 pour cela. Comment va-t-il survivre jusque-là ? Venkat ?

Venkat ouvrit un dossier et examina quelques documents.

— Les équipes sont en train de vérifier deux fois la longévité de leurs systèmes. Nous sommes à peu près certains que l'Habitat pourra fonctionner quatre années supplémentaires. Surtout avec un occupant humain pour régler les problèmes au fur et à mesure. Les réserves de nourriture, en revanche, vont s'épuiser. Dans un an, il n'aura plus rien. Nous n'avons d'autre choix que de lui envoyer des vivres. C'est aussi simple que cela.

— Peut-on imaginer envoyer un vol d'approvisionnement destiné à Arès 4 sur le site d'Arès 3 ? proposa Teddy.

— Nous y avons songé, confirma Venkat. Le souci, c'est que le départ du premier de ces vols n'est prévu que l'an prochain. Il n'est pas encore prêt. Dans le meilleur des cas, il faut huit mois pour atteindre Mars. Et quand on regarde les positions relatives de la Terre et de Mars en ce moment... Ce n'est pas la configuration idéale. Mais neuf mois, ce serait possible. En supposant qu'il se rationne, il a assez de vivres pour tenir au moins trois cent cinquante jours. Cela signifie que nous avons trois mois pour fabriquer cet appareil. Et JPL n'a pas encore commencé.

— Ce sera juste, confirma Bruce. La préparation d'un cargo prend normalement six mois. Il faut dire que nous avons l'habitude d'en construire plusieurs d'un coup, pas de concentrer nos efforts sur un seul.

— Je suis désolé, Bruce, s'excusa Teddy. Je sais que nous vous demandons beaucoup, mais vous devez trouver un moyen.

— Nous ferons notre possible, mais nous aurons du mal à payer les heures supplémentaires.

— Commencez tout de suite. Je vous trouverai l'argent.

— N'oublions pas le lanceur, intervint Venkat. Vu la position actuelle des planètes, il va falloir brûler un maximum de carburant. Nous n'avons qu'une fusée capable de ce genre de chose : Delta IX, qui est en ce moment même sur le pas de tir avec la sonde EagleEye 3 destinée à Saturne. On va devoir la leur piquer. J'en ai parlé à United Launch Alliance[1], et il est impossible de fabriquer un autre lanceur dans des délais si courts.

— L'équipe d'EagleEye 3 ne sera pas contente, remarqua Teddy, mais on retardera leur mission si JPL nous fournit un cargo à temps.

— Nous ferons de notre mieux, acquiesça Bruce en se frottant les yeux.

— Si vous échouez, il crèvera de faim.

* * *

Venkat sirota son café et considéra le moniteur de son ordinateur en fronçant les sourcils. Un mois plus tôt, il ne lui serait jamais venu à l'idée de boire un café à 21 heures ; désormais c'était nécessaire. Préparer les plannings des collaborateurs, allouer les fonds, jongler avec les projets, en piller d'autres… Jamais il ne s'était tant démené de toute sa vie.

« La NASA est une vaste organisation, tapa-t-il. Elle a du mal à s'adapter aux changements soudains ; toutefois, les circonstances étant désespérées, elle n'a pas le choix. Tout le monde se démène pour sauver Mark Watney, et les disputes entre services passent au second plan. C'est tellement exceptionnel. Malgré tout, cela nous coûtera des dizaines, voire des centaines de millions de dollars. La modification du VDM à elle seule est un projet à part entière qui nécessite le recrutement d'une équipe dédiée. Avec un peu de chance, le fait que l'opinion publique ait été alertée va nous aider. Nous apprécions votre soutien, monsieur le représentant, et nous espérons que vous parviendrez à convaincre le comité au Congrès de débloquer les fonds d'urgence dont nous avons besoin. »

Quelqu'un frappa à sa porte. Il leva les yeux et découvrit Mindy. Elle portait un bas de survêtement et un tee-shirt, et ses cheveux étaient noués en une queue-de-cheval lâche. Quand les journées de travail s'étiraient, la mode tendait à souffrir.

---

1. ULA : consortium des compagnies aérospatiales Lockheed Martin et Boeing formé en 2006 pour fournir des lanceurs au gouvernement américain, notamment les fusées Atlas et Delta. (*NdT*)

— Excusez-moi de vous déranger.

— Pas de problème, la rassura Venkat. De toute façon, j'avais besoin d'une pause. Je vous écoute.

— Il est parti en balade.

Venkat s'affaissa dans son fauteuil.

— Un nouveau test ?

Elle secoua la tête.

— Il a roulé droit devant lui pendant presque deux heures, a fait une courte AEV – sans doute pour changer de batterie –, puis a repris le volant pendant encore deux heures.

Venkat lâcha un profond soupir.

— C'est peut-être un test plus long ? un essai de conduite de nuit ?

— Il est à soixante-seize kilomètres de l'Habitat. Si c'était seulement pour conduire de nuit, il serait resté autour du camp, non ?

— Oui, sans doute. Merde. On a mis plusieurs équipes sur le coup ; elles ont étudié tous les scénarios possibles, et il n'a aucune chance d'atteindre le site d'Arès 4 avec cet équipement. Nous ne l'avons vu charger ni l'oxygénateur ni le recycleur d'eau. Il n'aura jamais de réserves pour survivre assez longtemps.

— Je ne crois pas qu'il ait l'intention de rallier Arès 4. Ou alors par un chemin très détourné.

— Ah ?

— Il a mis le cap au sud-sud-ouest. Le cratère de Schiaparelli est au sud-est.

— Tout espoir n'est pas perdu, alors. Que fait-il en ce moment ?

— Il a installé les panneaux solaires pour recharger les batteries. La dernière fois, ça a pris douze heures. Si ça ne vous dérange pas, j'aimerais rentrer chez moi pour dormir un peu.

— Bien sûr, pas de souci. Nous verrons ce qu'il fera demain. Peut-être va-t-il retourner à l'Habitat ?

— Peut-être, acquiesça Mindy, peu convaincue.

* * *

— Nous sommes de retour sur le plateau, commença Cathy en s'adressant à la caméra, où nous discutons avec Marcus Washington, des services postaux des États-Unis. Monsieur Washington, vous nous disiez que la mission Arès 3 avait été à l'origine d'un énorme couac à la poste...

— Euh... ouais. Pendant plus de deux mois, tout le monde était persuadé que Mark Watney était mort. Les services postaux ont donc eu l'idée d'émettre une série de timbres pour saluer sa mémoire. Vingt mille timbres ont été imprimés et envoyés aux quatre coins du pays.

— Et puis on a découvert qu'il était en vie, l'aida Cathy.

— Exactement. Comme nous n'imprimons pas de timbres à l'effigie de personnes vivantes, nous avons stoppé la production et rappelé les timbres envoyés. Sauf que des milliers d'entre eux avaient déjà été vendus.

— Cela est-il déjà arrivé ? demanda Cathy.

— Non. Pas une seule fois dans l'histoire de nos services postaux.

— J'imagine que leur cote est montée de façon spectaculaire !

Marcus gloussa.

— Peut-être, mais comme je l'ai dit, on en a vendu quelques milliers. Ils seront rares, mais pas très rares.

Cathy rit aussi et se tourna vers la caméra.

— Si vous avez chez vous un timbre à l'effigie de Mark Watney, je vous conseille de le garder précieusement. Merci infiniment d'être passé nous voir, monsieur Washington.

— Merci de m'avoir invité.

— Notre prochaine invitée est le docteur Irene Shields, la psychologue du programme Arès. Docteur Shields, bienvenue sur notre plateau.

— Merci, répondit Irene en ajustant son micro.

— Connaissez-vous Mark Watney personnellement ?

— Bien sûr. Une fois par mois, je voyais tous les membres d'équipage pour une évaluation de contrôle.

— Que pouvez-vous nous dire à son sujet ? Comment est-il ? Quel genre de personnalité a-t-il ?

— Mark est très intelligent. Ils le sont tous, évidemment, mais Mark est plein de ressources, et il excelle dans la résolution de problèmes.

— Cela pourrait lui sauver la vie, intervint Cathy.

— En effet. Et puis, Mark est facile à vivre, joyeux. Il a un très bon sens de l'humour. Il a la blague facile. Durant les mois qui ont précédé son départ, l'équipage a subi un entraînement très poussé. Ils montraient tous des signes de stress, ils étaient d'humeur changeante. Mark aussi, bien sûr, mais il avait une façon bien à lui de le montrer : il plaisantait encore plus que d'habitude et mettait son point d'honneur à faire rire tout le monde.

— Vous décrivez un type génial, on dirait.

— Oui, c'est vrai, confirma Irene. S'il a été choisi, c'est en partie grâce à sa personnalité. L'équipage d'une mission Arès passe environ treize mois ensemble. La compatibilité sociale est primordiale. Non seulement Mark se sent à l'aise dans n'importe quel groupe social, mais c'est aussi un catalyseur capable de faire travailler une équipe plus efficacement. Sa « mort » a été un coup terrible pour ses camarades.

— Ils le croient toujours mort, n'est-ce pas ? l'équipage d'Arès 3 ?

— Oui, malheureusement. Nos dirigeants ont décidé de leur cacher la vérité pour le moment. Je suis certaine que cela n'a pas été une décision facile à prendre.

Cathy laissa passer quelques secondes avant de reprendre.

— Bon, vous vous attendez sans doute à ce que je vous pose cette question… Qu'a-t-il dans la tête à l'heure où nous parlons ? Comment un homme tel que Mark Watney réagit-il à une situation extrême telle que celle-ci ? Abandonné, seul, il ignore que tout est fait pour tenter de le secourir.

— On ne peut être sûr de rien. Le plus grand danger pour lui serait de perdre tout espoir. S'il décide qu'il n'a aucune chance de survie, il cessera de se battre.

— Pour le moment, cela a l'air d'aller, non ? fit remarquer Cathy. Il semble travailler dur. Il prépare son rover pour un long voyage, il le teste. On dirait qu'il a décidé d'accueillir Arès 4 le moment venu.

— C'est une interprétation possible, en effet.

— Il y en a une autre ?

Irene prépara soigneusement sa réponse avant de la livrer.

— Face à la mort, nous ressentons le besoin d'être entendus. Mourir seul est très difficile. Peut-être Mark souhaite-t-il simplement atteindre la radio du VAM pour parler une dernière fois à quelqu'un avant de mourir. S'il a perdu tout espoir, sa survie ne lui importera plus. Son unique objectif sera de trouver la radio. Après cela, il n'attendra probablement pas de mourir de faim. Il y a suffisamment de morphine dans les fournitures médicales d'une mission Arès pour mettre fin à ses jours.

Après quelques secondes de silence complet dans le studio, Cathy fit face à la caméra.

— Nous revenons après une pause publicitaire.

* * *

— Salut, Venk, cracha le haut-parleur serti dans le bureau.

— Salut, Bruce, répondit Venkat sans cesser de taper sur son clavier. Merci de m'accorder un peu de temps. Je voulais vous parler du cargo d'approvisionnement.

— Bien sûr. Racontez-moi ce qui vous tracasse.

— Admettons que nous posions ce cargo sans problème. Comment Mark le saura-t-il ? Comment saura-t-il où regarder ?

— On a réfléchi à cette question. On a quelques idées.

— Je suis tout ouïe, dit Venkat en sauvegardant son document et en refermant son ordinateur.

— On va lui envoyer un système de communication, non ? On pourrait le programmer pour qu'il s'allume après l'atterrissage et qu'il émette sur les fréquences du rover et de sa combinaison spatiale. Le signal devra être costaud, évidemment. Les rovers ne peuvent communiquer qu'avec l'Habitat et entre eux – l'émetteur et le récepteur devant se trouver à vingt kilomètres l'un de l'autre au maximum. Leur récepteur n'est pas très sensible. Les combinaisons sont encore pires, mais si le signal est fort, ça devrait marcher. Quand le cargo sera arrivé, on le localisera avec précision grâce aux satellites et on informera Mark de sa position.

— Sauf qu'il n'a aucune raison d'écouter sa radio, fit remarquer Venkat.

— On a pensé à ça aussi. On va préparer un paquet de rubans vert vif. Ils seront suffisamment légers pour flotter un peu partout, même dans l'atmosphère martienne. Sur chaque ruban, on imprimera : « Mark,

ALLUMEZ VOTRE RADIO. » On travaille à un mécanisme de libération. Le largage se fera pendant la séquence de descente, bien sûr, à mille mètres d'altitude, dans l'idéal.

— Ça me plaît, acquiesça Venkat. Il en suffit d'un seul. Et ces rubans verts ne passeront pas inaperçus dans le paysage.

— Venk, reprit Bruce, vous êtes conscient que tout cela ne servira à rien s'il décide de partir pour le site d'Arès 4 en « Watneymobile ». Je veux dire : on peut très bien poser le cargo là-bas, mais…

— Mais il n'aura plus d'Habitat. Oui, je sais. Une chose à la fois. Prévenez-moi quand le mécanisme de libération des rubans sera opérationnel.

— Entendu.

L'appel terminé, Venkat rouvrit son ordinateur portable pour se remettre au travail. Il avait reçu un e-mail de Mindy Park.

Watney s'est remis en mouvement.

* * *

— Il roule toujours en ligne droite, expliqua Mindy en désignant son moniteur.

— Je vois. Maintenant, il est clair qu'il ne se rend pas sur le site d'Arès 4, à moins qu'il contourne un obstacle naturel quelconque.

— Il n'y a rien à contourner ; il s'agit d'Acidalia Planitia.

— Et ça, ce sont les panneaux solaires ? s'enquit Venkat, le doigt pointé vers l'écran.

— Oui. Comme d'habitude, il a roulé deux heures, fait une AEV, puis roulé encore deux heures. Il est à cent cinquante-six kilomètres de l'Habitat, à présent.

Ils scrutèrent tous les deux le moniteur.

— Attendez…, souffla Venkat. Attendez !

— Quoi ?

Il attrapa un bloc de Post-it et un crayon.

— Donnez-moi ses coordonnées et celles de l'Habitat.

Mindy vérifia sur son écran.

— En ce moment, il se trouve à… 28,9° nord et 29,6° ouest. (Elle pianota sur son clavier et fit apparaître une nouvelle image.) L'Habitat se trouve à 31,2° nord et 28,5° ouest. Qu'est-ce que vous voyez ?

Venkat termina de noter les coordonnées.

— Venez avec moi, lança-t-il en sortant aussitôt de la salle.

— Euh… Où est-ce qu'on va ? bafouilla Mindy en lui emboîtant le pas.

— La salle de repos de SatCon. Vous avez toujours cette carte de Mars sur le mur ?

— Bien sûr, confirma Mindy. Mais c'est simplement un poster acheté dans la boutique de souvenirs. J'ai des cartes haute définition sur mon ordinateur…

— Non, j'ai besoin de pouvoir dessiner dessus, rétorqua Venkat en entrant dans la salle de repos et en se dirigeant tout droit vers l'affiche.

Un technicien informatique occupé à siroter un café releva la tête, légèrement affolé, en voyant Venkat et Mindy arriver à grandes enjambées.

— Excellent, les lignes de longitudes et latitudes sont dessinées dessus, approuva Venkat. (Il regarda son Post-it, fit glisser son doigt sur l'affiche et y dessina une croix.) Ça, c'est l'Habitat.

— Eh ! protesta le technicien. Vous dessinez sur notre poster !

— Je vous en rachèterai un, le rassura Venkat sans se retourner. (Puis il dessina une autre croix.) Ça, c'est sa position actuelle. Donnez-moi une règle.

Mindy regarda autour d'elle et, ne voyant pas de règle, attrapa le calepin du technicien.

— Eh ! protesta de nouveau l'homme.

S'aidant du calepin, Venkat traça la droite qui passait par ses deux croix et fit quelques pas en arrière.

— Oui ! Mais c'est bien sûr ! s'exclama-t-il.

— Oh !…, fit Mindy.

La droite passait par le centre exact d'un point jaune vif imprimé sur l'affiche.

— Pathfinder ! s'exclama Mindy. Il va retrouver Pathfinder !

— Exact ! Maintenant, je comprends. Il est à huit cents kilomètres de Pathfinder. Avec les réserves qu'il a emportées, il a de quoi faire l'aller et retour.

— Et il pourra ramener Pathfinder et le robot Sojourner, ajouta Mindy.

Venkat sortit son téléphone portable de sa poche.

— Nous avons perdu le contact avec Pathfinder en 1997. S'il réussit à le réactiver, nous pourrons communiquer. Un bon nettoyage des panneaux solaires suffira peut-être. Et même si le problème est plus important, Watney est ingénieur ! Son boulot, c'est de réparer des trucs ! s'enthousiasma-t-il pour la première fois depuis des semaines en composant un numéro et en collant le téléphone contre son oreille. Bruce ? Venkat à l'appareil. Il y a du nouveau : Watney se dirige vers Pathfinder… Ouais ! Je sais… Retrouvez les gars qui ont bossé sur ce projet et faites-les venir immédiatement à JPL. Je saute dans le prochain avion. (Il raccrocha et considéra la carte avec un sourire radieux.) Mark, espèce d'enfoiré, tu es vraiment malin !

Chapitre 9

Journal de bord : Sol 79

C'est ma huitième soirée sur la route. Jusque-là, Sirius 4 se déroule comme prévu.

J'ai ma petite routine. Chaque matin, je me réveille à l'aube, je vérifie les niveaux d'oxygène et de CO_2, puis j'avale un petit déjeuner en sachet et un gobelet d'eau. Ensuite, je me brosse les dents en utilisant aussi peu d'eau que possible et je me rase avec un rasoir électrique.

Le rover est dépourvu de toilettes. Pour ces choses-là, on est censé utiliser les systèmes de gestion des déchets de notre combinaison. Lesquels n'ont pas été conçus pour servir vingt jours d'affilée.

Mon pipi du matin va dans une boîte en plastique refermable. Quand elle est ouverte, j'ai l'impression de me trouver dans une pissotière d'aire d'autoroute. Je pourrais verser cette urine dehors pour qu'elle s'évapore, mais j'ai travaillé dur pour produire cette eau, et je n'ai aucune envie de la gâcher. À mon retour, je verserai tout cela dans le recycleur.

Mes selles sont encore plus importantes. Elles sont un engrais précieux pour mes pommes de terre, et je suis la seule personne à en produire sur cette planète tout entière. Heureusement, quand on passe beaucoup de temps dans l'espace, on apprend à faire dans un sac. Je vous ai déjà parlé de l'odeur qui se répand quand j'ouvre ma boîte de pisse, alors imaginez un peu quand je démoule un cake…

Quand j'en ai terminé avec cette agréable routine, je sors récupérer les panneaux solaires. Pourquoi je ne m'occupe pas de cela plutôt le soir ? Parce que démonter et empiler ces panneaux dans l'obscurité *totale* n'est pas très amusant. Vous pouvez me croire, j'ai essayé.

Après avoir fixé les panneaux sur le toit, je remonte à bord, je mets de la musique de merde des années soixante-dix et je démarre. Je me traîne à vingt-cinq kilomètres par heure, vitesse de pointe du rover. À l'intérieur, c'est confortable. J'enfile un short coupé à la hâte et une chemise fine, pendant que le GTR surchauffe l'habitacle. Quand il fait trop chaud, je retire le carré de matière isolante collé avec de l'adhésif sur la paroi ; quand ça se refroidit, je le remets en place.

Je peux rouler presque deux heures avec la première batterie. Je fais une AEV rapide pour changer les câbles, puis je retourne derrière le volant pour la deuxième moitié de ma journée de conduite.

Le terrain est très plat. La garde au sol du rover est suffisante pour que les cailloux de la région ne représentent aucun danger, et les collines sont très douces, rabotées par des éons de tempêtes de sable.

Quand la seconde batterie est déchargée, je suis bon pour ressortir. Je détache les panneaux solaires du toit et je les étale sur le sol. Au début, j'avais tendance à les aligner parfaitement, mais maintenant, je les dispose au hasard autour du rover. Par paresse, tout simplement.

Et puis vient la partie la plus ennuyeuse de la journée, et je pèse mes mots. J'attends pendant une douzaine d'heures sans rien faire. Je commence à en avoir marre de ce rover. L'habitacle est grand comme une camionnette, ce qui peut paraître beaucoup, mais essayez donc de passer huit jours à l'arrière d'une camionnette. J'ai hâte de pouvoir m'occuper de mon champ de pommes de terre dans le vaste espace de l'Habitat.

Eh oui, je suis nostalgique de mon Habitat. Bizarre, hein ?

J'ai quelques séries télé des années soixante-dix à regarder et des romans de Poirot à lire. La majeure partie de mon temps, cependant, je la passe à réfléchir à la manière dont je vais rallier le site d'Arès 4. Je vais devoir m'y résoudre un jour. Comment diable vais-je survivre à un trajet de trois mille deux cents kilomètres dans ce truc ? Cela me prendra dans les cinquante jours. J'aurai besoin du recycleur d'eau, de l'oxygénateur, peut-être même des batteries principales de l'Habitat, et puis de panneaux solaires supplémentaires pour recharger tout cela. Où vais-je caser tout ce matériel ? Ces pensées m'occupent et me torturent pendant mes longues et ennuyeuses journées.

Alors la nuit tombe et la fatigue se fait sentir. Je m'allonge parmi les sachets de nourriture, les réservoirs d'eau, une bouteille d'O_2, des piles de filtres à CO_2, des boîtes de pisse et de merde et autres effets personnels. Mon lit est un tapis de combinaisons ; j'ai aussi un oreiller et une couverture. En gros, je passe mes nuits dans une décharge.

À propos de dormir… Bonne nuit.

Journal de bord : Sol 80

D'après mes estimations, je suis à encore une centaine de kilomètres de Pathfinder. Techniquement, il s'agit du « Mémorial Carl Sagan », mais, sauf votre respect, Carl, j'appelle cet endroit comme je le veux. Le roi de Mars, c'est moi.

Comme je l'ai déjà dit, le voyage est long et ennuyeux, et je préfère ne pas penser au retour. Mais je suis astronaute, oui ou merde ? Les voyages interminables sont ma spécialité.

La navigation n'est pas facile.

Le signal de navigation de l'Habitat ne porte pas à plus de quarante kilomètres ; il ne me sert donc plus à rien. J'avais évidemment pensé à cela avant de partir. J'avais même élaboré un plan génial… qui n'a pas fonctionné.

Comme il y a des cartes très détaillées dans l'ordinateur, je pensais pouvoir naviguer en repérant des éléments du paysage. J'avais tort, puisqu'il n'y a aucun élément remarquable dans cette saloperie de décor.

L'Habitat est sis dans le delta d'un fleuve depuis longtemps disparu. La NASA s'est dit que ce serait l'endroit idéal pour découvrir d'éventuels fossiles microscopiques. Et puis, on y trouverait aussi des échantillons de sol et de cailloux arrachés par l'eau à des milliers de kilomètres de là. En creusant un peu, on aurait pu ébaucher l'histoire géologique de la planète.

Franchement, c'était une bonne idée – pour faire avancer la science. Mais cela signifie que l'Habitat se dresse au cœur d'une plaine morne et sans repères.

J'aurais pu fabriquer une boussole ; l'électricité ne manque pas dans le rover, et le kit médical regorge d'aiguilles. Enfin, j'aurais pu, s'il y avait eu un champ magnétique sur Mars…

Je navigue donc grâce à Phobos, qui traverse le ciel d'ouest en est et tourne si vite autour de la planète qu'il se lève et se couche deux fois par jour. Ce n'est pas la plus précise des méthodes, mais elle fonctionne.

J'ai pu souffler un peu entre sol 75 et sol 78, car je me suis retrouvé dans une vallée bordée à l'ouest par un surplomb. Le sol y était plat, facilitant la conduite, et j'avais simplement besoin de longer les collines. J'ai décidé de baptiser cette vallée du nom de notre intrépide chef : « la vallée de Lewis ». En passionnée de géologie, elle aurait adoré cet endroit.

Les meilleures choses ayant une fin, la vallée a fini par déboucher sur une nouvelle plaine, m'obligeant à naviguer en me fiant à Phobos. C'est tout un symbole, Phobos étant le dieu de la peur. Pas sûr que ce soit un bon présage.

Mais la chance finit toujours par tourner. Après deux sols à rouler dans le désert, j'ai enfin trouvé une façon de me repérer : un cratère de cinq kilomètres de diamètre, si petit qu'il n'a même pas de nom. Néanmoins, comme il figurait sur les cartes, j'avais l'impression d'avoir croisé le phare d'Alexandrie ! Je savais donc exactement où je me trouvais.

D'ailleurs, je campe à proximité de ce cratère.

Je suis enfin sorti des zones floues de la carte. Demain, je naviguerai grâce au phare, et je ne devrais pas tarder à croiser le cratère de Hamelin. Tout va rentrer dans l'ordre.

Ma journée n'est pas terminée ; il me reste à attendre sans rien faire pendant douze heures.

Je ferais mieux de m'y mettre !

Journal de bord : Sol 81

À vingt-deux kilomètres près, j'atteignais Pathfinder. Sauf que je n'avais plus de jus…

Une journée sans souci. Aucun problème de navigation. Le bord du cratère de Hamelin m'est apparu au moment où le phare disparaissait dans mon dos.

Oubliée, également, Acidalia Planitia. Je suis dans Ares Vallis, désormais, où le terrain est moins plat, plus rocailleux, jonché de pierres que le sable n'a jamais recouvertes. Cela rend pénible le pilotage du rover ; il faut faire très attention.

Jusqu'à présent, j'ai pu rouler tout droit dans un paysage parsemé de cailloux, mais plus je file vers le sud et plus les pierres sont grandes et nombreuses, m'obligeant à les contourner pour ne pas abîmer mes suspensions. Heureusement, ce sera bientôt terminé, car Pathfinder n'est plus très loin. Après, il faudra faire demi-tour.

La météo a été clémente. Quasiment pas de vent, pas de tempête. J'ai eu de la chance. Il est fort possible que la piste laissée par le rover ces quelques derniers sols soit toujours visible. Je devrais pouvoir retrouver la vallée de Lewis en la suivant.

Après avoir installé les panneaux solaires, je suis sorti me balader en faisant attention de ne pas trop m'éloigner du rover. Je n'ai aucune envie de me perdre dans ce paysage. Je n'en pouvais plus de ramper dans ce trou à rats encombré et puant. J'avais besoin d'air.

C'est une sensation étrange. Partout où je vais, je suis le premier. Je sors du rover, et je deviens le premier homme à fouler ce sable de ses bottes ! Je gravis une colline, et c'est la première fois que quelqu'un la gravit ! Je donne un coup de pied dans un caillou qui n'avait pas bougé depuis un million d'années !

Je suis le premier homme à parcourir de si longues distances en rover sur le sol de Mars. Le premier à avoir passé plus de trente et un sols sur cette planète. Le premier à y faire pousser des légumes. Le premier ! Le premier !

Je n'espérais pas être le premier à faire quoi que ce soit. Par exemple, je suis descendu du VDM en cinquième position, ce qui faisait de moi le dix-septième astronaute à fouler le sol martien. L'ordre dans lequel nous devions descendre avait été déterminé des années plus tôt. Un mois avant le départ, nous nous étions tous fait tatouer notre « numéro martien ». Johanssen avait failli refuser son « 15 », craignant d'avoir mal.

Une femme qui avait survécu à la centrifugeuse, à la « comète de vomi[1] », aux exercices d'atterrissage d'urgence, aux footings de dix kilomètres. Une femme qui avait affronté une simulation de panne informatique du VDM pendant qu'on la faisait tournoyer la tête en bas. Elle avait la trouille de se faire tatouer !

Putain, mes camarades me manquent.

Je donnerais n'importe quoi pour pouvoir discuter cinq minutes avec n'importe qui. N'importe qui, n'importe où. De n'importe quoi.

Je suis la première personne à se retrouver toute seule sur une planète tout entière.

Bon, allez, fini de se plaindre. Je suis en train de discuter, justement – avec la personne qui lira ce journal de bord. C'est un monologue, c'est vrai, mais c'est mieux que rien. Je vais peut-être bientôt mourir, mais au moins quelqu'un lira-t-il ce que j'avais à dire.

Et puis, si j'ai entrepris ce voyage, c'est justement pour trouver une radio. Avec un peu de chance, je ne vais pas devoir attendre d'être mort pour parler à quelqu'un.

Une autre première : demain, je serai la première personne à récupérer une sonde martienne.

Journal de bord : Sol 82

Victoire ! Je l'ai trouvé !

J'ai su que je ne m'étais pas trompé dès que j'ai aperçu les pics jumeaux au loin. Les deux petites collines étaient situées de l'autre côté du site et à moins d'un kilomètre de celui-ci. Je n'avais donc qu'à avancer dans leur direction pour tomber sur Pathfinder.

Et il était bien là ! Exactement où il était supposé être ! J'étais tout excité quand je suis sorti le voir de plus près.

Au moment de sa descente dans l'atmosphère martienne, Pathfinder était un tétraèdre recouvert de ballons destinés à absorber le choc de

1. « *Vomit comet* » en anglais, surnom donné par les astronautes de la NASA aux vols paraboliques en avion destinés à les familiariser avec l'apesanteur. (*NdT*)

l'atterrissage. Une fois au sol, ceux-ci se sont dégonflés et le tétraèdre s'est déplié pour révéler la sonde.

Pathfinder est constitué de la sonde à proprement parler et d'un véhicule robot baptisé Sojourner. La première n'a pas bougé, tandis que le second s'est baladé un peu pour jeter un coup d'œil aux cailloux environnants. Je ramène les deux à la maison, même si l'élément le plus important est la sonde, puisqu'elle est capable de communiquer avec la Terre.

Je ne peux pas décrire la joie qui a été la mienne. J'avais travaillé dur pour arriver jusque-là, et mes efforts avaient payé.

La sonde était à moitié enfouie sous le sable. Je l'ai dégagée rapidement en creusant avec circonspection et sans me donner la peine de déterrer la structure externe du tétraèdre et les ballons dégonflés.

Je n'ai pas mis longtemps à retrouver Sojourner ; il était à moins de deux mètres ! C'est la NASA qui va être surprise. Sans doute avait-il basculé en mode de communication d'urgence, tournant en vain autour de la sonde pour entrer en contact avec elle.

J'ai vite mis Sojourner à l'abri dans le rover. Petit et léger, il est entré facilement dans le sas. Pour Pathfinder, c'était une tout autre histoire.

Je ne pouvais pas espérer le faire entrer tout entier dans le véhicule ; toutefois je n'avais besoin que de la sonde à proprement parler. Il était temps pour moi de coiffer ma casquette d'ingénieur en mécanique.

La sonde était fixée au panneau central du tétraèdre, les trois autres étant accrochés au premier par des charnières mécaniques. Les gars de JPL vous le diront : les sondes sont des objets délicats. La question du poids étant critique, elles ne sont pas forcément très robustes.

Les charnières n'ont pas résisté longtemps à mon pied-de-biche !

Et puis les choses se sont compliquées. Le panneau central refusait de bouger.

Comme les trois autres, il était recouvert de ballons dégonflés qui, au fil des ans, s'étaient déchirés et emplis de sable.

J'aurais pu les découper, mais il aurait fallu que je creuse afin de les exposer. Cela n'aurait pas été très difficile, vous me direz, il ne s'agit que de sable. Sauf que les trois autres faces du tétraèdre me gênaient.

Rapidement, j'ai compris que l'état dans lequel je laisserais les panneaux n'avait aucune importance. Je suis retourné dans le rover pour découper quelques bandes de toile, que j'ai tressées pour en faire une corde primitive, mais solide – solide grâce à la NASA, pas à mon travail.

J'ai noué une extrémité de ma corde de fortune à un panneau et l'autre au véhicule. Celui-ci est conçu pour rouler sur des terrains accidentés et gravir des pentes très prononcées. Il n'est peut-être pas très rapide, mais il a un excellent couple. J'ai donc tiré sur le panneau comme un péquenaud arrachant une souche avec son pick-up.

À présent, j'avais de la place pour creuser. Chaque fois que je trouvais un ballon, je le découpais. En tout, cela m'a pris une heure de travail.

À la fin, j'aurais dû pouvoir soulever le panneau central et le transporter jusqu'au rover en toute confiance !

Mais non. Cette saloperie reste lourde comme un cheval mort – dans les deux cents kilos, je dirais. Même dans la pesanteur martienne, c'est un peu trop. J'aurais pu le trimballer dans l'Habitat sans trop de difficultés, mais le soulever en portant une encombrante combinaison d'AEV...

Alors, je l'ai traîné jusqu'au rover.

Restait à le hisser sur le toit.

Celui-ci était dégagé, car, même si les batteries étaient presque pleines, j'avais étalé les panneaux solaires dès mon arrivée. Ne jamais cracher sur de l'électricité gratuite, c'est ma devise.

J'avais tout prévu avant mon départ. À l'aller, j'avais deux piles de panneaux sur le toit et plus du tout de place. Pour le retour, je n'en aurais qu'une, plus la sonde. Ce sera un peu plus dangereux, du fait de la hauteur de la pile. À ce propos, j'aurai du mal à empiler les panneaux si haut, mais je me débrouillerai.

Pas question de lancer une corde par-dessus le toit du rover et de hisser la sonde. Je n'ai pas envie de la casser. Bon, d'accord, elle est déjà cassée, puisqu'elle a cessé d'émettre en 1997, mais je ne veux pas l'endommager davantage.

J'ai fini par trouver une solution, mais j'avais suffisamment bossé pour la journée. Et puis, la nuit était en train de tomber.

Je suis dans le rover, où je jette un coup d'œil à Sojourner. Il a l'air en bon état. De l'extérieur, en tout cas, on ne voit rien. Le soleil n'a rien cramé, semble-t-il, et ce grâce à l'épaisse couche de crasse martienne dont il est recouvert.

Vous vous dites peut-être que Sojourner ne va servir à rien, qu'il est incapable de communiquer avec la Terre. Vous vous demandez pourquoi je me fatigue.

Cette petite merveille comporte beaucoup de pièces mobiles.

Pour parler à la NASA, je pourrai toujours tenir une feuille de papier devant la caméra de la sonde, mais eux, comment me répondront-ils ? Les seules parties mouvantes de la sonde sont sa puissante antenne, qui devra rester pointée vers la Terre, et le pied de la caméra. Pour communiquer avec moi, la NASA n'aurait d'autre choix que d'utiliser les mouvements de rotation de la caméra, ce qui serait incroyablement fastidieux.

Sojourner, en revanche, est équipé de six roues indépendantes capables de tourner très vite. Communiquer grâce à elles sera beaucoup plus facile. Je pourrais écrire les lettres de l'alphabet sur les roues, et la NASA ferait tourner celles-ci pour écrire des mots.

À condition bien sûr que je refasse fonctionner la radio de la sonde.

Il est l'heure de se coucher. Demain, un travail épuisant m'attend. J'ai besoin de repos.

Journal de bord : Sol 83

Mon Dieu, j'ai mal partout.

Malheureusement, je n'ai trouvé aucune idée géniale pour hisser la sonde sur le toit sans l'endommager. J'ai donc érigé une rampe de pierres et de sable à la manière des Égyptiens de l'Antiquité.

Ares Vallis ne manque pas de pierres !

Il m'a fallu expérimenter pour déterminer l'inclinaison de la pente. J'ai empilé quelques pierres près de la sonde, que j'ai tirée sur ma rampe de fortune. Puis j'ai testé une pente plus prononcée pour m'assurer que j'étais bien capable de hisser le dispositif. J'ai répété l'opération plusieurs fois jusqu'à trouver l'inclinaison idéale, qui était de trente degrés. Au-delà, ç'aurait été trop dangereux ; j'aurais pu lâcher prise et la sonde se serait brisée sur le sol.

Le toit du rover culmine à plus de deux mètres. J'avais donc besoin d'une rampe mesurant presque quatre mètres de longueur. Je me suis mis au travail.

Au début, cela m'a paru facile. Et puis les pierres se sont faites de plus en plus lourdes dans mes bras. Faire un travail physique dans une combinaison spatiale est un calvaire, car celle-ci pèse une vingtaine de kilos et, par-dessus le marché, limite vos mouvements. Au bout de vingt minutes seulement, je n'en pouvais plus.

J'ai triché en enrichissant mon air en O_2, ce qui m'a énormément aidé, mais pas question de m'y habituer. En revanche, je n'avais pas chaud ; ma combinaison perd de la chaleur plus vite que mon corps n'en produit. Ce qui maintient la température à un niveau supportable, c'est le système de chauffage. Grâce à mon activité physique, ma combinaison a fait des économies d'énergie.

Après des heures d'un travail épuisant, ma rampe était terminée. Il s'agissait d'une vulgaire pile de cailloux adossée au rover, mais elle atteignait le toit.

Je suis monté dessus tout seul pour en tester la solidité, puis j'ai hissé la sonde, et tout s'est bien passé.

J'avais un sourire jusqu'aux oreilles lorsque j'ai mis la sonde en place. Je l'ai arrimée soigneusement, puis j'ai profité de la rampe pour empiler mes panneaux solaires – tant qu'à faire !

C'est alors qu'une idée désagréable m'est venue. La rampe s'écroulerait lorsque je démarrerais, risquant d'endommager les roues ou le châssis. Il serait plus sûr de la démonter avant de partir.

Aïe !…

Le démantèlement de mon ouvrage s'est avéré plus facile et plus rapide que sa création. Il est vrai que je n'avais pas besoin de placer soigneusement chaque pierre. Je pouvais les jeter n'importe où. Cela m'a donc pris une petite heure.

Et voilà, j'ai terminé !

Je repars demain avec, sur le toit, une radio cassée de deux cents kilos.

Chapitre 10

Journal de bord : Sol 90

Sept jours depuis que j'ai rebroussé chemin. Sept jours à me rapprocher de la maison.

Comme je l'avais prévu, la piste que j'avais déroulée dans mon sillage m'a permis de retrouver facilement la vallée de Lewis. Puis j'ai connu quatre jours plus tranquilles, le terrain étant lisse et les collines, à ma gauche, m'empêchant de me perdre.

Toutes les bonnes choses ont une fin, cependant. Me voilà de retour sur Acidalia Planitia. Plus question de piste à suivre ; seize jours se sont écoulés depuis mon premier passage. Seize jours de temps calme, mais toutes mes traces se sont effacées.

À l'aller, j'aurais dû prendre le temps d'ériger un petit monticule de pierres à chaque pause ; ils auraient été visibles à des kilomètres.

Ce qui me fait penser à cette satanée rampe ! Quelle horreur !

Je suis donc redevenu un vagabond du désert. Je navigue grâce à Phobos en espérant ne pas trop m'éloigner de ma trajectoire idéale. J'ai simplement besoin de me retrouver dans un rayon de quarante kilomètres autour de l'Habitat pour capter son signal.

Je suis optimiste. Pour la première fois, je me dis qu'il n'est pas impossible que je quitte cette planète vivant. C'est pour cela que je ramasse des échantillons de sol et de roche chaque fois que je fais une AEV.

Au début, c'était par devoir. Si je survis, les géologues vont m'adorer. Et puis je me suis surpris à trouver cela amusant. Maintenant, j'ai hâte de remplir mes petits sachets de cailloux !

Je suis redevenu un astronaute, et ça fait du bien. Cela tient à si peu de chose. Je ne suis pas simplement un agriculteur malgré lui ni un électricien ni un chauffeur routier. Mais un astronaute. Je fais ce que font les astronautes, et cela m'avait manqué.

Journal de bord : Sol 92

Aujourd'hui, j'ai capté le signal de l'Habitat pendant deux secondes. C'est bon signe. Cela fait deux jours maintenant que je roule vaguement vers le nord-nord-ouest. Je dois être à une bonne centaine de kilomètres de la maison. Le fait que j'aie réussi à capter ce signal est miraculeux ; la météo devait être idéale.

Les journées étant interminables, j'en profite pour regarder une autre pépite issue de la collection inépuisable de séries des années soixante-dix du commandant Lewis : *L'Homme qui valait trois milliards*[1].

Je viens tout juste de visionner un épisode dans lequel Steve Austin combat une sonde russe envoyée normalement vers Vénus – une sonde qui s'est trompée de planète, donc. En tant qu'expert en matière de voyage interplanétaire, je puis affirmer que ce scénario est absolument plausible. Il est assez fréquent qu'une sonde se pose sur la mauvaise planète. Par ailleurs, les grands panneaux plats de la sonde ont le profil idéal pour résister à la forte pression atmosphérique vénusienne. Et comme nous le savons tous, les sondes refusent souvent d'obéir aux ordres, préférant attaquer les humains qu'elles croisent sur leur route.

Jusqu'à présent, Pathfinder n'a pas essayé de me tuer, mais je l'ai à l'œil.

Journal de bord : Sol 93

J'ai trouvé le signal de l'Habitat aujourd'hui. Je ne risque plus de me perdre. D'après l'ordinateur, il me reste 24,718 kilomètres à parcourir.

Demain, je serai à la maison. Même si le rover devait me claquer dans les doigts, je serais en mesure de rentrer à pied.

1. Série télévisée américaine d'après le roman SF *Cyborg* de Martin Caidin, diffusée entre 1974 et 1978 par la chaîne ABC. Titre en anglais : *The Six Million Dollar Man*. (*NdT*)

Je ne sais pas si je vous l'ai déjà dit, mais j'en ai vraiment marre de cette bagnole. J'ai passé tellement de temps assis ou allongé que j'ai le dos en compote. À l'heure qu'il est, celui de mes coéquipiers qui me manque le plus est Beck. Lui saurait soigner mon dos.

Et en profiterait pour m'engueuler. « Et les étirements, alors ? Votre corps est très important ! Mangez plus de fibres ! » Et j'en passe.

Au point où j'en suis, je m'accommoderais bien de quelques critiques.

Durant notre formation, nous appréhendions un exercice plus que les autres : celui de « l'orbite manquée ». En cas d'échec de la deuxième phase de notre ascension en VAM, nous nous retrouverions en orbite, mais pas assez haut pour atteindre *Hermès*. Nous frôlerions la haute atmosphère, si bien que notre orbite se détériorerait rapidement. La NASA devrait alors manœuvrer *Hermès* à distance pour que le vaisseau vienne vite nous récupérer. Puis nous nous barrerions rapidement avant que le vaisseau lui-même soit entraîné dans une descente incontrôlée.

Pour nous préparer à cette éventualité, on nous enfermait dans le simulateur de VAM pendant trois interminables journées. Six personnes dans un véhicule d'ascension conçu pour un vol de vingt-trois minutes. L'ambiance devenait assez vite tendue. Et quand je dis « tendue »... Nous étions proches de nous entre-tuer.

Je donnerais tout pour me retrouver de nouveau dans cette petite capsule avec ces gars.

Putain ! j'espère pouvoir réparer Pathfinder.

Journal de bord : Sol 94

Je suis à la maison, enfin !

Aujourd'hui, j'écris depuis mon Habitat gigantesque et caverneux !

La première chose que j'ai faite en arrivant, c'est de courir partout en agitant les bras. C'était génial ! J'avais passé vingt jours dans ce maudit rover. Vingt jours sans pouvoir me dégourdir les jambes autrement qu'en enfilant ma combinaison.

Le chemin d'Arès 4 sera deux fois plus long, mais chaque chose en son temps.

Après ces quelques tours d'Habitat destinés à fêter mon retour, je me suis remis au travail. Pour commencer, j'ai activé l'oxygénateur et le régulateur atmosphérique. J'ai vérifié la composition de l'air ; tout avait l'air normal. Il restait du CO_2, ce qui signifiait que mes plantes n'avaient pas suffoqué en mon absence.

Naturellement, j'ai examiné consciencieusement mes plants, qui étaient tous en bonne santé.

J'ai ajouté mes sachets de merde à mon fumier. Quel parfum délicieux... Une fois mélangée à la terre, l'odeur est redevenue supportable. Puis j'ai vidé ma boîte de pipi dans le recycleur d'eau.

Pour le bien de mes plantations, j'étais parti en laissant derrière moi une atmosphère très humide. Plus de trois semaines à ce régime pouvaient avoir causé des dégâts à mon installation électrique. J'ai donc passé plusieurs heures à tester tous les systèmes.

Puis j'ai traîné un peu. J'aurais voulu passer le restant de la journée à me détendre, mais j'avais d'autres choses à faire.

J'ai enfilé ma combinaison et je suis retourné au rover pour décharger les panneaux solaires, après quoi il m'a fallu quelques heures pour les remettre en place, les câbler et les relier au réseau de l'Habitat.

Ensuite, je me suis occupé de la sonde, que je n'ai eu aucun mal à faire descendre du toit. J'ai arraché à la plate-forme du VAM une poutrelle que j'ai appuyée contre la carrosserie du rover, l'autre extrémité étant enfoncée dans le sable pour plus de stabilité. Et voilà, j'avais ma rampe !

J'aurais dû emporter une poutrelle de ce type avec moi trois semaines plus tôt. Comme quoi, on n'a jamais fini d'apprendre.

Impossible de faire passer la sonde par le sas ; elle est beaucoup trop grosse. J'aurais sans doute pu la démonter et la remonter à l'intérieur de l'Habitat, mais ç'aurait été très dangereux.

Étant dépourvue de champ magnétique, Mars ne dispose d'aucune protection contre les radiations solaires. Si j'y étais exposé, j'aurais tellement le cancer, que mon cancer lui-même aurait un cancer. Le matériau de l'Habitat constitue une barrière contre les ondes électromagnétiques, ce qui signifie qu'il empêcherait l'émission et la transmission d'ondes radio.

À propos de cancer, il était temps de se débarrasser du GTR.

Je n'avais vraiment pas envie de retourner dans le rover, mais il le fallait. Si jamais le GTR devait être éventré, il me tuerait vite fait bien fait.

La NASA avait décidé que quatre kilomètres constituaient une distance de sécurité suffisante, et je n'avais aucune raison de douter de ses conclusions. Je suis donc retourné là où le commandant Lewis avait planté son drapeau vert, j'ai remis le GTR dans son trou, que j'ai rebouché avant de rentrer à l'Habitat.

Je commencerai à travailler sur la sonde demain.

Ah ! la perspective d'un long sommeil réparateur dans une vraie couchette. Et celle de pouvoir pisser dans des toilettes demain matin !

Journal de bord : Sol 95

Des réparations et encore des réparations !

La mission Pathfinder avait capoté à cause d'une panne grave et mystérieuse. Une fois le contact perdu avec la sonde, JPL n'avait aucun moyen de savoir ce qu'il était advenu de Sojourner. Peut-être ce dernier n'était-il pas endommagé ? Peut-être avait-il simplement besoin d'énergie ? D'une énergie inaccessible à cause de panneaux solaires désespérément recouverts de sable.

J'ai posé le robot sur mon établi et j'ai soulevé un panneau pour jeter un coup d'œil à l'intérieur. La batterie était de type lithium-chlorure de thionyle non rechargeable. Des indices subtils me l'avaient confirmé : la forme de ses bornes, l'épaisseur de son isolation et le fait qu'il y avait « LiSOCl2 NON-RCHRG » écrit dessus.

J'ai soigneusement nettoyé les panneaux solaires, puis dirigé vers eux une petite lampe flexible. La batterie était morte depuis longtemps, mais les panneaux étaient peut-être encore fonctionnels. Si c'était le cas, ils suffiraient à alimenter Sojourner. À voir.

Est venu alors le moment d'examiner le papa de Sojourner. J'ai enfilé ma combinaison pour faire un tour dehors.

Le point faible de la plupart des sondes est leur batterie. C'est le composant le plus délicat. Quand il meurt, c'est pour de bon.

Les sondes sont incapables de se désactiver pour attendre lorsque leur batterie menace de se vider. Leurs systèmes requièrent une température minimale pour fonctionner, d'où la nécessité de les chauffer. C'est un problème qui survient rarement sur Terre, mais sur Mars…

Avec le temps, les panneaux se couvrent de poussière. Puis vient l'hiver, avec ses températures plus basses et ses journées plus courtes. Tous ces facteurs combinés sont comme un doigt d'honneur adressé par Mars à votre sonde. Très vite, l'engin se retrouve à consommer plus d'énergie pour se chauffer qu'il n'en produit grâce à ses panneaux crasseux.

Une fois la batterie vidée, les composants électroniques cessent de fonctionner à cause du froid, et le système tout entier meurt. Les panneaux solaires rechargeront un peu la batterie, mais il n'y aura rien pour dire au système de redémarrer. Seuls des composants électroniques désormais morts pourraient prendre cette décision. Pour finir, la batterie non utilisée perdra sa capacité à conserver sa charge.

C'est la cause habituelle de la mort d'une sonde. J'espère que c'est ce qui s'est passé pour Pathfinder.

Avec des morceaux du VDM, j'ai fabriqué une rampe et un genre d'établi, et j'ai hissé la sonde dessus. Travailler dans une combinaison d'AEV est déjà difficile, alors si j'avais dû me baisser constamment…

Mes outils à la main, j'ai commencé à farfouiller. Ouvrir le panneau extérieur ne m'a posé aucun problème, et j'ai rapidement identifié la batterie. JPL collant des étiquettes partout, j'ai appris que celle-ci était une Ag-Zn de quarante ampères et 1,5 volt. Waouh ! dans le temps, ils savaient faire fonctionner ces trucs avec presque rien.

J'ai démonté la batterie et je suis retourné à l'intérieur où, avec l'aide de mon kit d'électronique, j'ai découvert qu'elle était morte de chez morte. Mes chaussettes tiendraient mieux la charge si je les frottais sur de la moquette.

Mais je savais de quoi la sonde avait besoin : 1,5 volt.

C'était de la rigolade à côté des miracles que j'avais dû produire depuis sol 6. Il y a des contrôleurs de voltage dans mon kit ! En un quart d'heure à peine, j'ai adapté un contrôleur à une ligne haute tension, que je suis sorti brancher en lieu et place de la batterie, ce qui m'a pris une heure supplémentaire.

Et puis il y avait la question de la température. Maintenir les systèmes électroniques au-dessus de - 40 °C était une bonne idée. Il faisait un peu frais, aujourd'hui : - 63 °C.

La batterie était grosse et facile à identifier, mais j'étais bien incapable de localiser le chauffage. Et même si je l'avais localisé, il aurait été trop dangereux de le brancher directement sur le courant. J'aurais pu griller tout le système.

J'ai préféré piquer le chauffage de l'habitacle du rover n° 1 – ma donneuse d'organes. Je l'ai tellement dépouillée, que la pauvre semble avoir été abandonnée dans le mauvais quartier de la ville.

J'ai transporté le chauffage jusqu'à mon établi de fortune, je l'ai branché sur l'électricité de l'Habitat, puis je l'ai installé dans la sonde à la place de la batterie.

Maintenant, j'attends et je croise les doigts.

Journal de bord : Sol 96

Moi qui espérais découvrir à mon réveil une sonde fonctionnelle… L'antenne n'a pas bougé d'un millimètre. Quelle importance ? me demanderez-vous. Je vais tout vous expliquer.

Si la sonde revient à la vie – ce qui n'est pas gagné, loin de là –, j'essaierai d'établir un contact avec la Terre. Le problème, c'est que personne n'écoute. Ce n'est pas comme si l'équipe de Pathfinder traînait dans les locaux de JPL en espérant qu'un astronaute paumé répare sa défunte sonde.

Les réseaux Deep Space et SETI sont mes meilleures chances. Si l'un ou l'autre captait un signal émis par Pathfinder, il en informerait JPL.

JPL ne mettrait pas longtemps à comprendre ; surtout après avoir localisé l'origine de l'émission par triangulation. Alors il donnerait la position exacte de la Terre à la sonde, qui braquerait son antenne dans la bonne direction. Quand l'antenne aura bougé, je saurai que le contact a été établi.

Pour l'instant, rien.

Mais je n'ai pas perdu espoir. Plein de choses peuvent ralentir cette prise de contact. Pour fonctionner normalement, le chauffage du rover n° 1 a besoin d'une pression égale à une atmosphère terrestre ; celle de Mars est si ténue qu'elle lui complique la tâche. Les systèmes électroniques ont peut-être besoin d'un peu plus de temps pour se réchauffer.

Par ailleurs, la Terre n'est visible que durant la journée. J'ai réparé – avec un peu de chance – la sonde hier soir. Après, il y a eu la nuit, et le soleil s'est levé il y a peu de temps. La Terre n'est donc pas visible depuis très longtemps.

Sojourner ne semble pas en meilleure forme, et pourtant, il a passé la nuit dans l'environnement agréable de l'Habitat, avec plein de lampes braquées sur ses panneaux solaires rutilants. Peut-être est-il en train de vérifier longuement ses systèmes, ou bien attend-il des nouvelles de la sonde ?

Journal de bord Pathfinder : Sol 0

Séquence démarrage initiée

Heure 00:00:00

Coupure d'alimentation détectée, heure/date non fiables

Chargement OS...

Système d'exploitation VXWare © Wind River Systems – vérification hardware en cours :

Température int. : - 34 °C

Température ext. : non fonctionnel

Batterie : pleine

Antenne higain : OK

Antenne logain : OK

Capteur vent : non fonctionnel

Météorologie : non fonctionnel

ASI[1] : non fonctionnel
Imagerie : OK
Rampe Sojourner : non fonctionnel
Panneau sol. A : non fonctionnel
Panneau sol. B : non fonctionnel
Panneau sol. C : non fonctionnel
Vérification hardware terminée

Statut émission
Attente signal télémétrie…
Attente signal télémétrie…
Attente signal télémétrie
Signal acquis…

1. Atmospheric Structure Instrument : sous-système de Pathfinder conçu pour acquérir des renseignements sur l'atmosphère martienne lors de la descente de la sonde vers la surface de la planète. (*NdT*)

Chapitre 11

— On capte quelque chose… oui… oui… C'est Pathfinder !

Cris de joie et applaudissements retentirent dans la salle bondée. Venkat donna une tape dans le dos d'un technicien anonyme, tandis que Bruce serrait le poing.

Le Centre de contrôle improvisé était en lui-même un accomplissement. Durant les vingt derniers jours, une équipe d'ingénieurs de JPL s'était relayée vingt-quatre heures sur vingt-quatre pour assembler d'antiques ordinateurs, réparer des composants cassés, mettre tout en réseau et installer des programmes écrits à la hâte destinés à permettre aux vieux systèmes d'interagir avec un réseau Deep Space infiniment plus moderne.

À la base, il s'agissait d'une salle de conférences, JPL n'ayant rien eu de mieux à proposer. Déjà encombrés d'ordinateurs et d'équipements divers, les lieux devinrent invivables avec l'arrivée de tous ces observateurs.

Une équipe de tournage d'Associated Press était plaquée contre le mur du fond, d'où elle essayait en vain de ne gêner personne en ne perdant pas une miette de ce grand moment. Les autres reporters devraient se contenter des dépêches d'AP en attendant la conférence de presse.

Venkat se tourna vers Bruce.

— Merde, Bruce, vous avez vraiment réussi à sortir un lapin de votre chapeau, cette fois ! Excellent boulot !

— Je ne suis que le directeur, rétorqua Bruce, modeste. Remerciez plutôt les gars qui sont parvenus à faire fonctionner ces trucs.

— Je n'y manquerai pas ! s'enthousiasma Venkat. Mais d'abord, je dois parler à mon nouveau meilleur ami.

Se retournant vers l'homme casqué assis devant la console de communication, il demanda :

— Comment vous appelez-vous, mon nouveau meilleur ami ?

— Tim, répondit l'autre sans lâcher son moniteur du regard.

— Et maintenant, Tim ?

— On a envoyé la télémétrie de retour automatiquement. Elle va mettre un peu plus de onze minutes à arriver. Après cela, Pathfinder activera son antenne à haut gain. Nous aurons de ses nouvelles dans vingt-deux minutes.

— Venkat a un doctorat en sciences physiques, Tim, lui fit remarquer Bruce. Inutile de lui expliquer combien de temps il faut pour communiquer avec Mars.

— Avec les managers, on ne sait jamais, répondit Tim dans un haussement d'épaules.

— Qu'y avait-il dans la transmission que nous avons reçue ? demanda Venkat.

— Juste l'essentiel. Une vérification du matériel. Beaucoup de systèmes ne fonctionnent plus parce qu'ils se trouvaient sur les panneaux que Watney a retirés.

— Et la caméra ?

— Apparemment, l'imagerie est OK. On lui demandera un panoramique dès qu'on pourra.

Journal de bord : Sol 97

Ça a marché !

Putain, ça a marché !

Je viens d'enfiler ma combinaison pour aller vérifier, et l'antenne est braquée tout droit vers la Terre ! Pathfinder ignorait où il se trouvait et où était la Terre, ce qui signifie qu'il a reçu un signal.

Ils savent que je suis en vie !

Je ne sais pas quoi dire. C'était un plan complètement fou, et il a fonctionné ! Très bientôt, je vais pouvoir parler de nouveau à quelqu'un. Je viens de passer trois mois seul – l'homme le plus seul de l'histoire de l'humanité –, mais c'est terminé.

D'accord, on ne me sortira peut-être pas de là, mais au moins ne serai-je pas seul.

Je n'ai cessé de penser à ce moment depuis l'instant où je me suis mis en tête de récupérer Pathfinder. Je m'étais imaginé sautant partout, applaudissant, tapant du pied – car cette planète tout entière est mon ennemie –, mais non… Après avoir vu l'antenne, je suis retourné dans l'Habitat, j'ai retiré ma combinaison, je me suis assis dans la terre et j'ai pleuré. Les genoux repliés contre la poitrine pendant plusieurs minutes, comme un gamin. Puis mes pleurs ont cédé la place à des reniflements, et j'ai ressenti un calme profond.

Profond et bon.

Mais, j'y pense : maintenant qu'il n'est pas exclu que je survive, je vais devoir faire attention à ne pas relater d'événements trop embarrassants dans ce journal de bord. D'ailleurs, comment fait-on pour effacer une entrée dans un journal de bord ? Mmh… pas évident. Bon, je m'occuperai de cela plus tard. J'ai des choses plus importantes à faire.

Je dois parler à des gens !

* * *

Venkat souriait lorsqu'il monta sur l'estrade de la salle de conférences de presse de JPL.

— Nous avons reçu une réponse à haut gain il y a un peu plus d'une demi-heure, annonça-t-il aux journalistes réunis. Nous avons immédiatement demandé à Pathfinder de prendre une photo panoramique. Avec un peu de chance, Watney aura un message à nous délivrer. Des questions ?

La mer de reporters leva la main.

— Cathy, commençons par vous, dit Venkat en désignant la journaliste de CNN.

— Merci. Avez-vous réussi à contacter Sojourner ?

— Malheureusement, non. La sonde n'est pas parvenue à se connecter au robot, et nous n'avons aucun moyen de le faire directement.

— Vous avez une idée de ce qui a pu lui arriver ?

— Pas la moindre, avoua Venkat. Après tout ce temps passé sur Mars, il a pu survenir n'importe quoi.

— Quelle est l'hypothèse la plus plausible ?

— Nous pensons qu'il l'a emporté dans l'Habitat. Le signal de la sonde ne peut pas traverser la toile de l'abri. Vous, là…, encouragea-t-il un autre journaliste à prendre la parole.

— Marty West, NBC News. Comment communiquerez-vous avec Watney une fois que le matériel sera fonctionnel ?

— Cela dépendra uniquement de lui, répondit Venkat. Nous devrons nous débrouiller avec la caméra. Il pourra écrire des notes et les tenir devant l'objectif. En revanche, lui répondre sera plus compliqué.

— C'est-à-dire ?

— Parce que nous n'avons que la plate-forme de la caméra. Je veux dire que c'est la seule partie mouvante du dispositif. Il existe plein de manières de transmettre des informations en utilisant la seule rotation de cette plate-forme, mais nous ne pouvons pas les lui expliquer. Il lui revient donc de trouver une méthode et de nous en informer. Nous suivrons ses instructions… Je vous en prie, lança-t-il à l'intention d'un autre reporter.

— Jill Holbrook, BBC. Avec une attente de vingt-deux minutes entre deux répliques et une simple plate-forme rotative pour communiquer, ce sera une conversation incroyablement laborieuse, non ?

— En effet, confirma Venkat. Le jour vient de se lever sur Acidalia Planitia, et il n'est que 3 heures du matin, à Pasadena. Nous allons passer la nuit ici, et ce ne sera qu'un début. Plus de questions pour le moment, merci. La photo panoramique devrait arriver dans quelques minutes. Nous vous tiendrons au courant.

Sans laisser aux journalistes le temps de réagir, Venkat descendit de l'estrade et disparut par une porte latérale. Une fois dans le Centre de contrôle de fortune, il s'appuya contre le cordon tiré devant la console de communication.

— Du nouveau, Tim ?

— Bien sûr, mais on préfère regarder un écran noir parce que c'est beaucoup plus intéressant que des images de Mars…

— Vous êtes un marrant, vous, hein ?

— J'ai fait l'école du rire.

Bruce arriva à son tour.

— Plus que quelques secondes, siffla-t-il.

Tout le monde attendit en silence.

— Ça y est, on a quelque chose, annonça Tim. Ouais, c'est la vue panoramique.

Soupirs de soulagement et conversations étouffées emplirent soudain le silence tandis que l'image arrivait, rongeant le moniteur de gauche à droite à la vitesse d'un escargot du fait de la très faible bande passante de l'antique sonde.

— Surface martienne..., dit Venkat comme les lignes se formaient lentement. Encore de la surface...

— Le bord de l'Habitat ! lança Bruce, le doigt pointé vers le moniteur.

— L'Habitat, acquiesça Venkat en souriant. L'Habitat, encore... et encore... Et ça ? C'est un message ? C'est un message !

Tandis qu'elle grossissait, l'image révélait un message manuscrit accroché à hauteur de caméra à un piquet en métal.

— On a un message de Mark ! annonça Venkat à la salle.

Les gens applaudirent, mais s'arrêtèrent rapidement.

— Qu'est-ce qu'il dit ? demanda quelqu'un.

Venkat se pencha plus près de l'écran.

— Il dit : « J'écrirai mes questions ici – me recevez-vous ? »

— Hein ? fit Bruce.

— Oui, c'est ce qu'il dit, confirma Venkat dans un haussement d'épaules.

— Il y a un autre mot, lança Tim en désignant le moniteur, tandis que l'image grandissait.

Venkat se pencha de nouveau.

— Celui-ci dit : « Pointez la caméra dans cette direction pour répondre "oui". » (Venkat croisa les bras sur la poitrine.) D'accord. On communique avec Mark. Tim, pointez la caméra vers « oui », puis prenez des photos à dix minutes d'intervalles jusqu'à ce qu'il accroche un nouveau message.

Journal de bord : Sol 97 (2)

Oui ! Ils ont dit « oui » !

Je n'ai pas été aussi excité par un simple « oui » depuis mon bal de fin d'année au lycée !

Bon, on se calme.

Je n'ai pas beaucoup de papier. Ces cartes devaient servir à étiqueter les sachets d'échantillons. Je dispose d'environ cinquante cartes. Je peux utiliser les deux faces et, s'il le faut, je pourrai même gratter les anciennes questions pour en écrire de nouvelles.

Le stylo Sharpie dont je me sers durera beaucoup plus longtemps que mon papier, aussi l'encre ne sera-t-elle pas un problème. À condition que j'écrive à l'abri de l'Habitat. J'ignore quelles saloperies hallucinogènes contient cette encre, mais je suis à peu près certain qu'elle s'évaporerait dans l'atmosphère martienne.

J'accroche mes mots sur des morceaux de l'ancienne antenne, ce qui est ironique.

Une question fermée toutes les demi-heures, ce n'est pas assez. Il va falloir trouver autre chose. La caméra peut tourner à trois cent soixante degrés, et j'ai plein de morceaux d'antenne. Il est temps d'élaborer un alphabet. Sauf que je ne peux pas utiliser une carte par lettre. Plus ma question, cela ferait vingt-sept cartes disposées autour de la sonde et espacées d'environ treize degrés. Même si JPL pointe parfaitement la caméra, je risque de me tromper en déchiffrant.

La solution, c'est ASCII[1]. C'est comme cela que les ordinateurs reconnaissent les caractères. Chaque caractère correspondant à un code numérique situé entre 0 et 255 ; ces valeurs pouvant être exprimées par deux chiffres hexadécimaux, la Terre pourra exprimer n'importe quel caractère, nombre ou signe de ponctuation grâce à une paire hexadécimale.

Comment savoir quelle valeur exprime quel caractère ? Grâce à l'ordinateur portable de Johanssen. Johanssen est une vraie geek, et tous les geeks ont un tableau ASCII quelque part.

Je ferai donc des cartes de 0 à 9 et de A à F. Cela fera seize cartes à placer autour de la caméra, plus ma question, soit dix-sept cartes en tout. Vingt et un degrés par carte, c'est beaucoup plus raisonnable.

Il est temps de se mettre au boulot !

American Standard Code for Information Interchange, norme de codage de caractères en informatique, développée pour la langue anglaise par le département de la Défense américain en 1961-1963. Elle continue à jouer un rôle dans les systèmes de codage en vigueur aujourd'hui. (*NdT*)

Écrivez avec ASCII. 0-F, 21° par caractère. Surveillerai caméra à partir de 11 heures, heure locale. Quand message terminé, retournez cette position. Attendez 20 minutes avant de reprendre photo – que j'aie temps d'écrire réponse. Répétez processus début de chaque heure.

S...T...A...T...U...T

Pas de problèmes physiques. Systèmes Habitat fonctionnels. Mange 3/4 rations. Cultive plantes avec succès dans Habitat. Note : équipage Arès 3 pas fautif. Pas eu chance, c'est tout.

C...O...M...M...E...N...T...S...U...R...V...E...C...U

Empalé sur fragment d'antenne. Décompression, perte de connaissance. Tombé face contre terre, sang bouché trou. Réveillé après départ équipage. Ordinateur biosurveillance détruit par crevaison. Équipage bonnes raisons de penser que j'étais mort. Pas leur faute.

P...L...A...N...T...E...S... ?

Longue histoire. Botanique de l'extrême ! Champ 126 m² pommes de terre. Tenir plus longtemps, mais pas assez pour attendre Arès 4. Modifié rover pour long voyage. Décidé aller Arès 4.

A...V...O...N...S...V...U...–...S...A...T...E...L...L...I...T...E

Gouvernement surveille avec satellites ? Besoin chapeau alu ! Et méthode com. plus rapide. Là, prend toute la journée ! Des idées ?

S...O...R...T...I...R...S...J...R...N...R

Sojourner dehors, placé un mètre au nord sonde. Si vous pouvez le contacter, je peux écrire hexadécimaux sur roues et envoyer 6 bits à la fois.

S...J...R...N...R...R...E...P...O...N...D...P...A...S

Merde. Autre idée ? Besoin communiquer plus vite.

Y...T...R...A...V...A...I...L...L...E

La Terre va se coucher. Recommence 8 heures matin. Dites ma famille je vais bien. Saluez équipage. Dites commandant Lewis disco nul !

* * *

Venkat cligna plusieurs fois de ses paupières fatiguées en essayant d'organiser ses papiers devant lui. Son bureau temporaire chez JPL n'était qu'une table pliante reléguée dans un coin d'une salle de repos. Des gens défilaient toute la journée pour manger un morceau. Le bon côté des choses étant qu'il était tout près de la cafetière.

— Excusez-moi, dit un homme en s'approchant de la table.

— Oui, je sais, il n'y a plus de Coca Light, répondit automatiquement Venkat sans relever la tête. Je ne peux pas vous dire quand Site Service va passer pour remplir le frigo.

— Je voudrais vous parler, docteur Kapoor.

— Hein ? (Venkat leva les yeux et secoua la tête.) Désolé, je n'ai pas dormi de la nuit. (Il avala son café d'une traite.) Vous êtes qui ?

— Jack Trevor, répondit l'homme mince et pâle. Je travaille pour le département d'informatique, je suis programmeur.

— Que puis-je faire pour vous ?

— Nous avons une idée pour communiquer.

— Je vous écoute.

— On a décortiqué les vieux logiciels de Pathfinder. On a aussi dupliqué les ordinateurs de l'époque. Ceux-là mêmes dont ils s'étaient servis pour découvrir le problème qui a failli foutre en l'air la mission originelle. C'est une histoire très intéressante, d'ailleurs. Apparemment, il y avait une inversion de priorités dans le programme de gestion de Sojourner et…

—Venez-en au fait, Jack.

—Désolé. Bon, il se trouve que l'OS de Pathfinder est censé se mettre à jour régulièrement. En pratique, ça signifie qu'on peut modifier le logiciel comme bon nous semble.

—Et?

—Pathfinder possède deux systèmes de communication: un pour nous parler, l'autre pour parler à Sojourner. On peut modifier le second de sorte qu'il émette sur la fréquence des rovers d'Arès 3. On peut faire en sorte qu'il se fasse passer pour le signal émis par l'Habitat.

—Vous voulez que Pathfinder communique avec le rover de Mark?

—C'est la seule option. La radio de l'Habitat est morte, mais le rover est équipé pour pouvoir communiquer avec l'Habitat et l'autre rover, à condition bien sûr que les deux interlocuteurs fassent tourner le bon logiciel. Il est possible de mettre à jour Pathfinder à distance, mais pas le rover.

—Si je comprends bien, vous pouvez demander à la sonde de parler au rover, mais pas au rover d'écouter et de répondre?

—Exact. Dans l'idéal, notre texte s'afficherait sur le moniteur du rover, et la réponse tapée par Watney nous serait transmise, mais cela impliquerait un changement de logiciel dans le rover.

—À quoi bon discuter si on ne peut pas modifier le logiciel du véhicule? demanda Venkat dans un soupir.

—On ne peut rien faire, acquiesça Jack en souriant, mais Mark si! Il suffit de lui envoyer les données, et il les ajoutera au programme lui-même.

—Et ça fait beaucoup de données?

—Cinq gars bossent en ce moment même sur le logiciel du rover. Le patch pèsera vingt mégas au minimum. Comme on ne peut envoyer qu'un bit toutes les quatre secondes à peu près, il faudra au moins trois ans de transmissions interrompues pour qu'il ait le patch en entier. C'est hors de question, bien sûr.

Venkat résista à une furieuse envie de crier.

— Vous ne seriez pas en train de me parler si vous n'aviez pas trouvé une solution, j'imagine…

— Évidemment ! s'enthousiasma Jack. Les programmeurs savent se montrer plus malins que la machine quand il le faut.

— Éclairez-moi, je vous prie.

— C'est là que ça devient intéressant, poursuivit Jack sur le ton d'un conspirateur. Le rover réduit le signal qu'il reçoit en bits, puis identifie la séquence spécifique envoyée par l'Habitat. De cette façon, les ondes radio naturelles n'interfèrent pas avec la communication. Si les bits ne correspondent pas, le rover se bouche les oreilles.

— D'accord, et alors ?

— Ça veut dire que les bits individuels se trouvent quelque part à la base du code. On peut insérer un tout petit bout de code, une vingtaine d'instructions, qui forcera le programme à enregistrer les bits disséqués dans un dossier avant d'en vérifier la validité.

— Intéressant…

— Carrément ! acquiesça Jack, tout excité. D'abord on met à jour Pathfinder pour que la sonde soit capable de parler au rover, puis on explique à Watney comment pirater le logiciel du rover afin d'ajouter ces vingt instructions. Après, il suffira de faire transmettre un nouveau logiciel au rover par Pathfinder. Le véhicule enregistrera les bits dans un fichier, et Watney n'aura plus qu'à lancer ce même fichier comme programme exécutable, et le système du rover se mettra à jour tout seul !

Venkat fronça les sourcils. Compte tenu du retard de sommeil accumulé, cela faisait beaucoup trop d'informations à assimiler.

— Euh…, s'étonna Jack. Vous n'applaudissez pas ? Vous ne sautez pas de joie ?

— On a juste besoin d'envoyer à Watney ces vingt instructions, alors ?

— Et de lui expliquer comment modifier les fichiers. Et où les insérer.

— Et c'est tout ?

— Et c'est tout !

Venkat se tut pendant quelques secondes.

— Jack, je vais vous offrir, à votre équipe et à vous, des souvenirs dédicacés du tournage de *Star Trek*.

— Je préfère *Star Wars*, rétorqua Jack en tournant les talons. La première trilogie, bien sûr.

— Bien sûr.

Comme Jack s'en allait, une femme approcha de la table de Venkat.

— Oui ?

— Impossible de trouver un Coca Light. Il n'y en a plus ?

— Non, confirma Venkat. J'ignore quand Site Service vient remplir les frigos.

— Merci.

Alors qu'il s'apprêtait à se remettre au travail, son téléphone portable sonna. Il leva les yeux au ciel, lâcha un grognement et décrocha.

— Allô ! répondit-il aussi joyeusement que possible.

— Il me faut une photo de Watney.

— Bonjour, Annie. Heureux de vous entendre. Comment ça se passe à Houston ?

— Abrégez, Venkat. Il me faut cette photo.

— Ce n'est pas si simple.

— Vous discutez avec lui avec une putain de caméra. Où est le problème ?

— On épelle nos messages, on attend vingt minutes et puis on prend une photo. À ce moment-là, Watney est déjà de retour dans l'Habitat.

— Il suffit de lui demander d'être là au moment de la prochaine photo.

— On envoie un message par heure, et uniquement lorsque Acidalia Planitia fait face à la Terre. Nous n'allons pas gâcher un message uniquement pour lui demander de poser. En plus, il serait vêtu de sa combinaison et vous ne verriez même pas son visage.

— J'ai besoin de quelque chose, Venkat, insista Annie. Ça fait vingt-quatre heures que vous êtes en contact avec lui, et les médias n'en peuvent plus. Ils veulent une image pour illustrer cette histoire. Une image qu'on va retrouver sur tous les sites d'information du monde.

— Vous avez les photos de ses mots. Débrouillez-vous avec ça.

— Ce n'est pas assez. J'ai toute la presse sur le dos. Et sur le ventre ! Je croule littéralement sous les demandes, je n'en peux plus.

— Patientez quelques jours. Nous allons essayer de connecter Pathfinder à l'ordinateur du rover pour…

— Quelques jours ?! Le monde entier ne pense qu'à ça, Venkat. Depuis Apollo 13, il n'y a rien eu de plus gros. Donnez-moi une putain de photo !

Venkat soupira.

— J'essaierai de vous en avoir une demain.

— Génial ! J'ai hâte de la voir.

Journal de bord : Sol 98

Je ne dois pas lâcher la caméra des yeux quand elle me délivre un message. Un demi-bit chaque fois. Quand j'ai ma paire de chiffres, je regarde sur mon antisèche ASCII, et cela me donne une lettre.

Comme je ne veux en oublier aucune, je les écris dans le sable avec un bâton. Le processus – identifier une lettre et l'écrire dans le sable – prend environ deux secondes. Parfois, lorsque je me retourne vers la caméra, j'ai raté un chiffre. En général, je le déduis du contexte, mais pas toujours.

Ce matin, j'étais réveillé beaucoup trop tôt, comme un matin de Noël ! L'attente, jusqu'à 8 heures, m'a paru interminable. Après mon petit déjeuner, des vérifications inutiles des systèmes de l'Habitat et quelques chapitres de Poirot, le message est arrivé.

PSSBLPIRTRVRCOMAVCPTFNDRPRPRVSPRL NGMSG

Ouais. J'ai mis une bonne minute à comprendre. Il est donc possible de pirater le rover pour qu'il communique avec Pathfinder. Je devais me préparer à recevoir un plus long message.

Le déchiffrage nécessitait une certaine gymnastique de l'esprit, mais les nouvelles étaient excellentes ! Si nous y arrivions, nous ne serions plus limités que par le temps de transmission. J'ai griffonné ma réponse : « Ça marche ».

Qu'entendaient-ils par « long message », au juste ? Mieux valait se tenir prêt. Je suis sorti avec un quart d'heure d'avance pour lisser un grand carré de sable, et je me suis armé du plus grand morceau d'antenne dont je disposais afin de pouvoir écrire sans marcher sur mon cahier.

J'ai attendu patiemment et, à 9 heures précises, le message est arrivé :

LNCRhexiditSURORDNTRRVR,OVRRFICHR/usr/lib/habcomm.
soFRDFLRINDXG CHJSQU:2AAE5,RMPLCBITPRSQNC141B
ITDSPRCHMSG,RSTZENVUEPRPRCH NPHTDS20MNT

Mon Dieu. D'accord…

Ils voulaient que je lance « hexedit » dans l'ordinateur du rover, puis que j'ouvre le fichier /usr/lib/habcomm.so, que je fasse défiler l'index sur la gauche jusqu'à 2AAE5 et que je remplace quelques bits par une séquence de 141 bits envoyés avec le prochain message. C'était assez clair.

Apparemment, ils souhaitaient aussi que je reste pour la prochaine photo. Je me suis demandé pourquoi. On ne me voit pas du tout quand j'enfile ma combinaison. Il y aurait sûrement un énorme reflet sur la visière, mais bon, si cela pouvait leur faire plaisir.

Je suis retourné dans l'Habitat pour recopier le message afin de ne pas l'oublier et écrire une brève réponse. Puis je suis ressorti. Normalement, je retourne à l'intérieur dès que j'ai accroché ma fiche ; cette fois, je suis resté pour voir sortir le petit oiseau.

J'ai posé le pouce levé et le message brandi – message qui se résumait à un mot : « Coooool ! »

La faute aux séries des années soixante-dix…

* * *

—Je demande une photo, et qu'est-ce que je reçois ? Le Fonz ! se plaignit Annie.

—Vous avez votre photo, alors cessez de m'emmerder, rétorqua Venkat, le téléphone coincé entre l'épaule et l'oreille.

Il s'intéressait davantage aux plans affichés devant lui qu'à cette conversation.

—« Cooool ! » se moqua Annie. Mais pourquoi ? pourquoi me faire ça à moi ?

—Avez-vous déjà rencontré Mark Watney ?

—Bon, d'accord, lui concéda Annie, mais je veux une photo de son visage le plus vite possible.

— Impossible.

— Pourquoi ?

— Parce que s'il retire son casque, il meurt. Annie, je dois vous laisser ; un des programmeurs de JPL est ici, et c'est très urgent. À plus !

— Mais…

Il raccrocha.

— Ce n'est pas si urgent, lança Jack, qui se tenait dans l'encadrement de la porte.

— Je sais, je sais. Bon, que puis-je pour vous ?

— On se disait que… le piratage du rover serait un peu plus compliqué que prévu. On va peut-être avoir besoin de plusieurs échanges de messages avec Watney.

— Pas de problème, le rassura Venkat. Prenez votre temps et faites les choses bien.

— Si on raccourcissait le temps de transmission, ce serait beaucoup plus facile.

— Et comment comptez-vous vous y prendre pour rapprocher Mars de la Terre ? s'enquit Venkat, le sourcil haussé.

— À quoi bon déplacer des planètes quand *Hermès* est à peine à soixante-treize millions de kilomètres de Mars ? Soit seulement quatre minutes-lumière. Beth Johanssen est une excellente programmeuse. Elle pourrait guider Mark.

— C'est hors de question.

— Elle est la responsable système de la mission, insista Jack. C'est pile son domaine d'expertise.

— Impossible, Jack. L'équipage n'est pas au courant.

— Mais pourquoi ? Pourquoi ne pas leur dire la vérité ?

— Je ne m'occupe pas uniquement de Watney. Cinq de mes astronautes sont encore dans l'espace profond et doivent se concentrer sur leur voyage. Personne ne pense à eux alors que, statistiquement, ils courent un plus grand danger que Watney, pour le moment. Mark est sur la terre ferme. Eux sont dans l'espace.

Jack haussa les épaules.

— D'accord. On se contentera de la méthode lente.

Journal de bord : Sol 98 (2)

Vous avez déjà retranscrit 141 bits aléatoires ? un demi-bit à la fois, qui plus est ?

C'est emmerdant. Et très difficile, sans stylo.

Jusque-là, je m'étais contenté de griffonner dans le sable, mais cette fois-ci, j'avais besoin d'écrire mes chiffres sur un support portable. « Prends donc un ordinateur ! » me suis-je dit.

Chaque membre d'équipage avait le sien. Cela faisait six en tout. « Faisait », parce qu'il n'y en a plus que cinq. Je m'imaginais qu'un ordinateur, ensemble de composants électroniques, se comporterait bien à l'extérieur, qu'il resterait chaud suffisamment longtemps pour fonctionner correctement. Et puis, un ordinateur n'a pas besoin d'air, non ?

Grossière erreur. Je n'étais pas sorti du sas, que le moniteur était mort. Le L de LCD veut dire « liquide ». Eh bien, ce liquide a gelé ou s'est évaporé. Un jour, je me fendrai peut-être d'un avis de consommateur : « J'ai emporté ce produit sur Mars, où il a immédiatement cessé de fonctionner. Note : 0/10. »

Alors j'ai pris un appareil photo. J'en ai tout un paquet, et ils sont spécialement conçus pour fonctionner sur cette planète. J'ai écrit mes bits dans le sable, je les ai pris en photo et je les ai retranscrits à l'intérieur.

Il fait nuit, désormais. Plus de messages. Demain, j'entrerai ces lignes de code dans l'ordinateur du rover et je passerai la main aux geeks de JPL.

* * *

Une odeur particulière flottait dans l'atmosphère de la salle de contrôle de fortune. Le système de ventilation n'était pas prévu pour gérer la présence de tant de personnes ; d'autant plus que tout le monde avait beaucoup travaillé, négligeant un peu son hygiène.

— Venez par ici, Jack, lança Venkat. Vous avez le droit de vous asseoir tout à côté de Tim, aujourd'hui.

— Merci, répondit Jack en prenant la place de Venkat. Salut, Tim !

— Jack.

— Combien de temps va prendre l'installation du patch ? s'enquit Venkat.

— Cela devrait être quasi instantané, répondit Jack. Watney a entré les lignes de code tout à l'heure et a confirmé que tout était OK. On a mis à jour l'OS de Pathfinder sans aucun problème, puis on a envoyé le patch destiné au rover à Pathfinder, qui a fait suivre. Quand Watney aura installé le patch et redémarré le rover, nous devrions avoir une connexion.

— Mon Dieu, comme c'est compliqué, se plaignit Venkat.

— Essayez de mettre à jour un serveur Linux, un de ces quatre ! lança Jack.

Après un moment de silence, Tim dit :

— Euh… c'était une blague. Vous étiez censé rire…

— Ah…, fit Venkat. Moi, mon truc, c'est la physique, pas l'informatique.

— Il ne fait pas non plus rire les informaticiens.

— Ne soyez pas désagréable, Tim, protesta Jack.

— Système en ligne, annonça Tim.

— Quoi ?

— Il est en ligne, quoi…

— Bordel ! lâcha Jack.

— Ça marche ! annonça Venkat à la foule.

* * *

[11:18] JPL : Mark, ici Venkat Kapoor. Nous vous observons depuis sol 49. Le monde tout entier vous encourage. Excellente idée que vous avez eue d'aller chercher Pathfinder. Nous travaillons sur des missions de sauvetage. JPL est en train de modifier Arès 4 pour permettre un bref vol latéral. Ils vous récupéreront puis vous emmèneront avec eux dans le cratère de Schiaparelli. Nous élaborons en ce moment une mission destinée à vous larguer les vivres qui vous permettront de survivre jusque-là.

[11:29] Watney : Très bonne nouvelle. J'ai hâte de ne pas mourir. Juste pour clarifier les choses : l'équipage n'est pour rien dans ce qui m'arrive. À ce propos : Qu'ont-ils dit en apprenant que j'étais en vie ? Au fait : « Salut, m'man ! »

[11:41] JPL : Parlez-nous de votre « champ ». Nous estimons qu'en vous contentant de trois quarts de ration quotidienne, vous pourrez tenir jusqu'à sol 400. Votre récolte vous permettra-t-elle de tenir plus longtemps ? Pour ce qui est de votre question : Nous n'avons pas dit à vos camarades que vous étiez en vie. Nous voulons qu'ils se concentrent sur leur mission.

[11:52] Watney : Je fais pousser des pommes de terre, celles que nous étions censés manger pour Thanksgiving. Elles se portent très bien, mais la surface cultivée n'est pas suffisante pour permettre une autosuffisance. Je me retrouverai à court de nourriture vers sol 900. Dites à l'équipage que je suis vivant ! Vous êtes timbrés ou quoi ?

[12:04] JPL : Nous allons demander à des botanistes de se pencher sur votre cas et de vérifier vos estimations. Votre vie est en jeu. Nous devons être sûrs. Sol 900, ce serait très bien. Cela nous laisserait plus de temps pour préparer votre ravitaillement. Surveillez votre langage. Tout ce que vous tapez est diffusé en direct dans le monde entier.

[12:15] Watney : Matez les nichons ! > (.Y.)

* * *

— Merci, monsieur le président, dit Teddy dans le téléphone. Merci infiniment. Je transmettrai vos félicitations à toute notre organisation.

Il raccrocha et posa son téléphone dans un coin, l'alignant avec le bord du bureau.

Mitch frappa à la porte ouverte.

— Je ne vous dérange pas ?

— Entrez, Mitch. Asseyez-vous.

— Merci, dit Mitch en prenant place sur un beau canapé en cuir et en baissant le volume de son oreillette.

— Comment ça se passe, dans la salle de contrôle ?

— Très bien. Rien à signaler du côté d'*Hermès*. Et puis, tout le monde est de bonne humeur grâce au boulot effectué chez JPL. On a eu une excellente journée, pour changer !

— En effet, acquiesça Teddy. On a fait un pas de plus vers le sauvetage de Watney.

— D'ailleurs, à ce propos, vous devez vous douter de la raison de ma présence.

— Laissez-moi deviner… Vous voulez annoncer à l'équipage que Watney est en vie ?

— Oui, confirma Mitch.

— Et vous profitez du fait que Venkat soit à Pasadena pour venir m'en parler ?

— Je ne devrais pas avoir à en discuter avec vous ou Venkat ou qui que ce soit d'autre. Je suis le directeur de vol, après tout. J'aurais dû prendre ma décision dès le début, mais vous êtes intervenus tous les deux pour m'en empêcher. Finalement, nous nous étions mis d'accord pour leur dire quand il y aurait de l'espoir. Eh bien, ça y est. On peut communiquer avec lui, on a une mission de sauvetage sur les rails, et son champ de pommes de terre nous laisse le temps de lui envoyer des vivres.

— D'accord, dites-leur.

Il y eut une pause.

— Euh… comme ça ?

— Je savais que vous reviendriez m'embêter avec ça, alors j'y ai beaucoup réfléchi et j'ai pris une décision. Allez-y, dites-leur.

Mitch se leva.

— D'accord, merci.

Il quitta le bureau.

Teddy fit pivoter son fauteuil pour admirer le ciel nocturne. Il considéra un point rouge à peine visible parmi les étoiles.

— Accrochez-vous, Watney. Nous arrivons.

Chapitre 12

Watney dormait paisiblement dans sa couchette. Il faisait de beaux rêves et souriait. Il avait fait trois AEV la veille, travaillant durement pour assurer la maintenance de l'Habitat. Il dormait donc mieux et plus profondément que d'habitude.

— Bonjour, mon équipage adoré ! lança Lewis. Une nouvelle journée commence ! Sol 6 ! Tout le monde debout !

Watney ajouta sa voix aux chœurs de grognements de protestation.

— Et on cesse de se plaindre, insista Lewis. Sur Terre, vous auriez eu quarante-cinq minutes de sommeil en moins.

Martinez fut le premier à se lever. Formé dans l'US Air Force, les horaires de Lewis, hérités de la Navy, ne lui faisaient pas peur du tout.

— Bonjour, commandant, dit-il, cassant.

Johanssen s'assit et resta sans bouger au bord du monde difficile qui s'étirait au-delà de sa couchette. Ingénieur en informatique de profession, les réveils matinaux n'étaient pas son fort.

Vogel s'extirpa lentement de sa couchette en regardant sa montre. Sans dire un mot, il enfila sa combinaison, dont il lissa les plis comme il le put. Il soupira intérieurement à la pensée d'une nouvelle journée sans pouvoir prendre une douche.

Watney se retourna et se couvrit la tête d'un oreiller.

— Vous faites trop de bruit, les gars ! bougonna-t-il.

— Allez, Beck ! Levez-vous et brillez comme vous en avez l'habitude ! lança Martinez en secouant le médecin de la mission.

— Ouais, ouais, j'arrive, répondit celui-ci, le regard encore trouble.

Johanssen tomba de sa couchette et resta sur le sol.

Arrachant son oreiller des mains de Watney, Lewis s'écria :

— On se bouge, Watney ! L'oncle Sam a déboursé cent mille dollars pour chaque seconde que nous allons passer ici.

— Pourquoi mauvaise femme arraché oreiller ! gémit Watney, incapable d'ouvrir les yeux.

— Sur Terre, il m'est arrivé de renverser des lits avec des types de cent kilos dedans. Vous voulez voir ce que ça donne dans une pesanteur de 0,4 *g* ?

— Non, pas vraiment, répondit Watney en s'asseyant.

Après avoir réveillé ses troupes, Lewis s'installa à la console de communication pour lire les messages envoyés par Houston durant la nuit.

Watney traîna les pieds jusqu'au placard à rations et attrapa un petit déjeuner en sachet au hasard.

— Vous voulez bien me passer un « œuf » ? lui demanda Martinez.

— Parce que vous voyez la différence ? s'étonna Watney en lui lançant le sachet demandé.

— Ben non.

— Beck, qu'est-ce que vous prendrez ? s'enquit Watney.

— M'en fiche. Le premier truc que vous attraperez.

Watney ne se fit pas prier.

— Vogel ? Saucisses, comme d'habitude ?

— *Ja*, s'il vous plaît.

— Vous êtes un stéréotype, Vogel, vous savez ?

— Et ça me va très bien, affirma Vogel en prenant son sachet.

— Eh ! Madame Rayon de soleil ! lança Watney à Johanssen. Vous prendrez quelque chose ?

— Mnrrn…

— Je crois que ça veut dire « non ».

L'équipage mangea en silence. Johanssen tituba jusqu'au placard et choisit un sachet de café. Elle y ajouta maladroitement de l'eau et sirota le mélange jusqu'à ce que, très progressivement, sa vue s'éclaircisse.

— Instructions complémentaires de Houston, commença Lewis. Les satellites montrent une tempête en approche, mais on a le temps d'effectuer quelques missions de surface avant qu'elle arrive. Vogel, Martinez : vous m'accompagnez dehors. Johanssen, vous surveillez les bulletins météo. Watney, vos expériences avec le sol sont avancées à aujourd'hui. Beck, prenez les échantillons ramassés hier et passez-les au spectromètre.

— Est-il nécessaire de sortir avec cette tempête qui menace ? demanda Beck.

— Houston a donné son autorisation.

— Cela me semble inutilement dangereux.

— Venir sur Mars était inutilement dangereux, rétorqua Lewis. Où voulez-vous en venir ?

— Soyez prudents, c'est tout.

* * *

Trois silhouettes étaient tournées vers l'est. Leurs épaisses combinaisons d'AEV les rendaient presque identiques. Seul le drapeau de l'Union européenne sur le bras de Vogel le distinguait de Lewis et Martinez, qui arboraient la bannière étoilée.

Les ténèbres, à l'est, ondulaient et tremblotaient dans la lumière du jour naissant.

— La tempête, annonça Vogel avec un accent prononcé. Elle est plus proche que prévu.

— On a le temps, le contra Lewis. Concentrons-nous sur notre mission. Aujourd'hui, on fait de la chimie. Vogel, c'est vous le chimiste du groupe ; à vous de nous dire où creuser.

— *Ja*. S'il vous plaît, creusez des trous de trente centimètres pour prélever des échantillons de sol. Au moins cent grammes chaque fois. Et surtout à trente centimètres de profondeur, c'est très important.

— Ça marche. Restez dans un rayon de cent mètres autour de l'Habitat.

— Mmm…, fit Vogel.

— Oui, commandant, répondit Martinez.

Ils se dispersèrent. Sérieusement améliorées depuis l'époque Apollo, les combinaisons d'AEV des missions Arès permettaient une plus grande liberté de mouvement. Creuser et se pencher pour mettre les échantillons en sachet n'était plus un problème.

Quelque temps plus tard, Lewis demanda :

— De combien d'échantillons avez-vous besoin ?

— Mmh…, disons sept chacun.

— D'accord. J'en ai déjà quatre.

— Cinq pour moi, annonça Martinez. Mais on ne peut pas demander à la Navy d'assurer comme l'Air Force, hein ?

— Vous voulez jouer à ça ?

— C'était une simple observation, commandant.

Soudain, la voix de l'opérateur système résonna dans la radio.

— Ici, Johanssen. Houston vient de surclasser la tempête en « épisode important ». Elle sera là dans quinze minutes.

— On retourne à la base, ordonna Lewis.

* * *

Le vent hurlait et secouait l'Habitat au centre duquel étaient agglutinés les astronautes. Tous les six avaient enfilé leur combinaison spatiale au cas où ils seraient contraints de se réfugier dans le VAM pour un décollage d'urgence. Johanssen avait le regard rivé sur son ordinateur portable, tandis que les autres ne la lâchaient pas des yeux.

— Le vent souffle à cent kilomètres par heure. Les rafales atteignent cent vingt-cinq.

— Bordel, si ça continue, on va se retrouver à Oz, plaisanta Watney. À partir de quelle vitesse est-on censés abandonner la mission ?

— Techniquement, cent cinquante kilomètres par heure, répondit Martinez. Au-delà, le VAM risque de basculer.

— Sait-on comment la situation va évoluer ? s'enquit Lewis.

— Pour l'instant, nous sommes au bord de la tempête, expliqua Johanssen. Disons que les choses vont s'aggraver avant de s'améliorer.

Le matériau de l'Habitat claquait sous les assauts brutaux, comme la structure interne vibrait et se tordait. Le vacarme était de plus en plus assourdissant.

— Bien, dit Lewis. Préparez-vous à avorter la mission. Nous allons nous abriter dans le VAM et croiser les doigts. Si les vents deviennent trop violents, nous décollons.

Quittant l'Habitat deux par deux, ils se regroupèrent à côté du sas nº 1. Le vent et le sable qu'il charriait les frappaient de plein fouet, mais ne les empêchaient pas de se tenir debout.

— La visibilité est presque réduite à zéro, annonça Lewis. Si vous vous perdez, dirigez-vous sur ma télémétrie. Plus on s'éloignera de l'Habitat, plus le vent sera violent, alors préparez-vous.

Courbés dans la tempête, ils se dirigèrent vers le VAM. Lewis et Beck avançaient en tête, tandis que Watney et Johanssen fermaient la marche.

— Eh ! lança Watney, essoufflé. On pourrait ancrer le VAM au sol pour l'empêcher de basculer.

— Comment ? demanda Lewis, pas convaincue.

— Les câbles des panneaux solaires pourraient servir d'amarres.

Il respira bruyamment avant de reprendre :

— Les rovers seraient nos ancres. Il suffirait de passer les câbles autour d...

Un objet volant heurta Watney et l'emporta dans le vent.

— Watney ! cria Johanssen.

— Que se passe-t-il ? demanda Lewis.

— Quelque chose l'a heurté !

— Watney, où êtes-vous ?

Pas de réponse.

— Watney !

Encore une fois, pas de réponse.

— Il est déconnecté ! paniqua Johanssen. Je ne sais pas où il est !

— Commandant, intervint Beck. Son alerte décompression s'est déclenchée juste avant que nous perdions le contact avec sa télémétrie !

— Merde ! Johanssen, où l'avez-vous vu pour la dernière fois ?

— Il marchait devant moi et il a disparu d'un seul coup. Il a été emporté vers l'ouest.

— D'accord. Martinez, filez dans le VAM et démarrez la procédure de décollage. Les autres, convergez vers Johanssen.

— Docteur Beck, appela Vogel en titubant dans la tempête. Combien de temps peut-on survivre à une décompression ?

— Moins d'une minute, répondit le médecin, la gorge serrée par l'émotion.

— Je ne vois rien, se plaignit Johanssen tandis que ses camarades la rejoignaient.

— Mettez-vous en ligne et marchez vers l'ouest, ordonna Lewis. Et faites de petits pas. Il est sans doute étendu sur le sol. Il ne faudrait pas lui marcher dessus.

Sans se perdre mutuellement de vue, ils s'enfoncèrent dans le paysage chaotique.

Martinez tomba dans le sas du VAM, qu'il eut beaucoup de mal à fermer à cause du vent. Une fois l'espace pressurisé, il se débarrassa rapidement de sa combinaison, gravit l'échelle de l'habitacle, se glissa sur le siège du pilote et démarra le système.

Attrapant d'une main la check-list d'urgence, il appuya rapidement sur plusieurs boutons de l'autre. Un à un, les systèmes confirmèrent leur mise en fonction, mais l'un d'entre eux attira particulièrement son attention.

— Commandant, appela-t-il par radio. Le VAM présente une inclinaison de sept degrés. À 12,3°, il basculera.

— Entendu.

— Johanssen, dit Beck en regardant le moniteur serti dans sa manche. La biométrie médicale de Watney a envoyé quelque chose avant de se déconnecter, mais mon ordinateur annonce « paquet incomplet ».

— Oui, le mien aussi, acquiesça la jeune femme. La transmission n'a pas pu se faire jusqu'au bout. Il nous manque la somme de contrôle. Donnez-moi une seconde.

— Commandant, appela de nouveau Martinez. Un message de Houston. C'est officiellement terminé. La tempête est trop violente.

— Compris.

— Ce dernier message a été envoyé il y a quatre minutes et demie et repose sur des données satellite vieilles de neuf minutes.

— D'accord. Continuez à préparer le décollage.

— À vos ordres.

— Beck, appela Johanssen. J'ai retrouvé les données brutes. C'est du texte : TA 0, P 0, TP 36,2.

— D'accord, acquiesça Beck, morose. Tension artérielle nulle, pouls inexistant, température normale.

Le silence régna sur le canal pendant quelques secondes. Ils continuèrent à avancer péniblement dans la tempête de sable, espérant un miracle.

—Température normale ? répéta finalement Lewis avec une pointe d'espoir dans la voix.

—Il faut du temps au..., bafouilla Beck. Enfin, on ne se refroidit pas tout de suite.

—Commandant, insista Martinez. Inclinaison égale à 10,5°. Onze degrés pendant les rafales.

—C'est noté. Êtes-vous prêt au lancement ?

—Affirmatif. On peut partir quand vous voulez.

—Si le vaisseau bascule, est-il possible de décoller avant qu'il heurte le sol ?

—Euh..., fit Martinez, qui ne s'attendait pas à cette question. Oui, madame. En pilotant manuellement. Je mettrais les gaz, redresserais le nez de l'appareil et reviendrais sur la trajectoire programmée.

—Bien. Dirigez-vous tous vers le signal émis par la combinaison de Martinez. Il vous mènera au sas du VAM. Mettez-vous à l'abri et préparez-vous au décollage.

—Et vous, commandant ? demanda Beck.

—Je vais chercher encore un peu. Dépêchez-vous. Martinez, si le vaisseau commence à basculer, foncez !

—Vous croyez que je vais vous laisser ici ? protesta le pilote.

—Je viens de vous en donner l'ordre, confirma Lewis. Vous trois, retournez tout de suite au vaisseau.

Ils obéirent à contrecœur, prenant la direction du VAM. Dans le vent violent, chaque pas demandait un effort surhumain.

Incapable de distinguer le sol devant elle, Lewis avançait en traînant les pieds. Se rappelant soudain quelque chose, elle attrapa deux grands forets dans son dos. Ce matin-là, elle avait pris des forets d'un mètre, anticipant les prélèvements géologiques de l'après-midi. Elle en prit un dans chaque main et sonda le sable tout en marchant.

Vingt mètres plus loin, elle tourna les talons et entreprit de revenir sur ses pas. Marcher tout droit se révéla impossible. Non seulement elle manquait de références visuelles, mais le vent ne cessait de la faire dévier de sa trajectoire. À peine avait-elle posé un pied à terre, qu'une masse de sable l'ensevelissait. Lâchant un grognement, elle essaya de presser le pas.

Beck, Johanssen et Vogel se serrèrent dans le sas du VAM. Conçu pour deux personnes, il pouvait en contenir trois en cas d'urgence. Comme il égalisait les pressions, la voix de Lewis résonna dans la radio.

— Johanssen, les caméras infrarouges des rovers nous aideraient-elles ?

— Négatif. Les IR ne traversent pas mieux le sable que la lumière visible.

— Qu'est-ce qu'elle raconte ? s'étonna Beck en retirant son casque. Elle est géologue ; elle sait pertinemment que les IR ne peuvent pas traverser une tempête de sable.

— Je crois qu'elle s'acharne, dit Vogel en ouvrant la porte intérieure. Nous devrions nous installer dans les fauteuils d'accélération. Vite !

— Cela ne me plaît pas beaucoup.

— Je ressens la même chose que vous, docteur, acquiesça Vogel en gravissant l'échelle, mais le commandant nous a donné un ordre. Ajouter l'insubordination à notre situation ne mènerait à rien.

— Commandant, émit Martinez par radio. Nous penchons de 11,6°. Encore une bonne rafale, et nous nous couchons.

— Et le radar de proximité ? insista Lewis. Pourrait-il détecter la combinaison de Watney ?

— Aucune chance, répondit Martinez. Il est fait pour voir *Hermès* en orbite, pas pour détecter le métal contenu dans une simple combinaison.

— Essayez quand même.

— Commandant, intervint Beck en mettant un micro-casque et en s'installant dans son fauteuil. Je sais que ce n'est pas ce que vous avez envie d'entendre, mais Wat... Enfin, Mark est mort.

— Compris. Martinez, essayez le radar.

— À vos ordres.

Il activa le radar et attendit que l'appareil ait terminé les vérifications d'usage. Lançant un regard noir à Beck, il s'emporta :

— Qu'est-ce qui vous prend ?

— Je viens de perdre un ami, répondit le médecin. Je n'ai pas envie de voir mourir mon commandant.

Martinez le regarda sévèrement avant de se retourner vers le moniteur du radar.

— Contact négatif avec le radar de proximité, annonça-t-il.

— Rien ? demanda Lewis.

— Il distingue à peine l'Habitat. La tempête de sable brouille tout. Et même si ce n'était pas le cas, il n'y a pas assez de métal dans... Merde ! Bouclez vos ceintures ! On bascule !

Le VAM crissa en penchant de plus en plus vite.

— Treize degrés ! s'écria Johanssen depuis sa banquette.

— On a largement dépassé le point d'équilibre, remarqua Vogel en se sanglant. On ne reviendra pas en arrière.

— On ne peut pas la laisser ! cria Beck. Laissons-le basculer ; on réparera les dégâts !

— Trente-deux tonnes en comptant le carburant, dit Martinez tandis que ses mains voletaient au-dessus des commandes. Si nous heurtons le sol, les réservoirs et la structure subiront des dommages structurels. Le moteur du second étage aussi, sans doute. On ne pourra pas réparer.

— Vous n'allez pas l'abandonner ? protesta Beck. Vous ne pouvez pas !

— On peut encore essayer un truc. Si ça ne marche pas, je suis ses ordres.

Activant le système de manœuvre orbitale, il alluma la petite fusée située sur le cône du nez, tentant d'empêcher la lente chute de l'énorme masse.

— Vous utilisez le SMO ? s'étonna Vogel.

— J'ignore si ça va fonctionner. Nous ne basculons pas très vite, répondit Martinez. J'ai l'impression qu'on ralentit...

— Les capuchons aérodynamiques vont être automatiquement éjectés. Notre ascension risque d'être mouvementée, avec trois trous sur le flanc de l'appareil.

— Sans déconner ? se moqua Martinez en continuant à mettre les gaz et en surveillant leur inclinaison. Allez... !

— Toujours treize degrés, annonça Johanssen.

— Que se passe-t-il, là-haut ? demanda Lewis. Je n'entends plus rien. Répondez.

— Tenez-vous prête !

— 12,9.

— Ça marche, dit Vogel.

— Pour l'instant, le tempéra Martinez. Je ne suis pas sûr d'avoir assez de carburant pour continuer longtemps.

— 12,8.

— Réserves de carburant du SMO : soixante-cinq pour cent, les informa Beck. Combien vous en faut-il pour nous arrimer à *Hermès* ?

— Si je ne fais pas d'erreur, environ dix pour cent, promit Martinez en ajustant l'angle de poussée.

— 12,6. On se redresse !

— À moins que le vent se soit un peu calmé, lança Beck. Niveau du carburant : quarante-cinq pour cent.

— On risque d'endommager les tuyères, remarqua Vogel. Elles n'ont pas été prévues pour des poussées si prolongées.

— Je sais, acquiesça Martinez. En cas de nécessité, je suis capable de nous amarrer sans SMO.

— On y est presque..., souffla Johanssen. Moins de 12,3.

— Je coupe le SMO, annonça Martinez.

— On continue à se redresser, poursuivit Johanssen. 11,6... 11,5... On reste à 11,5.

— Niveau du carburant : vingt-deux pour cent, intervint Beck.

— Ouais, je vois, acquiesça Martinez. Ça suffira.

— Commandant, appela Beck sur la radio. Rejoignez-nous immédiatement.

— Je suis d'accord, enchérit Martinez. Il est mort, madame. Watney est mort.

Les quatre membres d'équipage attendirent la réponse de l'officier.

— Entendu, finit-elle par dire. J'arrive.

Étendus en silence dans leurs fauteuils d'accélération, ils attendaient le décollage. Beck se surprit à regarder fixement la place vacante de Watney et vit que Vogel faisait de même. Martinez lança une vérification automatique du SMO. Son usage n'était plus recommandé. Il le nota dans son journal de bord.

Le sas termina son cycle. Après avoir retiré sa combinaison, Lewis grimpa jusqu'à l'habitacle. Sans dire un mot, elle s'installa et se sangla. Son visage était un masque indéchiffrable. Seul Martinez osa parler.

—Systèmes en attente, articula-t-il doucement. Parés au décollage.

Lewis ferma les yeux et hocha la tête.

—Je suis désolé, commandant, insista Martinez, mais vous devez me donner l'ordre oralement...

—Décollage.

—À vos ordres, madame.

Il activa la séquence. Les amarres se détachèrent de la tour de lancement et tombèrent sur le sol. Quelques secondes plus tard, le système de préallumage se mit en route, démarrant les moteurs principaux, et le VAM s'ébranla.

Le vaisseau prit lentement de la vitesse, mais le vent violent le fit dévier de sa trajectoire. Décelant le problème, le programme d'ascension pointa légèrement le nez de l'appareil contre le vent afin d'en annuler les effets.

Comme il consumait rapidement son carburant, l'engin devint plus léger et l'accélération plus prononcée. S'élevant à un rythme exponentiel, il atteignit très vite son accélération maximale, limite définie non pas par la puissance de la machine, mais par la résistance des délicats corps humains installés à son bord.

Tandis que le vaisseau prenait de l'altitude, les tuyères ouvertes du SMO ne lui facilitèrent pas la tâche. L'équipage était violemment secoué. Martinez et le logiciel d'ascension s'en sortaient très bien, même si c'était une bataille de tous les instants. Les turbulences se calmèrent, puis disparurent totalement, comme l'atmosphère se raréfiait.

Soudain, il n'y eut plus aucune résistance. La première étape était terminée. L'équipage se retrouva en apesanteur pendant quelques secondes, avant d'être de nouveau plaqué en arrière. À l'extérieur, le premier étage désormais vide se détacha pour aller s'écraser sur une zone inconnue de la planète.

Le deuxième étage poussa le vaisseau encore plus haut, le plaçant en orbite basse. Cette étape dura beaucoup moins longtemps que la première et fut plus fluide, comme si le vaisseau en avait eu l'idée au dernier moment.

Alors, subitement, les fusées s'éteignirent et un calme oppressant remplaça la cacophonie du décollage.

— Je désactive le moteur principal, annonça Martinez. Durée de l'ascension : huit minutes, quatorze secondes. Trajectoire d'interception d'*Hermès* respectée.

En temps normal, on aurait fêté cette mise en orbite sans incident. Cette fois, cependant, on n'entendait rien en dehors des sanglots étouffés de Johanssen.

* * *

Quatre mois plus tard…

Beck essaya de ne pas penser au fait qu'il était en train de conduire des expériences de botanique en apesanteur. Il nota la taille et la forme des feuilles de fougère, prit des photos, des notes…

Ayant terminé son programme scientifique du jour, il regarda sa montre. Le timing était parfait. Le transfert de données serait bientôt terminé. Il flotta à côté du réacteur jusqu'à l'échelle du demi-cône A.

Passant les pieds devant, il fut contraint d'agripper l'échelle pour de bon, comme l'entraînait la force centripète du vaisseau en rotation. Le temps d'atteindre le demi-cône A, il était déjà à 0,4 *g*.

La pesanteur centripète d'*Hermès* n'était pas un simple luxe ; elle permettait à l'équipage de rester en forme. Sans elle, il aurait été à peine capable de marcher lors de sa première semaine sur Mars. Les exercices en apesanteur pouvaient maintenir le cœur et les os en assez bonne forme, mais les hommes n'auraient jamais pu être opérationnels le jour de leur arrivée.

Comme ils en avaient la possibilité, ils utilisèrent le système pour le voyage du retour aussi.

Johanssen était installée à son poste. Lewis était assise sur la banquette adjacente, tandis que Martinez et Vogel planaient à proximité. Le transfert de données contenait des e-mails et des vidéos de la maison. C'était le grand moment de la journée.

— Elles sont là ? demanda Beck en arrivant sur le pont.

— Presque, répondit Johanssen. Quatre-vingt-dix-huit pour cent.

— Vous semblez particulièrement joyeux, Martinez, remarqua Beck.

— Mon fils a eu trois ans hier, s'enthousiasma le pilote. Je devrais recevoir quelques photos de la fête. Et vous ?

— Rien de spécial. Les critiques écrites par mes pairs concernant un article que j'ai publié il y a quelques années.

— Ça y est, dit Johanssen. Tous les e-mails personnels ont été dispatchés vers vos ordinateurs respectifs. Il y a aussi une mise à jour télémétrique pour Vogel et quelques mises à jour système pour moi. Euh, il y a aussi un message vocal adressé à tout l'équipage.

Elle regarda Lewis par-dessus son épaule.

— Lancez la lecture, ordonna le commandant dans un haussement d'épaules.

Johanssen ouvrit le fichier et s'installa confortablement.

« Hermès, *ici Mitch Henderson* », commença le message.

— Henderson ? répéta Martinez, étonné. Il nous parle directement sans passer par CAPCOM ?

Lewis leva la main pour faire taire tout le monde.

« *J'ai des nouvelles pour vous,* continua Mitch. *Il n'y a pas de manière subtile de vous annoncer ça : Mark Watney est en vie.* »

Johanssen en eut le souffle coupé.

— Qu... ? bafouilla Beck.

Bouche bée, Vogel accusa le coup. Martinez se tourna vers Lewis, qui se pencha en avant en se pinçant le menton.

« *Je sais que c'est une surprise,* poursuivait Mitch. *Je sais que vous vous posez mille questions. Nous allons y répondre, mais pour le moment, vous devrez vous contenter d'un résumé. Il est vivant et en bonne santé. Nous l'avons découvert il y a deux mois, mais nous avons choisi de vous le cacher. Nous avons même censuré vos messages personnels. Pour ma part, je n'ai jamais cautionné cette décision. Si nous vous mettons au parfum aujourd'hui, c'est que nous sommes parvenus à établir un contact avec lui et qu'une mission de sauvetage est sur les rails. En gros, Arès 4 le récupérera grâce à un VDM modifié. Nous allons vous mettre tout cela par écrit, mais sachez seulement que vous n'êtes pas responsables. Mark insiste beaucoup sur ce point chaque fois qu'il en a l'occasion. Il n'a pas eu de chance, c'est tout. Prenez le temps d'absorber tout cela. Les expériences scientifiques de demain sont remises à plus tard. Envoyez-nous toutes les questions qui vous tracassent; nous y répondrons. Ici Henderson. Au revoir.* »

Le message se termina, remplacé par un silence abasourdi.

—Il... Il est vivant? tenta Martinez, le sourire aux lèvres.

Vogel hocha vigoureusement la tête.

—Oui, il est vivant.

Johanssen regarda son moniteur d'un air halluciné.

—Nom de Dieu! s'écria Beck en riant. Bordel de merde! Commandant! Il est vivant!

—Je l'ai abandonné, dit doucement Lewis.

Les célébrations cessèrent aussitôt. Tous les membres d'équipage avaient remarqué l'expression du commandant.

—Non, rétorqua Beck. On est tous partis ens...

—Vous avez obéi à mes ordres. Je l'ai abandonné. Dans un désert nu, inaccessible et oublié de tous.

Beck lança un regard suppliant à Martinez. Celui-ci ouvrit la bouche, mais aucun son n'en sortit.

Lewis quitta lourdement le pont.

Chapitre 13

Les employés de Deyo Plastics faisaient des doubles journées pour terminer la toile destinée à l'Habitat d'Arès 3. On parlait même de travail de nuit, si les commandes continuaient à affluer. Personne ne s'en plaignait. Les heures supplémentaires étaient très bien payées, et les crédits illimités.

Les feuilles de fibres de carbone passaient lentement sous la presse, qui les coinçait entre deux couches de polymères. Une fois terminé, le matériau était plié quatre fois et collé. Le résultat, épais, était recouvert d'une douce résine puis placé en chambre chaude.

Journal de bord : Sol 114

Maintenant que la NASA peut me parler, elle ne veut plus fermer sa gueule !

Ils ne cessent de me demander d'améliorer les systèmes de l'Habitat, et ils ont réuni toute une ribambelle de spécialistes pour manager mon champ de pommes de terre. J'hallucine ! Ces connards, sur Terre, veulent m'expliquer à moi, qui suis botaniste, comment faire pousser des patates !

La plupart du temps, je ne fais pas attention à ce qu'ils disent. Je ne veux pas paraître prétentieux, mais je suis le meilleur botaniste de la planète.

Un gros bonus : les e-mails ! Comme quand j'étais à bord d'*Hermès*, j'ai droit à mon paquet de données quotidien. Bien sûr, je reçois des messages de ma famille et de mes amis, mais la NASA me transmet aussi un choix de messages de gens divers, tels que des rock stars, des athlètes, des acteurs et actrices. Et même le président.

Il y avait aussi un message de ma fac, l'université de Chicago. D'après eux, quand on a cultivé une terre, on en devient le colonisateur officiel. Donc, techniquement, j'ai colonisé Mars.

Dans ta face, Neil Armstrong !

Mon e-mail préféré est celui que j'ai reçu de ma mère. Exactement ce que j'attendais d'elle : « Dieu merci, tu es vivant, sois fort, ne meurs pas, ton père te passe le bonjour... etc. »

Je l'ai lu cinquante fois d'affilée. Eh ! attention, je ne suis pas un fils à sa maman ou un truc comme ça. Je suis un adulte qui ne porte des couches que très occasionnellement – dans une combinaison AEV, on n'a pas le choix. Selon moi, s'accrocher à une lettre écrite par sa maman n'a rien d'indigne pour un homme. Ce n'est pas comme si j'étais en colo et que je voulais rentrer chez moi, hein ?

Bon, je l'avoue, je m'enferme dans le rover cinq fois par jour pour vérifier mes e-mails. Ils peuvent m'envoyer mes messages sur Mars, mais ils sont incapables de les transférer du rover à l'Habitat... Mais je ne me plains pas ; mes chances de survivre à cette épreuve sont bien meilleures, désormais.

Aux dernières nouvelles, ils avaient réglé le problème de poids du VDM d'Arès 4. Une fois qu'il se sera posé, on se débarrassera du bouclier thermique, des systèmes nécessaires à la survie et de quelques réservoirs vides. Alors, l'engin pourra nous emmener tous les sept – l'équipage d'Arès 4 et moi – dans le cratère de Schiaparelli. Ils sont déjà en train de me préparer un planning de tâches à accomplir au cours de la nouvelle mission. Cool, non ?

Sinon, je suis en train d'apprendre le morse. Pourquoi ? Au cas où. La NASA s'est dit qu'une vieille sonde ne pouvait pas rester notre seul moyen de communiquer.

Si Pathfinder tombe en rade, j'écrirai des messages dans le sable avec des cailloux ; la NASA les lira grâce à ses satellites. Elle ne pourra pas me répondre, mais ce sera mieux que rien. Pourquoi en morse ? Parce qu'il est plus facile de tracer des points et des traits que des lettres avec des pierres.

C'est vraiment nul, comme moyen de communication. Avec un peu de chance, on n'en arrivera pas là.

* * *

Une fois les réactions chimiques terminées, la feuille était stérilisée et placée dans une salle propre, où un ouvrier lui taillait des contours nets avant de la couper en carrés. Ceux-ci étaient alors soumis à des tests draconiens.

Après cette phase d'inspection, on découpait les formes définitives, on repliait les bords, on les cousait, puis on les recouvrait de résine. Alors seulement un homme armé d'une liste procédait aux ultimes inspections, vérifiant indépendamment toutes les mesures avant d'autoriser l'emploi du produit fini.

Journal de bord : Sol 115

Les botanistes engagés par la NASA ont dû admettre à contrecœur que j'avais fait du bon boulot. Ils confirment que j'aurai assez de nourriture pour tenir jusqu'à sol 900. Avec cela à l'esprit, la NASA a échafaudé les détails d'une mission de réapprovisionnement.

Jusque-là, elle avait désespérément essayé de trouver une façon de me faire parvenir un cargo avant sol 400, mais mon petit champ de patates et ses 500 sols de provisions lui ont donné une bien plus grande marge de manœuvre.

Le cargo partira l'an prochain durant la fenêtre de transfert Hohmann[1] et voyagera presque neuf mois. Elle devrait arriver autour de sol 856. Elle contiendra beaucoup de provisions, un oxygénateur de rechange, un recycleur d'eau et un système de communication. Ou plutôt trois systèmes de communication. Plus question de prendre le moindre risque, sachant que les radios ont tendance à se casser quand je suis dans les parages.

Aujourd'hui, j'ai reçu mon tout premier e-mail d'*Hermès*. La NASA a limité les contacts directs entre nous, craignant sans doute que je leur

1. Une orbite Hohmann est une orbite de transit elliptique qui permet de passer d'une orbite circulaire à une autre ; par exemple, de celle de la Terre à celle de Mars. Dans ce cas, l'alignement des deux planètes serait un facteur critique, offrant une fenêtre d'opportunité limitée dans le temps pour faire le trajet. Ces orbites de transfert et leurs possibles applications aux voyages interplanétaires furent décrites pour la première fois par l'ingénieur allemand Walter Hohmann en 1925. (*NdT*)

écrive quelque chose comme : « Vous m'avez abandonné sur Mars, bande d'enfoirés ! » Je me doute que l'équipage a été surpris de recevoir des nouvelles du fantôme de sa mission avortée, mais merde, on n'est plus des gosses, à la fin ! La NASA devrait cesser de se comporter en maman poule. Bref, elle a quand même laissé passer un message écrit par le commandant :

Watney, nous sommes très heureux que vous soyez toujours en vie. En tant que seule responsable de votre situation, je regrette de ne pouvoir faire plus pour vous aider. Il semblerait néanmoins que la NASA ait mis sur les rails une mission de sauvetage. Je suis certaine que vous allez continuer à nous étonner par votre inventivité et que vous vous en sortirez. J'attends avec impatience de pouvoir vous offrir une bière sur Terre.

Lewis

Ma réponse :

Commandant, la responsable de ma situation, ce n'est pas vous, mais la poisse. Vous avez pris la bonne décision et avez sauvé les autres. Je sais que cela n'a pas été facile, mais les analyses des événements de cette journée prouveront que vous avez eu raison. Ramenez les autres à la maison, et ce sera parfait.
Je n'oublierai pas pour la bière.

Watney

Les employés plièrent soigneusement la feuille et la déposèrent dans un container scellé empli d'argon. L'homme à la liste de vérification colla une étiquette sur le paquet. « Projet Arès 3 ; Toile Habitat ; Feuille AL102. »

La boîte fut chargée dans un avion spécial en partance pour la base Edwards, en Californie. L'appareil vola à une altitude anormalement élevée, consommant bien plus de carburant que d'habitude, afin de limiter les turbulences.

À son arrivée, la caisse fut transportée jusqu'à Pasadena par convoi exceptionnel, où on la livra à l'usine d'assemblage spatial de JPL. Au cours des cinq semaines qui suivirent, des ingénieurs en combinaison blanche assemblèrent le chargement 309, qui contenait le lot AL102, ainsi que douze autres morceaux de toile spéciale Habitat.

Journal de bord : Sol 116

Le temps de ma deuxième moisson est presque venu.

Ouais.

Si seulement j'avais un chapeau de paille et des bretelles...

Les pommes de terre que j'ai replantées se portent bien. Je constate avec plaisir que mon rendement est excellent, et ce grâce aux milliards de dollars en matériel qui m'entourent. Je dispose désormais de quatre cents plants sains, qui me fourniront les nombreuses calories dont j'aurai besoin pour mes délicieux repas du soir. Plus que dix jours, et mes pommes de terre seront mûres !

Cette fois-ci, je ne vais pas toutes les replanter, je vais aussi en manger. Elles feront partie de mes vivres. Des patates martiennes cent pour cent bio. On n'en trouve pas dans tous les supermarchés, hein ?

Vous vous demandez peut-être comment je vais les stocker ? Je ne peux pas me contenter de les mettre en tas ; la plupart d'entre elles pourriraient avant que j'aie eu le temps de les manger. Non, je vais faire quelque chose qui ne marcherait pas du tout sur Terre : les laisser dehors.

La majeure partie de leur eau sera aspirée par le quasi-vide, et le peu qui restera gèlera très vite. Quant aux bactéries qui risqueraient de les faire pourrir, elles mourront dans d'atroces souffrances.

Au fait, j'ai reçu un e-mail de Venkat Kapoor :

Mark, quelques réponses à vos questions précédentes :

Non, nous n'allons pas dire à notre équipe de botanistes d'aller se faire foutre. J'ai conscience du fait que vous avez passé beaucoup de temps seul, mais c'est terminé à présent, et je vous conseille vivement d'écouter nos conseils.

Les Cubs ont fini la saison dans le fond du classement de la division centrale de la Ligue nationale de base-ball.

La bande passante est beaucoup trop faible pour que nous puissions vous envoyer des fichiers musicaux, même compressés. Vous vouliez “tout, mon Dieu ! tout, sauf du disco”, mais c’est impossible. Profitez bien de votre fièvre du samedi soir.

Une nouvelle encore moins amusante… La NASA est en train de créer une commission d’enquête dont la mission sera de déterminer si votre abandon sur Mars a été la conséquence d’erreurs peut-être évitables. Je préfère vous prévenir. Il se peut qu’elle vous contacte plus tard pour vous poser quelques questions.

Tenez-nous au courant de vos activités.

Kapoor

Ma réponse :

Venkat, dites à votre commission d’enquête que je ne participerai pas à sa chasse aux sorcières. Quand elle arrivera à la conclusion que le commandant Lewis a failli – parce que c’est ce qui va se passer –, je m’inscrirai en faux publiquement. Et je suis sûr que le reste de l’équipage fera de même.

Ah ! oui, et dites-leur que leurs mamans sont des putains.

Watney

PS : Et leurs sœurs aussi.

Les cargos emplis de matériel destiné à Arès 3 furent lancés pendant quatorze jours consécutifs au cours de la fenêtre de transfert Hohmann. Le cargo 309 fut le troisième à partir. Les deux cent cinquante et un jours de voyage jusqu’à Mars se déroulèrent sans encombre ; seuls deux ajustements mineurs de trajectoire furent nécessaires.

Après plusieurs manœuvres d’aérofreinage, il entama sa descente finale vers Acidalia Planitia. Tout d’abord, son bouclier thermique lui permit de résister à son entrée dans l’atmosphère, puis son parachute s’ouvrit tandis que le bouclier, désormais inutile, se détachait.

Quand son radar embarqué détecta la présence du sol à moins de trente mètres, le cargo se débarrassa de son parachute et gonfla des ballons tout autour de sa coque. Il tomba alors sans cérémonie, rebondissant et roulant dans tous les sens jusqu'à s'immobiliser.

Tout en dégonflant les ballons, l'ordinateur de bord informa la Terre du succès de l'opération.

Alors le cargo n'eut plus qu'à attendre vingt-trois mois.

Journal de bord : Sol 117

Le recycleur d'eau fait des siennes.

Six personnes ont besoin de dix-huit litres d'eau par jour. La machine est donc faite pour en recycler vingt. Ces derniers temps, toutefois, elle a eu du mal à tenir la cadence, s'arrêtant à dix litres, maximum.

Est-ce que je génère dix litres d'eau par jour ? Non, je ne suis pas le champion du monde toutes catégories de l'urine. Ce sont mes pommes de terre. L'humidité, à l'intérieur de l'Habitat, est beaucoup plus importante que prévu, aussi le recycleur lutte-t-il constamment pour assécher l'air.

Mais je ne suis pas inquiet. En cas de nécessité, il me reste la possibilité d'uriner directement dans mes plantations. Les plants prendront ce dont ils ont besoin, et le reste se condensera sur les parois. Je dois pouvoir trouver un moyen de récupérer cette condensation. Cette eau ne peut aller nulle part, de toute façon ; c'est un système clos.

Bon, techniquement, ce n'est pas tout à fait vrai. Les plantes prennent une part de l'hydrogène de l'eau, rejetant l'oxygène, pour fabriquer les hydrocarbures complexes qui les constituent. Toutefois, cette perte est minime, et j'ai tout de même produit environ six cents litres d'eau avec le carburant du VDM. Je pourrais prendre des bains sans mettre en danger mes réserves.

La NASA, en revanche, s'alarme énormément à ce sujet. Pour elle, le recycleur d'eau est un élément indispensable à ma survie. Il n'y a pas de système auxiliaire. Sans lui, je meurs instantanément, pense-t-elle. La NASA est terrifiée à l'idée d'une panne. Pour moi, c'est la routine.

Au lieu de m'occuper de ma récolte, je suis contraint de faire plusieurs allers et retours entre l'Habitat et le rover pour répondre à leurs questions.

Chaque message me propose d'essayer une nouvelle solution. Après quoi je suis obligé d'aller faire mon rapport.

On a réussi à éliminer plusieurs causes : ce n'est donc ni l'électronique ni le système de réfrigération ni un souci d'instruments ni un problème de température. Pour ma part, je suis certain qu'il y a un petit trou quelque part. Les mecs de la NASA se réuniront pendant quatre heures pour finir par me dire de le boucher avec du ruban adhésif.

Lewis et Beck ouvrirent le cargo 309. Travaillant aussi efficacement que possible dans leurs combinaisons épaisses, ils en sortirent divers morceaux de toile, qu'ils étalèrent par terre. Trois cargos tout entiers étaient dédiés au matériau constitutif de l'Habitat.

Suivant une procédure qu'ils avaient pratiquée des centaines de fois sur Terre, ils assemblèrent les pièces sans se tromper. Des bandes adhésives spéciales assuraient l'étanchéité de l'ensemble.

Après avoir érigé la structure principale de l'Habitat, ils s'occupèrent des trois sas. La feuille AL102 avait un trou aux dimensions exactes du sas n° 1. Beck déplia le matériau et scella le sas côté extérieur.

Lorsque les sas furent en place, Lewis emplit l'Habitat d'air, et, pour la première fois, AL102 fut soumise à une importante pression. Lewis et Beck attendirent une heure. Aucune perte de pression ne fut décelée. L'installation avait été parfaite.

Journal de bord : Sol 118

Ma conversation avec la NASA au sujet du recycleur d'eau fut ennuyeuse et pleine de détails techniques. Laissez-moi vous la résumer :

Moi : « Il doit y avoir un bouchon quelque part. Et si je démontais tout pour nettoyer la tuyauterie ? »

La NASA (après cinq heures de délibérations) : « Non. Vous allez casser quelque chose et mourir. »

J'ai tout démonté.

Ouais, je sais, il y a plein de types super intelligents à la NASA, et je devrais les écouter davantage. Et puis, j'ai un comportement trop antagonique, alors que ces mecs se décarcassent pour tenter de me sauver la vie.

Sauf que j'en ai marre qu'on me dise comment je dois me torcher. Les astronautes des missions Arès ont notamment été choisis pour leur indépendance. Il s'agit d'une mission de treize mois, dont la majeure partie se déroule à de nombreuses minutes-lumière de la Terre. Ce dont la NASA avait besoin, c'étaient des gens capables de se débrouiller seuls, de prendre des initiatives.

Si le commandant Lewis était là, j'obéirais à ses ordres, évidemment. Mais une commission de bureaucrates sans visage, là-bas, sur Terre ?... Désolé, je n'y arrive pas.

J'ai fait très attention. J'ai étiqueté tous les morceaux, que j'ai soigneusement disposés sur une table. En plus, j'ai les plans dans l'ordinateur, donc pas d'erreur possible.

Comme je m'y attendais, il y avait bien un bouchon. Le recycleur est fait pour purifier l'urine et extraire l'humidité de l'air – on exhale presque autant d'eau qu'on en pisse. Mon eau à moi, toutefois, a été mélangée avec de la terre, ce qui l'a rendue riche en minéraux, lesquels se sont accumulés dans la machine.

J'ai tout nettoyé avant de réassembler le recycleur, réglant le problème. Je devrai sans doute recommencer un jour, mais pas avant une bonne centaine de sols, donc j'ai le temps de voir venir.

J'ai expliqué à la NASA ce que j'avais fait. Voici le résumé de notre conversation :

Moi : « J'ai démonté le bazar, j'ai trouvé l'origine du problème et j'ai tout réparé. »

La NASA : « Connard. »

AL102 tremblait dans la tempête. Soumise à des forces bien plus importantes que celles prévues par ses concepteurs, elle ondoyait violemment contre le sceau du sas. D'autres sections de la toile ondulaient de conserve avec les bandes qui scellaient entre elles différents morceaux, mais AL102 n'avait pas ce luxe ; le sas bougeant à peine, elle devait absorber seule l'intégralité de l'assaut.

Les couches de plastique, en se pliant constamment, réchauffaient la résine par friction. Le nouvel environnement, plus malléable, permit aux fibres de carbone de se séparer.

AL102 s'étira.

Très peu. De quatre millimètres. Mais l'espace qui séparait les fibres de carbone était huit fois plus important que la normale, fixée à 500 microns.

Lorsque la tempête fut terminée, l'astronaute solitaire inspecta consciencieusement l'Habitat, mais ne remarqua rien de particulier, le point faible était recouvert par un sceau.

Conçue pour une mission de trente et un sols, AL102 dura beaucoup plus longtemps que prévu. Les sols se succédèrent, et l'astronaute solitaire utilisa le sas n° 1 presque quotidiennement, car il était le plus proche de la borne de chargement du rover.

Lorsqu'il le pressurisait, le sas gonflait très légèrement ; lorsqu'il le dépressurisait, il se rétractait. Chaque fois que l'astronaute faisait une AEV, AL102 était soumise à de nouvelles contraintes. Se tendre, se détendre, se tendre…

Tirer, étirer, affaiblir, déchirer…

Journal de bord : Sol 119

La nuit dernière, j'ai été réveillé par le vent.

La tempête de sable d'intensité moyenne s'est arrêtée aussi brusquement qu'elle avait commencé. Une tempête de catégorie trois, avec des vents de seulement cinquante kilomètres par heure. Mais quand même, entendre le vent souffler reste déconcertant quand on est habitué au silence.

Je suis inquiet pour Pathfinder. Si la tempête l'a endommagé, je risque d'avoir perdu ma connexion avec la NASA. Logiquement, il ne devrait pas y avoir de problème. La sonde est sur Mars depuis plusieurs décennies. De petites rafales de rien du tout ne peuvent pas lui avoir fait grand mal.

Quand je sortirai, je commencerai par m'assurer du bon fonctionnement de Pathfinder avant de m'atteler aux tâches ingrates et fatigantes de la journée.

Eh oui, après chaque tempête de sable vient l'inévitable nettoyage des panneaux solaires, tradition ancestrale honorée par les Martiens tels que moi depuis la nuit des temps. Cela me rappelle mon enfance à Chicago, et la neige qu'il fallait déblayer. Je remercie mon père de ne jamais m'avoir dit que cela forgeait le caractère ou que cela apprenait la valeur du travail.

« Les souffleuses sont chères, disait-il. Toi, tu es gratuit. »

Une fois, j'ai essayé d'appeler maman à l'aide et je me suis entendu répondre : « T'es pas une mauviette, si ? »

Sinon, plus que sept sols avant la récolte et je n'ai toujours rien préparé. Pour commencer, j'ai besoin d'une binette. Et d'une cabane pour stocker mes pommes de terre. Je ne peux quand même pas les empiler comme cela, dehors, ou alors la prochaine tempête risquerait de provoquer la Grande Migration des patates martiennes.

Tout cela devra attendre, cependant. Une journée bien chargée m'attend. D'abord nettoyer les panneaux solaires, puis vérifier toute l'installation afin de m'assurer que la tempête n'a rien endommagé. Et il restera encore le rover.

Je ferais mieux de m'y mettre.

* * *

Le sas n° 1 se dépressurisa lentement, descendant jusqu'à 0,006 atmosphère. Vêtu de sa combinaison, Watney attendait à l'intérieur que le cycle soit terminé. Il l'avait fait des centaines de fois. L'appréhension qu'il avait ressentie la première fois était depuis longtemps oubliée. À présent, c'était une simple corvée nécessaire pour sortir.

Comme la dépressurisation continuait, l'atmosphère de l'Habitat comprima le sas et AL102 s'étira pour la dernière fois.

Sol 119 : l'Habitat se déchira.

La brèche initiale mesurait moins d'un millimètre de long. Les fibres de carbone perpendiculaires auraient dû empêcher la déchirure de s'agrandir, mais des mauvais traitements répétés avaient écarté les fibres verticales et affaibli considérablement les fibres horizontales.

L'atmosphère de l'Habitat s'engouffra d'un seul coup dans la brèche. Un dixième de seconde plus tard, la déchirure mesurait un mètre et dessinait une ligne parallèle au sceau adhésif. Puis elle s'agrandit encore, courut tout autour du sas, jusqu'à rencontrer son point de départ. Le sas n'était donc plus relié à l'Habitat.

Comme l'atmosphère artificielle s'échappait par l'ouverture, le sas fut projeté à l'extérieur comme un boulet de canon. À l'intérieur, un Mark Watney très surpris fut plaqué contre la seconde porte avec toute la violence de l'expulsion.

Il atterrit quarante mètres plus loin. À peine remis du choc initial, Watney en subit un autre, heurtant la porte extérieure la tête la première.

Sa visière encaissa le gros du choc, son verre de sécurité se brisant en des centaines de petits cubes. La tête de Watney heurta l'intérieur du casque, lui faisant perdre connaissance.

Le sas roula sur une quinzaine de mètres supplémentaires. Son épaisse combinaison empêcha l'astronaute de se briser de nombreux os. Il essaya de comprendre ce qui lui était arrivé, mais il était à peine conscient.

Le sas finit par s'immobiliser sur le côté dans un nuage de poussière.

Étendu sur le dos, Watney regardait vers le haut à travers le trou dans sa visière. Il avait le front entaillé. Un filet de sang lui coulait sur le visage.

Reprenant quelque peu ses esprits, il tenta de se relever. Tournant la tête sur le côté, il regarda par la fenêtre de la porte intérieure du sas. L'Habitat détruit flottait au loin. Une multitude de débris étaient éparpillés dans le paysage.

Soudain, un sifflement atteignit ses oreilles. Il écouta attentivement et conclut qu'il ne provenait pas de sa combinaison. Quelque part dans le sas gros comme une cabine téléphonique, une minuscule brèche laissait échapper de l'air.

Il se concentra sur le sifflement, effleura la visière fissurée de son casque. Puis regarda de nouveau par la fenêtre.

— Putain, c'est une blague ?

Chapitre 14

Transcription journal de bord audio : Sol 119

Vous savez quoi ? J'en ai plus rien à foutre ! Du sas, de l'Habitat, de cette planète de merde !

Non, sérieusement, je crois que ça y est ! Il me reste quelques minutes d'air avant de suffoquer, et il est hors de question que je continue à jouer à ce jeu à la con. J'en suis tellement malade que je pourrais presque vomir !

Je n'ai qu'à rester assis là. L'air va continuer à s'échapper, et je vais crever.

Ce sera fini. Plus besoin de me remonter le moral, d'espérer, de m'illusionner. Plus de problèmes à régler. J'en ai ma claque !

Transcription journal de bord audio : Sol 119 (2)

Soupir… D'accord. J'ai fait ma petite crise, et maintenant, je dois trouver un moyen de rester en vie. Une fois de plus. Bon, qu'est-ce que je peux faire ?…

Je suis dans le sas. Je vois l'Habitat par la fenêtre – à une bonne cinquantaine de mètres. Normalement, le sas est attaché à l'Habitat. Voilà mon problème.

Le sas est couché sur le côté et j'entends un sifflement. Soit il y a une fuite quelque part, soit il y a des serpents dans le voisinage. Dans tous les cas, je suis dans la merde.

Je ne sais pas ce qui s'est passé, mais j'ai fait un petit vol plané, j'ai rebondi comme une boule de billard et j'ai cassé ma visière. Il est bien connu que l'air est peu coopératif quand il s'agit de rester dans une combinaison spatiale avec un trou dedans…

On dirait que l'Habitat est complètement écroulé et dégonflé. Même si j'avais une combinaison fonctionnelle pour quitter ce sas, je n'aurais nulle part où aller, et ça, ça craint.

Prenons le temps de réfléchir. Et sortons de cette combinaison. Elle est grosse, et je n'ai pas beaucoup de place. En plus, elle ne sert plus à rien.

Transcription journal de bord audio : Sol 119 (3)

Finalement, ma situation n'est pas si mauvaise.

Je suis toujours foutu, remarquez, mais pas autant que prévu.

Je ne sais pas ce qui est arrivé à l'Habitat, mais le rover est sans doute en bon état. Ce n'est pas la solution idéale, mais ça reste mieux qu'une cabine téléphonique qui fuit.

J'ai un kit de réparation sur moi, évidemment. Le même genre de matériel qui m'a sauvé la vie après la tempête de sol 6. Mais ne vous emballez pas. Cette rustine n'est qu'une valve conique dotée d'une résine autour de la partie évasée. Si la brèche dépasse huit centimètres de diamètre, le kit est inutile. De toute façon, un trou de neuf centimètres vous tuerait sans vous laisser le temps de dégainer votre rustine.

Mais bon, ça reste un atout, et je pourrais peut-être m'en servir pour empêcher l'air de s'échapper du sas. C'est ma priorité, pour le moment.

C'est une petite fuite. Ma visière étant cassée, la combinaison gère l'atmosphère du sas tout entier. Elle y ajoute de l'air pour compenser la perte de pression, mais ses réserves finiront par s'épuiser.

Je dois absolument localiser cette fuite. À en juger par le bruit, je dirais qu'elle se trouve près de mes pieds. Maintenant que je suis sorti de la combinaison, je peux me retourner pour explorer mon environnement.

Je ne vois rien… Je l'entends, mais… Elle est en bas, quelque part, mais j'ignore où…

Il n'y a qu'une manière de la trouver : allumer un feu !

Ouais, je sais, dès que je n'ai plus d'idées, je fous le feu à quelque chose. Je vous le concède, allumer délibérément un feu dans un endroit si confiné n'est normalement pas une très bonne idée. Sauf que j'ai besoin de fumée. Juste un mince filet de fumée.

Comme d'habitude, je dois travailler avec des matériaux conçus pour ne pas se consumer, justement. Sauf que, malgré les efforts déployés par la NASA, rien ne peut résister à un incendiaire déterminé équipé d'un réservoir d'oxygène pur.

Malheureusement, la combinaison est entièrement constituée de matériaux non inflammables. Tout comme le sas. Mes vêtements sont également à l'épreuve du feu, y compris le fil des coutures.

À l'origine, j'avais prévu de vérifier les panneaux solaires, d'effectuer les menus travaux de maintenance nécessaires après une tempête de sable. J'ai donc ma boîte à outils avec moi. J'ai beau chercher, je n'y vois que du métal et du plastique non inflammable.

Mais j'y pense, j'ai bien quelque chose d'inflammable sur moi: mes poils. Je vais devoir m'en contenter. Il y a un couteau bien affûté dans la boîte à outils.

Prochaine étape: l'oxygène. Ne disposant pas d'un robinet d'oxygène pur, tout ce que je peux faire, c'est trafiquer les contrôles de la combinaison pour augmenter le pourcentage d'oxygène dans le sas. Quarante pour cent devraient suffire.

Ne manque plus que l'étincelle.

La combinaison est dotée de systèmes électroniques qui fonctionnent avec un voltage très bas. Je ne pense pas pouvoir obtenir un arc avec ça. Sans compter que je n'ai pas trop envie de bidouiller ma combinaison. J'ai besoin qu'elle fonctionne correctement pour parcourir la distance qui me sépare du rover.

Le sas aussi possède des systèmes électroniques, mais ils étaient alimentés par le réseau de l'Habitat. J'imagine que la NASA n'a jamais réfléchi à ce qui arriverait si le sas se retrouvait à cinquante mètres de la base. Bande de fainéants.

Le plastique ne brûle peut-être pas, mais quiconque a déjà joué avec un ballon de baudruche sait qu'il permet d'accumuler facilement de l'électricité statique. Après ça, il me restera à toucher un outil métallique pour créer une étincelle.

Détail amusant : c'est exactement comme ça que l'équipage d'Apollo 1 y est passé [1]. Souhaitez-moi bonne chance !

Transcription journal de bord audio : Sol 119 (4)

Je suis enfermé dans une boîte qui pue les poils brûlés, et ce n'est pas une odeur agréable.

À mon premier essai, le feu s'est allumé, mais la fumée s'est répandue aléatoirement autour de moi. À cause de ma respiration, apparemment. J'ai cessé de respirer et j'ai réessayé.

La deuxième fois, ma combinaison a tout fait foirer à cause du flot constant d'air qui s'échappait par ma visière pour compenser la perte de pression. J'ai désactivé les systèmes de la combinaison, retenu mon souffle et recommencé… Il fallait faire vite ; la pression baissait rapidement.

La troisième tentative s'est soldée par un échec à cause des mouvements de bras rapides que je faisais pour allumer le feu. En bougeant, je créais suffisamment de turbulences pour envoyer la fumée dans tous les sens.

La quatrième fois, j'ai éteint la combinaison, retenu mon souffle et, lorsque le moment est venu d'allumer le feu, j'ai procédé très lentement. Alors j'ai vu un mince filet de fumée dériver vers le plancher, avant de disparaître dans une fissure aussi fine qu'un cheveu.

Je t'ai eue, petite fuite !

J'ai pris une grande bouffée d'air en réactivant les systèmes de la combinaison. La pression était tombée à 0,9 atmosphère pendant ma petite expérience, mais il y avait largement assez d'oxygène dans le sas pour respirer et alimenter mon feu de poils. La combinaison a rapidement normalisé les niveaux.

La fissure est vraiment minuscule. Il serait très facile de la réparer avec mon kit, mais, maintenant que j'y pense, ce serait une mauvaise idée.

Je vais avoir besoin de réparer ma visière. Je ne sais pas encore comment, mais le kit et sa résine résistante à la pression vont probablement

1. Les trois astronautes d'Apollo 1 – Virgil Grissom, Edward White et Roger Chaffee – sont morts dans un incendie le 27 janvier 1967 lors d'un test au sol du module de commande de leur vaisseau. (*NdT*)

m'être très utiles. Impossible de l'utiliser en plusieurs fois. Une fois le kit ouvert, les composants binaires de la résine se mélangent, et je n'ai plus que soixante secondes avant qu'elle durcisse. Je ne peux donc pas en prendre un tout petit peu pour boucher la fissure.

Si j'avais plus de temps, je pourrais peut-être trouver une idée pour réparer la visière et en profiter pour étaler un peu de résine sur la craquelure. Mais le temps me manque, justement.

Mes réserves de N_2 sont tombées à quarante pour cent. Il faut que je répare cette fuite tout de suite, et ce sans utiliser mon kit.

Première idée : faire comme Hans Brinker, le héros des *Patins d'argent*. Je me lèche la paume et je la plaque contre la fissure.

Bon… L'étanchéité laisse à désirer et l'air continue à s'échapper… Et puis, c'est froid… C'est désagréable… Et merde !

Deuxième idée : le ruban adhésif !

J'en ai un peu dans ma boîte à outils. Collons-en un morceau et voyons si ça ralentit l'écoulement. Je me demande combien de temps il va tenir avant que la pression le déchire… Allez, je le colle.

Ça y est… ça a l'air de tenir…

Je vérifie les niveaux… D'après ma combinaison, la pression est stable. On dirait que le morceau de ruban tient le coup.

Mais pendant combien de temps ?

Transcription journal de bord audio : Sol 119 (5)

Ça fait déjà un quart d'heure, et le ruban adhésif tient toujours. On dirait que mon problème de pression est réglé.

Pas très spectaculaire, comme solution, mais je ne vais pas me plaindre. Moi qui travaillais sur une manière de sceller la brèche avec de la glace. Dans ma combinaison, je dispose de deux litres d'eau dans un distributeur type « cage à hamster ». J'aurais pu désactiver le chauffage de la combinaison pour laisser le sas se refroidir et geler. Après, j'aurais… Bref, on s'en fout.

Mais j'aurais pu y arriver avec de l'eau, j'en suis sûr.

Bien, passons au problème suivant : comment réparer ma combinaison ? S'il a scellé une minuscule fissure, le ruban adhésif serait bien incapable de contenir une atmosphère poussant derrière une visière cassée.

Mon patch est trop petit mais reste utile. Je pourrais retirer la visière et coller quelque chose à la place avec la résine. Mais quoi ? Il me faudrait un matériau capable de résister à une forte pression.

En regardant autour de moi, je ne vois qu'une solution : la combinaison elle-même. Je dispose de pas mal de matériau, et j'ai de quoi le tailler. Vous vous rappelez la fois où j'ai découpé des langues de toile à Habitat ? Eh bien, mes cisailles sont dans ma boîte à outils.

Évidemment, charcuter ma combinaison signifie faire un trou dedans, mais un trou dont je peux choisir la forme et l'emplacement.

Ouais, j'entrevois une issue possible. Je vais m'amputer le bras !

Pas *mon* bras, celui de la combinaison. Je le couperai juste en dessous du coude gauche, puis je le taillerai dans la longueur pour obtenir un rectangle, que je collerai en lieu et place de la visière avec de la résine.

Matériau capable de contenir une atmosphère de pression ? *Check.*

Résine conçue pour sceller une brèche et empêcher une atmosphère de s'échapper ? *Check.*

Et qu'est-ce que je fais de mon moignon ? Contrairement à la visière, le matériau de la combinaison est flexible. Je l'aplatirai et le collerai. Bien sûr, je serai obligé de maintenir mon bras gauche contre mon flanc dans la combinaison, mais ce ne sera pas gênant ; il y a largement assez de place.

J'appliquerai la résine en couche très fine, mais il n'y a pas colle plus puissante sur Terre. Par ailleurs, le sceau ne devra pas nécessairement être parfait ; il devra simplement tenir le temps que je me mette à l'abri.

À l'abri… Qu'est-ce que j'entends par là, exactement ? Aucune idée.

Un problème à la fois… Pour l'instant, je m'occupe de ma combinaison.

Transcription journal de bord audio : Sol 119 (6)

Aucun souci pour découper mon bras gauche ni le tailler sur la longueur afin d'en faire un rectangle. Ces cisailles sont vraiment très costauds.

En revanche, nettoyer le verre de la visière a pris plus longtemps que prévu. Les débris n'auraient sans doute pas pu transpercer la combinaison, mais il était hors de question que je prenne le moindre risque. Et puis, je n'avais pas envie de retrouver des morceaux coupants dans mon casque.

Ensuite, la partie la plus délicate… Une fois le kit ouvert, j'avais soixante secondes avant que la résine durcisse. Je l'ai prise avec les doigts et je l'ai étalée rapidement autour de l'ouverture. Avec ce qui restait, j'ai scellé le moignon du bras gauche.

J'ai plaqué le rectangle sur le casque des deux mains tout en appuyant sur le bras avec le genou.

Par sécurité, j'ai compté jusqu'à cent vingt.

Apparemment, ça a fonctionné. Le sceau paraissait solide, et la résine dure comme de la pierre. En revanche, ma main est restée collée au casque.

Ne rigolez pas.

Avec le recul, je me dis effectivement que je n'aurais pas dû étaler la résine avec les doigts. Par chance, ma main gauche est restée libre. Après moult grognements et jurons, j'ai réussi à attraper la boîte à outils et, armé d'un tournevis, je suis parvenu à me libérer – en me sentant con pendant toute l'opération. Ça n'a pas été facile, car je ne voulais pas me blesser la pulpe des doigts. Il s'agissait de glisser le tournevis entre le casque et la résine. Finalement, je me suis décollé la main sans me faire saigner, ce que je considère comme une victoire. Bon, je vais avoir de la résine durcie au bout des doigts pendant quelques jours comme un gamin qui aurait joué avec de la colle cyanoacrylate.

Usant de l'ordinateur serti dans l'avant-bras droit de la combinaison, j'ai pressurisé cette dernière, montant jusqu'à 1,2 atmosphère. Le rectangle collé à la place de la visière s'est gonflé mais a tenu bon. Le bras s'est rempli aussi, menaçant de céder, mais a résisté.

Puis j'ai surveillé les niveaux pour m'assurer que mon bricolage était étanche.

En réalité, il ne l'était pas des masses.

La combinaison pissait littéralement de l'air. En soixante secondes, elle a rempli le sas tout entier avec 1,2 atmosphère. Bel exploit.

La combinaison est conçue pour être utilisée huit heures d'affilée. Ce qui nécessite deux cent cinquante millilitres d'oxygène liquide. Par sécurité, elle est équipée d'une bouteille d'un litre d'O_2. Mais ce n'est pas tout. Le reste de l'air est constitué d'azote, qui n'est là que pour augmenter la pression. Quand la combinaison fuit, elle compense avec cet azote, et elle possède une réserve de deux litres de N_2 liquide.

Disons que le sas mesure deux mètres cubes, dont un occupé par la combinaison gonflée. Elle a donc mis cinq minutes pour ajouter 0,2 atmosphère dans un mètre cube. Ce qui représente deux cent quatre-vingt-cinq grammes d'air – faites-moi confiance, j'ai fait les calculs. L'air contenu dans mes bouteilles pèse environ un gramme par mètre cube, d'où on peut conclure que je viens de perdre deux cent quatre-vingt-cinq millilitres.

Mes trois bouteilles combinées contenaient trois mille millilitres pour commencer, dont une partie non négligeable a été utilisée pour pressuriser le sas quand il fuyait. En respirant, j'ai également transformé un peu d'oxygène en dioxyde, capturé par les filtres à CO_2 de la combinaison.

En jetant un coup d'œil aux niveaux, je constate qu'il me reste quatre cent dix millilitres d'oxygène et sept cent trente-huit millilitres d'azote. Mille cent cinquante millilitres au total. Divisés par deux cent quatre-vingt-cinq millilitres perdus par minute…

Quand je serai hors du sas, la combinaison durera quatre minutes.

Merde.

Transcription journal de bord audio : Sol 119 (7)

J'ai réfléchi.

À quoi bon aller m'enfermer dans le rover ? Ce serait une nouvelle prison et rien d'autre. J'aurais plus de place, c'est sûr, mais je finirais quand même par crever. Pas de recycleur d'eau, pas d'oxygénateur, pas de vivres. Trois façons de mourir différentes. À vous de choisir.

Réparer l'Habitat, voilà la solution. Je sais comment faire – avec l'équipage, on s'est beaucoup entraînés –, mais ça prendra du temps. Je vais devoir farfouiller sous la structure écroulée pour trouver les morceaux de toiles destinés à la réparation. Ensuite, il faudra localiser la brèche et la recouvrir d'une rustine.

Ça prendra des heures, et ma combinaison est HS.

Il m'en faut une autre. J'avais emporté celle de Martinez avec moi quand je suis allé récupérer Pathfinder, mais je l'ai rangée dans l'Habitat à mon retour.

Fait chier !

Je vais donc devoir aller chercher une autre combinaison avant de retourner dans le rover, mais laquelle ? Celle de Johanssen est trop petite – toute petite et mignonne, notre Johanssen. Celle de Lewis est pleine d'eau ou plutôt d'une glace en train de se sublimer lentement. Celle, mutilée et rafistolée, que je porte en ce moment m'appartient. Restent celles de Martinez, Vogel et Beck.

J'avais laissé celle de Martinez tout près de ma couchette au cas où j'aurais eu besoin d'en enfiler une à toute vitesse. Évidemment, vu la manière dont l'intérieur de l'Habitat a été soufflé, elle pourrait être n'importe où, mais il faut bien commencer à chercher quelque part.

Problème suivant : je suis à une cinquantaine de mètres de l'Habitat. Courir avec une combinaison pour AEV n'est pas facile, même dans 0,4 *g*. Au mieux, je ferai du deux mètres par seconde. En tout, cela fera vingt-cinq précieuses secondes, soit presque un huitième de mes quatre minutes. C'est trop, beaucoup trop.

Mais comment raccourcir ce temps de parcours ?

Transcription journal de bord audio : Sol 119 (8)

Je vais faire rouler ce satané sas, cette cabine téléphonique couchée sur le flanc.

J'ai testé différentes options.

Le principe est simple : heurter la paroi aussi fort que possible et passer un maximum de temps dans les airs, autrement les forces s'annulent et je ne bouge pas d'un millimètre.

J'ai essayé de prendre mon élan pour me jeter en avant. Le sas a glissé un peu, mais c'est tout.

Puis j'ai tenté de me propulser dans les airs en faisant une pompe – 0,4 *g*, les gars ! – pour pousser sur la paroi des deux pieds. Là encore, le sas a glissé un peu.

La troisième tentative a été la bonne. Le truc consiste à planter ses pieds près de la paroi la plus éloignée de l'Habitat et à sauter contre le sommet de la paroi opposée pour la heurter avec le dos. Je viens d'essayer et ça m'a permis de faire rouler le sas vers l'Habitat comme un dé. Je vais y arriver, mais une face à la fois…

Le sas mesurant un mètre de côté, je vais devoir recommencer cinquante fois…

À la fin, j'aurai le dos en compote.

Transcription journal de bord audio : Sol 120

J'ai le dos en compote.

La technique subtile dite du « Je me jette de toutes mes forces contre le mur » avait ses défauts. Elle ne marchait qu'une fois sur dix et elle était douloureuse ! J'étais contraint de faire des pauses, de m'étirer et de me persuader de recommencer encore et encore.

Ce manège a duré toute la nuit, mais j'ai réussi.

Je suis à une dizaine de mètres de l'Habitat, à présent. Impossible de me rapprocher davantage à cause des débris éparpillés partout. Ce n'est pas un sas tout-terrain, hein ! Je ne peux pas rouler sur ces saloperies.

La décompression est survenue dans la matinée, puis le soir est tombé et le jour s'est levé. J'ai donc passé une journée entière dans cette satanée boîte, mais ça ne va pas durer.

J'ai enfilé ma combinaison et je suis prêt à y aller.

Bon… Revoyons le plan une dernière fois : utiliser les valves manuelles pour égaliser les pressions ; sortir et se précipiter vers l'Habitat ; se balader sous la toile effondrée; trouver la combinaison de Martinez, ou celle de Vogel, si je tombe dessus; foncer vers le rover, où je serai en sécurité.

Si je ne trouve pas de combinaison, je me réfugie dans le rover. Je serai dans la merde, mais j'aurai le temps de réfléchir et des matériaux avec lesquels travailler.

Je prends une profonde inspiration... Et j'y vais!

Journal de bord: Sol 120

Je suis en vie! Et à l'abri dans le rover!

Tout ne s'est pas passé comme prévu, mais je ne suis pas mort, et ce n'est pas rien!

L'égalisation des pressions s'est déroulée normalement. Trente secondes plus tard, j'étais dehors, sur la surface martienne. Sautant vers l'Habitat – sauter est la manière la plus rapide de se déplacer dans cette pesanteur –, j'ai traversé le champ de débris. La décompression avait vraiment envoyé le contenu de l'abri en tous sens – moi y compris.

Je n'y voyais pas grand-chose, ma visière ayant été remplacée par plusieurs épaisseurs de tissu. Heureusement, mon bras était équipé d'une caméra. La NASA avait découvert que se retourner pour regarder dans une direction quand on était engoncé dans une combinaison pour AEV était fastidieux et chronophage. D'où la présence d'une petite caméra sur le bras droit. Les images sont projetées sur la face intérieure de la visière, ce qui nous permet de regarder des choses en pointant le bras vers elles.

Ma visière de substitution n'étant ni très lisse ni réfléchissante, j'ai dû me contenter d'une image déformée, mais cela ne m'a pas empêché de voir où je mettais les pieds.

Je me suis dirigé avec circonspection vers l'emplacement supposé de la brèche afin de trouver le gros trou par lequel je comptais m'engouffrer dans l'Habitat. Je l'ai trouvé du premier coup. Mon Dieu! quelle déchirure! Réparer ce truc ne va pas être de la tarte.

C'est à ce moment que les défauts de mon plan me sont apparus. Je n'avais qu'un bras pour travailler. Mon bras gauche était collé contre mon flanc, tandis que le moignon vide de ma combinaison ballottait, inutile. J'étais donc contraint de soulever la toile de mon seul bras droit pour progresser sous la toile, ce qui me ralentissait considérablement.

Le chaos le plus total règne sous l'Habitat. Plus rien n'est à sa place. Les tables et les lits ont été déplacés de plusieurs mètres. Les objets plus légers se sont envolés dans tous les sens ; beaucoup se trouvent désormais à l'extérieur. Et tout est recouvert de terre et de plants de pommes de terre arrachés.

Avançant péniblement, je suis allé vérifier si la combinaison de Martinez était là où je l'avais laissée. Oui, elle était toujours là ! Excellente surprise.

Youpi ! ai-je pensé naïvement. *Un problème de réglé !*

Malheureusement, elle se trouvait sous une table plaquée au sol par le poids de la toile. Si j'avais eu mon bras gauche, j'aurais pu la libérer ; avec mon seul bras droit, c'était impossible.

Comme le chronomètre tournait, j'ai détaché le casque, je l'ai posé à côté de moi et, tendant le bras au maximum, j'ai attrapé le kit de réparation, que j'ai jeté dans le casque avant de me relever aussitôt.

J'ai bien failli ne pas arriver au rover à temps… À cause de la baisse de pression, mes oreilles se sont bouchées pendant que le sas du véhicule se remplissait d'une atmosphère délicieuse.

J'ai rampé dans le rover et je me suis écroulé en tentant de reprendre mon souffle.

Me voilà donc de retour dans l'engin. Comme au bon vieux temps de la mission « Sauver Pathfinder ». Et merde. Remarquez, l'odeur est plus supportable, cette fois.

J'imagine que la NASA se fait un sang d'encre à mon sujet. Je suppose qu'ils ont vu le sas se rapprocher lentement de l'Habitat ; ils savent que je suis en vie, mais ils veulent certainement savoir où j'en suis. Il se trouve que c'est ce rover qui communique avec Pathfinder.

J'ai voulu envoyer un message, mais la sonde ne répond pas, ce qui n'est pas étonnant, vu qu'elle est alimentée par l'Habitat, qui est HS. Durant ma brève escapade dehors, j'ai vu que Pathfinder n'avait pas bougé et que les débris ne l'avaient pas atteint. Je suppose qu'il est en bon état. Reste à l'alimenter en électricité.

Quant à ma situation personnelle… Disons que je peux me féliciter d'avoir récupéré le casque. Comme ils sont interchangeables, je peux me débarrasser du mien. Je dois toujours faire avec mon moignon, mais je perdrai moins de pression maintenant que j'ai une visière digne de ce nom. Sans compter que je pourrai me servir de la résine du kit de Martinez pour coller encore mieux le bras coupé de ma combinaison.

Cela attendra, cependant. Je suis éveillé depuis plus de vingt-quatre heures. Comme je ne cours aucun danger immédiat, je vais dormir un peu.

Journal de bord : Sol 121

Après une bonne nuit de sommeil, j'ai travaillé efficacement.

Pour commencer, j'ai appliqué de la résine sur le bras coupé. La première fois, j'avais étalé la colle en couche très fine, et j'en avais utilisé la majeure partie pour le casque. Cette fois-ci, je disposais d'un kit tout entier seulement pour le bras, d'où un résultat parfait.

Ma combinaison n'avait toujours qu'un bras, mais au moins ne fuyait-elle plus.

J'avais perdu presque tout mon air la veille, mais il me restait environ une demi-heure d'O_2. Comme je l'ai dit plus tôt, le corps humain n'a pas besoin de beaucoup d'oxygène ; mon problème, c'était surtout de maintenir une pression suffisante.

Avec le peu de temps dont je disposais, j'ai pu tirer parti du système de remplissage d'urgence du rover, chose que je n'aurais pu faire avec une combinaison non hermétique.

Normalement, l'astronaute est supposé sortir du rover pour son AEV avec des bouteilles pleines et rentrer avant d'être à sec. Le véhicule n'est pas censé faire de longues traversées ni même rouler plus d'une journée d'affilée. En cas d'urgence, toutefois, il est équipé de robinets de remplissage. La place étant limitée à l'intérieur, et les urgences liées à l'air ayant plus de chances de survenir dehors, la NASA avait décidé de monter le système à l'extérieur.

Comme ma combinaison perdait très vite de la pression et que le remplissage est très lent, je n'ai pu faire le plein qu'une fois mon casque abandonné au profit de celui de Martinez. Avec une combinaison qui ne fuyait plus, le remplissage s'est déroulé sans encombre.

Après ce passage à la station-service et après avoir vérifié une nouvelle fois l'intégrité de ma combinaison, je me suis occupé de quelques tâches urgentes. Pour commencer, j'avais absolument besoin de récupérer une combinaison à deux bras.

Je suis donc retourné dans l'Habitat. Cette fois, n'étant pas pressé par le temps, j'ai utilisé une perche pour soulever la table qui m'avait gêné la veille et attraper l'équipement de Martinez, que j'ai ensuite traîné jusqu'au rover.

J'en ai effectué un diagnostic complet, et la combinaison de Martinez est en parfait état de fonctionnement. Enfin ! Elle m'a donné du fil à retordre, mais j'ai réussi à l'avoir.

Demain, je réparerai l'Habitat.

Journal de bord : Sol 122

Ce matin, je me suis imposé une mission importante : écrire « Je suis OK » avec des pierres près du rover, histoire de rassurer la NASA.

Puis je suis retourné dans l'Habitat pour évaluer l'ampleur des dégâts. Ma priorité consistera à remettre la structure d'aplomb et à m'assurer de son étanchéité. Après cela, je réparerai tout ce qui a besoin de l'être.

Normalement, l'Habitat est un dôme constitué d'une toile posée sur des poteaux flexibles et d'un plancher rigide mais pliable qui lui fournit une base plate. Ce qui le maintient debout, c'est la pression intérieure. Sans elle, il s'écroule. Les poteaux sont en bon état. Ils sont éparpillés un peu partout, et certaines fixations sont défaites, mais les redresser ne posera aucun problème.

Le trou laissé par le sas arraché est énorme, mais réparable. J'ai assez de toile et de sceaux adhésifs spéciaux pour cela. Ce sera long et difficile, mais je devrais être capable de reconstruire l'Habitat. Quand j'aurai terminé, je remettrai le courant et réactiverai Pathfinder. Alors la NASA pourra m'aider à rafistoler ce que je n'aurai pas pu réparer par moi-même.

Je ne suis pas du tout inquiet pour tout ça. J'ai un problème beaucoup plus important.

Mon champ est mort.

En l'absence de pression atmosphérique, la majeure partie de mon eau s'est évaporée. Et puis, la température est largement inférieure à zéro. Rien, pas même les bactéries contenues dans mon sol, ne peut survivre à pareille catastrophe. Les plants que je faisais pousser sous les tentes sont morts aussi, car celles-ci étaient reliées à l'Habitat par des conduits qui les alimentaient en air et maintenaient une température convenable. Quand l'Habitat a été soufflé, les tentes ont été dépressurisées elles aussi. Et même si ce n'était pas arrivé, le froid glacial aurait tué mes plants.

La pomme de terre est une espèce éteinte sur Mars.

Tout comme les bactéries du sol. Je ne ferai plus rien pousser sur cette planète.

On avait tout planifié. Mon champ pouvait produire de quoi m'alimenter jusqu'à sol 900. Un cargo était censé me ravitailler vers sol 856, bien avant que j'aie épuisé mes réserves. Mais mon champ n'est plus, et il faut oublier tout cela.

Les rations n'ont sans doute pas été affectées par l'explosion. Quant aux plants les plus vieux, ils sont morts comme les autres, mais leurs pommes de terre restent comestibles. J'étais sur le point de les récolter. La catastrophe est arrivée au bon moment, si l'on peut dire.

Mes rations me permettront de tenir jusqu'à sol 400. Pour les pommes de terre, je ne me prononce pas encore ; je dois d'abord les compter. Rien ne m'empêche toutefois de faire une estimation… J'avais quatre cents plants, multipliés par cinq patates en moyenne, cela donne deux mille patates. Si chacune contient cent cinquante calories, j'ai besoin d'en manger une dizaine par jour pour survivre. Deux mille pommes de terre égale deux cents sols. J'arrive donc à sol 600.

Je serai mort depuis longtemps quand le cargo arrivera avec mon ravitaillement.

Chapitre 15

[08:12] WATNEY : Test.

[08:25] JPL : Vous nous avez fichu une sacrée trouille. Merci pour votre message avec les cailloux. Nous avons analysé les images satellite. Le sas n° 1 s'est complètement détaché ? Quel est votre statut ?

[08:39] WATNEY : Si par « s'est détaché » vous voulez dire qu'il m'a envoyé dans les airs comme un vulgaire boulet de canon, alors, oui. Petite entaille sur le front. Des soucis avec ma combinaison – j'expliquerai plus tard. J'ai rapiécé et repressurisé l'Habitat – les bouteilles de gaz étaient intactes. Je viens de remettre le courant. Mon champ est mort. J'ai récupéré toutes les pommes de terre que j'ai pu et je les ai stockées à l'extérieur. J'en ai compté mille huit cent quarante et une. Soit cent quatre-vingt-quatre jours de nourriture. Si on ajoute à cela les rations restantes, je commencerai à crever de faim vers sol 584.

[08:52] JPL : Oui, nous nous en doutions. Nous cherchons des solutions à votre problème de nourriture. Que pouvez-vous nous dire des systèmes de l'Habitat ?

[09:05] WATNEY : Les réservoirs principaux d'air et d'eau n'ont pas été endommagés. Le rover, les panneaux solaires et Pathfinder non plus. Je lancerai un diagnostic des systèmes de l'Habitat en attendant votre prochain message. Au fait, je parle à qui, là ?

[09:18] JPL : Venkat Kapoor, à Houston. Pasadena relaie mes messages. À partir de maintenant, je serai votre interlocuteur direct. Vérifiez d'abord l'oxygénateur et le recycleur d'eau. Ce sont les éléments les plus importants.

[09:31] WATNEY : Sans déconner ? L'oxygénateur fonctionne parfaitement. Le recycleur d'eau ne marche pas. À mon avis, l'eau a gelé à l'intérieur et fait péter quelques tuyaux. Je suis sûr de pouvoir réparer ça. L'ordinateur principal est aussi en parfait état de fonctionnement. Vous avez des hypothèses sur ce qui a pu causer l'éclatement de l'Habitat ?

[09:44] JPL : Sans doute l'usure de la toile autour du sas n° 1. Les cycles de pressurisation l'ont mise à rude épreuve. À partir de maintenant, alternez entre les sas n° 2 et n° 3 pour vos AEV. Nous allons vous faire parvenir une liste de vérifications à faire pour examiner l'état de la toile.

[09:57] WATNEY : Génial, je vais scruter un mur pendant plusieurs heures d'affilée ! Si vous avez une idée pour que je ne crève pas de faim, tenez-moi au courant.

[10:11] JPL : Pas de problème.

* * *

— Déjà sol 122, annonça Bruce. On a jusqu'à sol 584 pour envoyer un cargo sur Mars. Quatre cent soixante-deux sols, soit quatre cent soixante-quinze jours.

Les chefs de service de JPL froncèrent les sourcils et se frottèrent les yeux.

Bruce se leva.

— Les positions relatives de Mars et de la Terre ne sont pas idéales. Le voyage durera quatre cent quatorze jours. Monter le cargo sur le lanceur et procéder à toutes les inspections d'usage prendra treize jours. Nous n'avons donc que quarante-huit jours pour fabriquer l'appareil.

Des murmures exaspérés emplirent la salle.

— Mon Dieu…, lâcha quelqu'un.

— Ce n'est plus du tout la même histoire, poursuivit Bruce. Notre priorité est la nourriture. Le reste, c'est du luxe. Nous n'avons pas le temps de construire un engin de descente autonome. Ce sera donc un simple contenant protégé. Il n'y aura rien de délicat à l'intérieur. On peut dire adieu à toutes les autres conneries qu'on comptait envoyer.

— D'où va venir le booster ? demanda Norm Toshi, responsable du processus de rentrée dans l'atmosphère.

— D'EagleEye 3, la sonde destinée à Saturne. Elle était censée partir le mois prochain, mais la NASA a ajourné la mission pour nous permettre de récupérer le lanceur.

— J'imagine que l'équipe d'EagleEye est verte, remarqua Norm.

— Sans doute, mais c'est le seul lanceur assez puissant que nous ayons. Ce qui signifie qu'il n'y aura pas de seconde chance. Si nous échouons, Mark Watney mourra. (Il jeta un coup d'œil circulaire sur l'assemblée, lui laissant le temps d'assimiler sa dernière phrase.) Tout n'est pas noir, reprit-il. Pour commencer, on avait déjà préparé pas mal de choses pour les vols des cargos d'Arès 4. On pourra les récupérer, ce qui nous fera gagner du temps. En plus, on n'envoie que de la nourriture, et la nourriture, c'est solide. Même si le cargo rencontre un problème de rentrée dans l'atmosphère, même s'il s'écrase, les rations resteront comestibles. Par ailleurs, nous n'avons même pas besoin d'un atterrissage de précision ; Watney peut parcourir des centaines de kilomètres en cas de besoin. Il faut seulement poser l'engin assez près pour qu'il puisse l'atteindre. Il s'agira donc d'un module standard d'approvisionnement en chute protégée, sauf que nous sommes plus pressés que d'habitude. Je propose que nous nous mettions au travail.

* * *

[08:02] JPL : Nous avons tracé les grandes lignes d'un projet pour vous faire parvenir des vivres. Nous sommes dessus depuis une semaine environ. Le cargo vous parviendra avant que vous mouriez de faim, mais ce sera juste. Il n'y aura que de la nourriture et une radio. On ne peut envoyer d'oxygénateur, de recycleur d'eau ou autres qu'avec un appareil de descente autonome.

[08:16] WATNEY : Pas de souci ! Faites-moi parvenir des vivres, et je serai le plus heureux des campeurs. J'ai remis en route tous les systèmes de l'Habitat. Le recycleur d'eau fonctionne parfaitement maintenant que j'ai remplacé le tuyau percé. Quant à mes réserves d'eau, elles se montent à six cent vingt litres. J'en avais neuf cents :

trois cents pour commencer, plus six cents produits par mes soins avec de l'hydrazine. J'ai perdu trois cents litres par sublimation, mais comme le recycleur marche de nouveau, ce sera suffisant.

[08:31] JPL : Bien. Tenez-nous au courant du moindre problème mécanique ou électronique. Au fait, le cargo que nous allons vous envoyer s'appelle Iris. C'est une déesse grecque qui parcourt les cieux à la vitesse du vent. C'est aussi la déesse des arcs-en-ciel.

[08:47] WATNEY : Je vais être sauvé par un cargo gay. Ça marche.

* * *

Rich Purnell sirotait son café dans le bâtiment silencieux. Il vérifiait une dernière fois le logiciel qu'il avait programmé. C'était parfait. Avec un soupir de soulagement, il s'enfonça dans son fauteuil. Il jeta un coup d'œil à l'horloge de son ordinateur et secoua la tête : 03 h 42.

En tant que spécialiste en astrodynamique, il n'avait pas souvent eu l'occasion de travailler si tard. Sa mission consistait à trouver les orbites exactes et les modifications de trajectoires nécessaires à n'importe quelle mission. Normalement, c'était une des premières étapes de tout projet, les autres étant souvent fondées sur l'orbite, justement.

Mais pas cette fois. Iris avait besoin d'une route orbitale, et personne ne savait encore quand le cargo allait être lancé.

Les planètes se déplacent constamment. Une trajectoire calculée pour un jour particulier ne fonctionnera que ce jour précis. Une journée d'écart, et le cargo pourrait passer à côté de sa cible.

Voilà pourquoi Rich devait calculer de nombreuses trajectoires – vingt-cinq au total, car le départ aurait lieu dans une fenêtre de vingt-cinq jours.

Il commença à écrire un e-mail à son patron :

« Mike, tapa-t-il. Vous trouverez en pièce jointe toutes les trajectoires que j'ai calculées pour Iris. Il faudrait soumettre mes résultats à l'approbation de mes pairs, afin de les officialiser au plus vite. Vous aviez vu juste ; j'y ai presque passé la nuit.

Mais cela n'a pas été très difficile – rien à voir avec les orbites d'*Hermès*. Je sais que les détails mathématiques ne vous intéressent pas, alors permettez-moi de vous résumer mes résultats : il est beaucoup plus difficile de calculer la trajectoire d'un engin tel qu'*Hermès*, doté de moteurs ioniques à la poussée faible et constante, que celle d'un cargo, aux poussées puissantes et ponctuelles.

Les 25 trajectoires prennent 414 jours ; les variations d'angles et de temps de poussée sont minimes. Les besoins en carburant pour la mise en orbite sont quasi identiques et sont largement dans les limites du lanceur d'EagleEye.

C'est vraiment dommage. Mars et la Terre sont très mal positionnées. Merde, il serait presque plus facile de… »

Il s'interrompit.

Il fronça les sourcils, et son regard se perdit dans le lointain.

— Mmh…, fit-il.

Il attrapa sa tasse et s'en fut la remplir dans la salle de repos.

* * *

Teddy examina la salle de conférences bondée. Il était rare de voir tant de responsables de la NASA réunis en un même lieu. Il mit de l'ordre dans les notes qu'il avait préparées et les posa soigneusement devant lui.

— Je sais que vous êtes tous très occupés, commença-t-il. Merci de vous être libérés pour assister à cette réunion. J'ai besoin de savoir où en sont tous les départements impliqués dans le projet Iris. Venkat, commençons par vous.

— L'équipe est prête, répondit celui-ci en regardant le tableur ouvert sur son ordinateur portable. Il y a eu une petite guéguerre entre les équipes de contrôle du ravitaillement d'Arès 3 et Arès 4, mais rien de grave. Les gars d'Arès 3 pensent qu'il leur revient de mener à bien cette mission, car, tant que Watney sera sur Mars, Arès 3 ne sera pas terminée. Ceux d'Arès 4 ont argué que nous avions récupéré leur cargo. J'ai décidé de travailler avec l'équipe d'Arès 3.

— Arès 4 l'a mal pris ?

— Oui, mais ils s'en remettront. Ils ont encore treize missions de ravitaillement à préparer et n'auront pas le temps de bouder longtemps.

— Mitch, que pouvez-vous nous dire sur le lancement ? demanda Teddy au directeur de vol.

— La salle de contrôle est équipée, répondit Mitch en se débarrassant de son oreillette. Je superviserai le décollage, avant de confier le vol et l'atterrissage aux gars de Venkat.

— Et les médias ? s'enquit Teddy en se tournant vers Annie.

— Je parle à la presse tous les jours, expliqua-t-elle en s'adossant à sa chaise. Tout le monde sait que Watney est foutu si nous échouons. L'opinion publique ne s'est pas sentie aussi concernée par la construction d'un vaisseau depuis Apollo 11. *Opération Mark Watney*, sur CNN, bat des records d'audience depuis deux semaines.

— C'est une bonne chose, commenta Teddy. Ça incitera le Congrès à débloquer des fonds d'urgence. (Il regarda un homme qui se tenait debout près de l'entrée.) Maurice, merci d'avoir sauté dans un avion pour nous rejoindre au dernier moment.

Maurice hocha la tête.

Teddy lui fit signe d'approcher et s'adressa à l'assemblée :

— Pour ceux qui ne l'auraient pas reconnu, je vous présente Maurice Stein, de Cape Canaveral. Maurice était censé diriger le lancement d'EagleEye 3, aussi aura-t-il la responsabilité du lancement d'Iris. Désolé d'avoir bouleversé votre emploi du temps.

— Pas de problème, le rassura Maurice. Heureux de pouvoir vous aider.

Teddy retourna la première page de sa pile.

— Comment va notre lanceur ? poursuivit-il.

— Bien pour l'instant, même si la situation n'est pas idéale. EagleEye 3 aurait déjà dû décoller. Les lanceurs ne sont pas censés rester debout pendant de si longues périodes. La force de gravitation n'est pas très bonne pour leur structure. Nous sommes en train d'ajouter des tours de soutien, que nous démonterons juste avant le décollage. C'est plus facile que de coucher la fusée. Par ailleurs, le carburant étant corrosif, nous avons dû vider les réservoirs. En attendant, nous procédons à des vérifications complètes des systèmes tous les trois jours.

— Excellent, merci, dit Teddy, avant de se tourner vers Bruce Ng, qui lui retourna un regard morne injecté de sang. Bruce, je vous remercie également de vous être déplacé. Comment est la météo en Californie, ces derniers temps ?

— Aucune idée. Je ne vois pas la lumière du jour.

Des rires étouffés emplirent la salle pendant quelques secondes.

Teddy tourna une autre page.

— C'est l'heure de la question à un million, Bruce : où en est Iris ?

— On est en retard, répondit Bruce en secouant la tête avec lassitude. On fait aussi vite que possible, mais ce n'est pas assez, semble-t-il.

— Je peux trouver de l'argent, si c'est une question d'heures supplémentaires, proposa Teddy.

— Nous travaillons déjà vingt-quatre heures sur vingt-quatre.

— Qu'entendez-vous par « en retard », au juste ?

Bruce se frotta les yeux et lâcha un soupir.

— On travaille sur le cargo depuis vingt-neuf jours, et il devra être terminé dans dix-neuf jours. Après cela, il faudra compter treize jours pour monter l'engin sur le lanceur. On a au moins deux semaines de retard.

— Vous pensez que ce retard va se stabiliser ? demanda Teddy en prenant des notes. Ou bien va-t-il encore s'aggraver ?

Bruce haussa les épaules.

— Si nous ne rencontrons pas d'autre problème, nous aurons deux semaines de retard. Sauf que nous rencontrons tout le temps des problèmes.

— Donnez-moi un chiffre précis, insista Teddy.

— Quinze jours. Si nous avions quinze jours de plus, je suis certain que nous pourrions terminer dans les temps.

— Bien, dit Teddy en griffonnant sur sa feuille de papier. Il nous reste à trouver ces quinze jours.

Se retournant vers le chirurgien de la mission Arès 3, il demanda :

— Docteur Keller, pouvons-nous diminuer les rations de Watney pour faire durer ses réserves plus longtemps ?

— Désolé, mais non, répondit Keller. Il consomme déjà le minimum du minimum. À vrai dire, vu le travail physique qu'il accomplit, il est déjà sous-alimenté. Et cela va s'aggraver. Bientôt, il n'aura plus que des pommes de terre et des vitamines en pilules. Il économise ses rations protéinées, mais cela ne l'empêchera pas d'être sous-alimenté.

— Combien de temps pourra-t-il survivre sans nourriture ?

— S'il a suffisamment d'eau, peut-être trois semaines. C'est plus court qu'une grève de la faim classique, mais n'oubliez pas qu'il sera amaigri dès le départ.

Venkat leva la main pour attirer leur attention.

— Il faut également garder à l'esprit qu'Iris est un appareil passif et que Watney aura peut-être besoin de conduire pendant plusieurs jours pour le récupérer. J'imagine qu'il sera très difficile pour un mourant de conduire un rover dans ces conditions.

— Vous avez tout à fait raison, acquiesça Keller. Après quatre jours sans manger, il tiendra à peine debout, alors conduire… Par ailleurs, ses facultés mentales déclineront rapidement. Rester éveillé lui demandera déjà de gros efforts.

— On ne peut donc pas reculer la date de l'atterrissage, conclut Teddy. Maurice, pourrez-vous monter Iris sur sa fusée en moins de treize jours ?

Maurice s'adossa contre le mur et se pinça le menton.

— Eh bien… le montage lui-même ne dure que trois jours ; les dix autres sont normalement réservés aux tests et inspections.

— Ceux-ci peuvent-ils être réduits ?

— En travaillant jour et nuit, on pourrait terminer le montage en deux jours. Ce qui inclut le transfert entre Pasadena et Cape Canaveral. Les inspections, en revanche, ne doivent pas être tronquées. Elles sont fondées sur le temps, justement. Nous faisons diverses vérifications à intervalles déterminés afin de nous assurer que rien ne se déforme ni ne se vrille. Si on raccourcit ces intervalles, on invalide les inspections.

— Les tests dont vous nous parlez révèlent-ils souvent des soucis ?

Un silence lourd s'abattit sur la salle.

— Euh…, bafouilla Maurice, est-ce que vous nous suggérez de faire l'impasse sur les inspections ?

— Non, répondit Teddy. Je vous demande simplement si elles révèlent souvent des problèmes.

— Environ une fois sur vingt.

Teddy nota cette information.

— Les problèmes que ces inspections révèlent sont-ils de nature à faire échouer une mission ?

— Je ne sais pas… Dans un cas sur deux, sans doute.

Teddy griffonna encore sur sa feuille de papier.

— Si je comprends bien, si nous nous passions de tests et d'inspections, nous aurions une chance sur quarante de faire échouer notre mission ?

— Cela fait 2,5 % de chances d'échouer, intervint Venkat. Normalement, cela justifie un arrêt du compte à rebours. Nous ne pouvons pas prendre de tels risques.

— *Normalement*, dites-vous, rétorqua Teddy. Nous n'en sommes plus là depuis longtemps. 97,5 %, c'est mieux que zéro, non ? Quelqu'un a-t-il une meilleure idée pour nous faire gagner du temps ? (Il balaya la salle du regard, mais ne rencontra que des visages figés.) Bien, poursuivit-il en entourant quelque chose sur les notes qu'il avait prises. Accélérer le processus de montage et sauter les vérifications d'usage nous fait gagner onze jours. Si Bruce arrive à sortir un lapin de son chapeau et à terminer plus tôt, alors Maurice pourra effectuer quelques tests.

— Il nous manque toujours quatre jours, fit remarquer Venkat.

— Je suis sûr que, même sous-alimenté, Watney pourra se rationner un peu plus, histoire de durer quatre jours de plus, affirma Teddy en se tournant vers le docteur Keller.

— Je..., bredouilla le médecin. Je ne recommanderais pas...

— Excusez-moi, l'interrompit Teddy en se levant et en ajustant son blazer. Sachez que je comprends vos positions respectives. Il y a les procédures, bien sûr. Des procédures qu'il est très risqué de ne pas respecter. Dans notre système, les risques sont synonymes d'ennuis pour vos services. Toutefois, le temps où chacun pense à couvrir ses arrières est révolu. Si nous ne prenons pas ces risques, Watney mourra.

S'adressant à Keller, il ajouta :

— Faites en sorte que ses vivres durent quatre jours de plus.

Le chirurgien hocha la tête.

* * *

— Rich, appela Mike.

Rich Purnell se concentra sur le moniteur de son ordinateur. Son bureau était jonché de sorties papier, de tableaux et d'ouvrages de référence. Il y avait des gobelets vides sur toutes les surfaces et des sachets de repas à emporter sur le sol.

—Rich, répéta Mike un peu plus fort.

—Ouais, répondit l'homme en relevant la tête.

—Que diable faites-vous ?

—Oh ! c'est seulement un petit projet annexe. J'avais quelque chose à vérifier.

—Euh..., d'accord, mais vous devez donner la priorité à la mission qu'on vous a confiée. Cela fait deux semaines que je vous ai demandé ces ajustements de satellites, et vous n'avez encore rien fait.

—J'ai besoin d'un créneau de supercalculateur, rétorqua Rich.

—Vous avez besoin du supercalculateur pour calculer de simples ajustements de satellites ?

—Non, c'est pour l'autre truc sur lequel je suis en train de bosser.

—Rich, sérieusement, vous devez faire votre boulot.

Rich réfléchit pendant quelques instants.

—Vous croyez que je pourrais prendre des vacances ? demanda-t-il.

—Je crois que vous devriez prendre des vacances, lâcha Mike dans un soupir.

—Génial ! Alors je les prends maintenant.

—D'accord, acquiesça Mike. Rentrez chez vous. Reposez-vous un peu.

—Oh ! je ne rentre pas chez moi, dit Rich en retournant à ses calculs.

Mike se frotta les yeux.

—Comme vous voudrez. Et mes orbites de satellites ?...

—Désolé, mais je suis en vacances, répondit Rich sans relever la tête.

Mike haussa les épaules et s'en fut.

* * *

[08:01] WATNEY : Vous en êtes où, dans la préparation de mon petit colis ?

[08:16] JPL : Nous avons pris un peu de retard, mais nous y arriverons. En attendant, nous aimerions que vous retourniez au travail. Nous sommes heureux que l'Habitat soit en bon état.

La maintenance ne vous occupe que pendant douze heures par semaine. Le reste du temps, vous ferez de la recherche et des expériences pour nous.

[08:31] WATNEY : Super ! J'en ai marre de ne rien faire. Vu que je vais passer quelques années ici, autant que je me rende utile.

[08:47] JPL : Nous sommes du même avis. Nous vous ferons parvenir votre emploi du temps dès que l'équipe scientifique l'aura terminé. Il y aura surtout des AEV, des prélèvements d'échantillons géologiques, des tests de sols. Et aussi des tests médicaux hebdomadaires. En toute honnêteté, depuis Opportunity[1], on n'a pas eu une telle occasion de mener nos recherches sur Mars.

[09:02] WATNEY : Opportunity n'est jamais revenu sur Terre.

[09:17] JPL : Désolé. Mauvaise analogie.

* * *

L'usine d'assemblage de vaisseaux spatiaux de JPL, appelée aussi « la salle blanche », était l'endroit peu connu où étaient nés les engins illustres qui avaient participé à l'exploration martienne. Mariner, Viking, Spirit, Opportunity, Curiosity et beaucoup d'autres avaient tous été créés dans cette salle.

Ce jour-là, les lieux bruissaient d'activité, tandis que les techniciens empaquetaient Iris dans l'emballage spécial destiné à son transport.

Ceux qui n'étaient pas de service assistaient aux opérations depuis le pont d'observation. Ils n'avaient pas passé beaucoup de temps chez eux ces deux derniers mois. Un dortoir de fortune avait d'ailleurs été aménagé dans la cafétéria. Un tiers d'entre eux auraient dû être en train de dormir à cette heure-là, mais personne ne voulait manquer ce moment.

Le chef d'équipe serra le dernier boulon. Comme il retirait sa clé de l'écrou, les ingénieurs se mirent à applaudir. Nombre d'entre eux pleuraient.

Après soixante-trois jours d'un travail harassant, Iris était terminé.

---

1. Nom du rover robot de la mission Mars Exploration Rover arrivé sur Mars le 25 janvier 2004 trois semaines après son jumeau, Spirit. Dix ans plus tard, il continue à fonctionner. (*NdT*)

* * *

Annie monta sur le podium et ajusta la position du micro.

— Tout est prêt pour le lancement, annonça-t-elle. Le cargo Iris est terminé. Le décollage est prévu pour 9 h 14. Iris restera en orbite pendant au moins trois heures, au cours desquelles le Centre de contrôle collectera la télémétrie nécessaire à l'injection transmartienne. Après cela, les clés de la mission seront remises à l'équipe qui s'était chargée de l'approvisionnement d'Arès 3. Celle-ci surveillera son bon déroulement pendant les mois à venir. Le cargo mettra quatre cent quatorze jours pour atteindre Mars.

— À propos du chargement, intervint un journaliste. J'ai entendu dire qu'il n'y avait pas seulement des provisions…

— En effet, confirma Annie dans un sourire. Nous avons également autorisé cent grammes d'objets superflus, dirons-nous. Il y a quelques lettres manuscrites envoyées par la famille de Mark, un mot du président et une clé USB pleine de musique de toutes les époques.

— Il y a du disco ? demanda quelqu'un.

— Non, pas de disco, répondit Annie tandis que la salle gloussait.

Cathy Warner, de CNN, prit la parole :

— Si ce lancement devait échouer, y aurait-il une solution de secours ?

— Chaque lancement comprend des risques, expliqua Annie en contournant la question, mais nous sommes confiants. Il fait beau et chaud à Cape Canaveral. Les conditions sont idéales.

— Combien d'argent êtes-vous disposés à dépenser ? demanda un autre journaliste. Des voix se font entendre qui dénoncent le budget de cette opération.

— Ce n'est pas une question d'argent, rétorqua Annie, qui s'était préparée à cette question. Il s'agit de sauver une vie humaine. Toutefois, si vous voulez considérer cette opération sous un angle financier, pensez à la valeur de l'expérience accumulée par Mark Watney. Sa mission prolongée et son combat quotidien nous en apprennent plus sur Mars que toutes les missions Arès réunies.

* * *

— Est-ce que vous croyez en Dieu, Venkat ? s'enquit Mitch.

— Bien sûr. Je crois en de nombreux dieux. Je suis hindou.

— Demandez-leur un coup de pouce pour le décollage.

— Pas de problème.

Mitch s'avança jusqu'à son poste de travail. Les dizaines de contrôleurs s'affairaient, faisant d'ultimes préparatifs.

Il mit son micro-casque sur sa tête et jeta un coup d'œil à l'horloge affichée sur l'écran géant situé à l'avant de la salle. Il alluma son micro et dit :

— Ici le directeur de vol. Lancez les dernières vérifications avant lancement.

— Entendu, Houston, répondit le directeur du contrôle de lancement, en Floride. Le CLCDR[1] vérifie que tout le monde est à son poste et que les systèmes sont opérationnels, émit-il. Dites-moi si vous êtes OK pour le lancement. Talker ?

— OK.

— Timer ?

— OK.

— QAM1 ?

— OK.

Le menton posé sur les paumes des mains, Mitch regardait fixement l'écran central. On y voyait le pas de tir. Entouré d'un nuage de vapeur générée par les systèmes de refroidissement, le lanceur était décoré aux couleurs d'EagleEye 3.

— QAM2 ?

— OK.

— QAM3 ?

— OK.

1. Chief Launch Conductor, en anglais. Le déchiffrement des autres sigles et abréviations utilisés dans le passage qui suit est moins certain mais ils semblent néanmoins correspondre fidèlement aux postes opérationnels de la NASA lors du lancement d'un engin spatial non habité. Voir/écouter la vidéo *Go for Launch Part 1 of 2* : http://www.youtube.com/watch?v=8ojLPdJKO4Q (*NdT*)

Venkat s'appuya contre le mur du fond. Il était administrateur, et son travail était terminé. Il ne pouvait plus que regarder en croisant les doigts. Les yeux rivés sur les moniteurs du mur opposé, il pensait aux chiffres, aux personnes impliquées dans l'opération, à la gestion impossible du personnel travaillant jour et nuit, aux mensonges qu'il avait distillés, aux quasi-crimes qu'il avait commis pour faire fonctionner cette énorme machine. Tout serait justifié si le lancement réussissait.

— FSC ?

— OK.

— Prop 1 ?

— OK.

Teddy était installé dans la salle d'observation VIP située juste derrière. Son autorité lui garantissait toujours la meilleure place : premier rang, au centre. Son attaché-case était posé à ses pieds, et il avait un classeur bleu dans les mains.

— Prop 2 ?

— OK.

— PTO ?

— OK.

Annie Montrose faisait les cent pas dans son bureau voisin de la salle de presse. Les neuf téléviseurs accrochés au mur étaient réglés sur des chaînes différentes, mais montraient la même image : le pas de tir. Un rapide coup d'œil à son ordinateur lui confirma que les médias étrangers étaient au diapason. Le monde entier retenait son souffle.

— ACC ?

— OK.

— LWO ?

— OK.

Bruce Ng était installé dans la cafétéria de JPL en compagnie de centaines d'ingénieurs qui avait sué sang et eau pour qu'Iris soit un succès. Tous ensemble, ils regardaient les images diffusées en direct sur un écran mural. Certains étaient agités, incapables de trouver une position confortable. D'autres se tenaient par la main. Il était 6 h 13 à Pasadena, et pourtant, tout le monde était présent.

— AFLC ?

— OK.

— Guidage ?

— OK.

À des millions de kilomètres de là, l'équipage d'*Hermès* était regroupé autour du poste de travail de Johanssen pour écouter. Le temps de transmission de deux minutes importait peu. Les astronautes ne pouvaient rien faire pour aider ; point n'était donc besoin d'interagir. Johanssen était concentrée sur son moniteur, qui n'affichait pourtant que la puissance du signal audio. Beck se tordait les mains. Vogel était immobile, le regard rivé sur le sol. Martinez pria d'abord en silence, puis se dit qu'il n'avait aucune raison de se cacher. Lewis se tenait à l'écart, les bras croisés sur la poitrine.

— PTC ?

— OK.

— Directeur du véhicule de lancement ?

— OK.

— Houston, ici le contrôle du lancement. Nous sommes OK.

— Entendu, répondit Mitch en regardant le compte à rebours. Ici le directeur de vol. Horaire du lancement respecté.

— Bien compris, Houston. Lancement à l'heure prévue.

Lorsque l'horloge afficha « 00 h 00 min 15 s » arriva le moment que les chaînes de télévision attendaient. La contrôleuse du chronomètre commença le compte à rebours à haute voix.

— Quinze… quatorze… treize… douze… onze…

Des milliers de personnes s'étaient rassemblées à Cape Canaveral ; jamais il n'y avait eu tant de monde pour un vol non habité. Elles écoutaient la voix de la contrôleuse, qui se réverbérait dans les tribunes.

— … dix… neuf… huit… sept…

Rich Purnell, immergé dans ses calculs orbitaux, avait perdu la notion du temps. Il n'avait pas réagi quand ses collègues avaient migré dans la grande salle de réunion où une télévision avait été installée. Une partie de son esprit avait bien remarqué que le bureau était plus calme que d'habitude, mais il n'en avait tiré aucune conclusion.

— … six… cinq… quatre…

— Séquence d'allumage engagée.

—…trois… deux… un…

Les bras se détachèrent, et la fusée s'éleva dans un nuage de fumée et de feu, prenant rapidement de la vitesse. La foule se mit à applaudir.

—… décollage du cargo de ravitaillement Iris, annonça la contrôleuse du chronomètre.

Tandis que le lanceur prenait de l'altitude, Mitch n'avait pas le temps d'assister au spectacle sur l'écran principal.

—Attitude ? demanda-t-il.

—L'attitude est bonne, monsieur le directeur, répondit immédiatement une voix.

—Trajectoire ?

—Trajectoire respectée.

—Altitude : mille mètres, dit quelqu'un.

—Distance de sécurité atteinte, précisa un autre, ce qui signifiait que la fusée pourrait s'abîmer dans l'océan Atlantique sans faire de dégâts en cas d'urgence.

—Altitude : quinze cents mètres.

—Début de la manœuvre de tangage et roulage.

—On a un peu de flottement, monsieur le directeur.

Mitch se tourna vers le directeur de l'ascension.

—Répétez ?

—Léger flottement. Le guidage embarqué parvient à gérer.

—Continuez à surveiller, ordonna Mitch.

—Altitude : deux mille cinq cents mètres.

—Tangage et roulage terminés. Vingt-deux secondes avant la deuxième étape.

* * *

En concevant Iris, JPL avait tenu compte du risque d'atterrissage en catastrophe. Au lieu de sachets-repas conventionnels, la majeure partie des provisions se présentait sous la forme de cubes protéinés qui resteraient comestibles même si Iris ne réussissait pas à déployer ses ballons et frappait le sol à une vitesse phénoménale.

Parce qu'il s'agissait d'une mission non habitée, on ne limita pas l'accélération de la fusée. Le contenu du cargo était capable de supporter des forces auxquelles un être humain ne survivrait pas. La NASA avait testé les effets des accélérations extrêmes sur les cubes de protéines, mais pas ceux des accélérations *et* des vibrations latérales simultanées. Elle l'aurait fait si elle avait eu plus de temps.

Le léger flottement dû à un équilibrage pas tout à fait parfait du carburant secoua violemment la cargaison de la fusée. Monté au sommet de cette dernière, dans le bouclier thermique amovible, Iris tint bon. Contrairement aux cubes de protéines que contenait le cargo.

À un niveau microscopique, les cubes étaient constitués de particules solides en suspension dans une épaisse huile végétale. La taille des particules comestibles comprimées diminua de moitié, tandis que l'huile fut à peine affectée. Cela changea de façon importante le ratio entre le solide et le liquide dans le volume global. Ainsi, l'agrégat se mit à se comporter comme un liquide. Appelé « liquéfaction », ce processus transforma les cubes solides en une boue fluide.

Stockée dans un compartiment tout juste assez grand pour la contenir, la boue comprimée avait à présent la place de clapoter.

Le flottement distribua les forces de façon irrégulière, poussant la bouillie de protéines vers une extrémité du compartiment. Ce déplacement de la cargaison ne fit qu'aggraver les choses, et le flottement devint plus prononcé.

* * *

— Le flottement devient violent, annonça le responsable de l'ascension.

— Violent comment ? demanda Mitch.

— Un peu trop violent à notre goût. Mais les accéléromètres en ont tenu compte en déplaçant le centre de la masse. L'ordinateur de guidage ajuste la poussée des moteurs pour s'adapter. On est toujours OK.

— Tenez-moi au courant.

— Plus que treize secondes avant la séparation.

Le déplacement imprévu de la cargaison n'avait pas causé de désastre. Les systèmes avaient été créés pour fonctionner dans les pires conditions, et tous remplirent admirablement leur fonction. Le lanceur poursuivit son ascension en ajustant très peu et automatiquement sa trajectoire grâce à des logiciels très sophistiqués.

Les moteurs du premier étage brûlèrent ce qui leur restait de carburant, et la fusée continua de monter pendant une fraction de seconde grâce à son élan, tandis qu'explosaient les boulons qui retenaient l'étage vide. Celui-ci se décrocha, comme les moteurs du deuxième étage se préparaient à prendre le relais.

Les forces brutales avaient disparu. La boue de protéine flottait librement dans son container. Il lui aurait suffi de deux secondes pour recouvrer son volume initial et se solidifier. Elle n'eut droit qu'à un quart de seconde.

Comme démarrait la seconde étape de l'ascension, le lanceur fut de nouveau soumis à des forces colossales. N'étant plus freiné par le poids mort du premier étage, l'appareil subit une violente accélération. Les trois cents kilogrammes de boue furent plaqués contre le fond de leur container, l'impact se concentrant sur le bord d'Iris, où les vivres n'auraient jamais dû se trouver.

Le cargo était maintenu en place par cinq gros boulons, mais un seul d'entre eux encaissa la totalité du choc. Ils étaient certes conçus pour supporter des forces immenses ; un boulon était normalement capable de maintenir en place la totalité de la cargaison. Cependant, ils n'auraient jamais dû être la cible d'une masse de trois cents kilogrammes lancée à grande vitesse.

Le boulon se détacha, et le poids fut réparti entre les quatre boulons restants. L'impact ayant déjà eu lieu, leur travail fut beaucoup plus facile que celui de leur camarade tombé.

Si les employés du pas de tir avaient eu le temps de procéder aux vérifications d'usage, ils auraient sans doute remarqué le boulon défectueux. Le défaut qui l'affaiblissait était minime et n'aurait sans doute pas eu de conséquences dans le cadre d'une mission ordinaire. Ce qui n'aurait pas empêché les inspecteurs de le remplacer.

Le poids du chargement déséquilibré n'était pas équitablement réparti entre les quatre points de fixation, le boulon défectueux supportant le gros des forces en jeu. Il ne mit pas longtemps à céder, lui aussi. Dès lors, les trois autres lâchèrent successivement.

Iris glissa dans son enveloppe protectrice et heurta violemment la coque.

* * *

— Waouh ! s'exclama le responsable de l'ascension. Monsieur le directeur, nous avons une grosse précession !

— Quoi ? lâcha Mitch tandis que des alarmes se mettaient à sonner et que des lumières clignotaient sur les consoles.

— Iris encaisse sept *g*, annonça quelqu'un.

— Perte du signal par intermittence, enchérit quelqu'un d'autre.

— Ascension, que se passe-t-il ? demanda Mitch.

— C'est le chaos. Il tourne le long de son axe avec une précession de dix-sept degrés.

— Beaucoup ?

— Au moins cinq révolutions par seconde. Et il sort de sa trajectoire.

— Pouvez-vous le mettre sur orbite ?

— Je ne peux même pas lui parler. Le signal ne cesse d'être coupé.

— Com ? s'écria Mitch à l'intention du directeur des communications.

— On y travaille. Il y a un souci avec le système embarqué.

— Le cargo encaisse un maximum de *g*.

— D'après la télémétrie, le lanceur se situe deux cents mètres en dessous de la trajectoire prévue.

— Nous ne recevons plus aucune donnée du cargo, monsieur le directeur.

— Aucune ? demanda Mitch.

— Affirmatif. Le lanceur nous répond par intermittence, mais le cargo plus du tout.

— Merde. Il a dû se détacher de son enveloppe.

— Le lanceur tourne comme une toupie, monsieur le directeur.

— Peut-il être mis en orbite ? Même en orbite très basse ? Nous pourrions…

— Perte du signal.

— PDS ici aussi.

— *Idem* chez nous.

Tout le monde se tut. Seules les alarmes emplissaient le silence. Après un moment, Mitch demanda :

— On peut le rétablir ?

— Aucune chance, répondit le responsable des communications.

— Sol ?

— Ici le contrôleur au sol. Le véhicule n'était plus à portée visuelle au moment de la défaillance.

— SatCon ?

— Aucun satellite n'a acquis le signal.

Mitch se tourna vers l'écran principal. Il était tout noir et n'affichait que trois caractères : PDS.

— Monsieur le directeur, dit une voix dans la radio. Le destroyer *Stockton* nous informe que des débris tombent du ciel. La zone concernée correspond à la dernière position connue d'Iris.

Mitch se prit la tête à deux mains.

— Entendu…

Puis, il ajouta ces mots qui faisaient frissonner tous les directeurs de vol de la NASA :

— Contrôleur au sol, ici le directeur du vol. Fermez les portes.

C'était le signal pour mettre en branle la procédure postéchec.

Depuis le balcon d'observation VIP, Teddy regardait la salle plongée dans l'abattement le plus total. Il inspira profondément, puis expira longuement. Il posa des yeux malheureux sur le classeur bleu qui contenait le discours enthousiaste qu'il avait préparé pour féliciter la NASA de ce lancement parfait. Il le rangea dans sa mallette, d'où il sortit son classeur rouge, celui qui contenait *l'autre* discours.

* * *

Venkat regardait le centre spatial par la fenêtre de son bureau. Un centre spatial qui, bien que possédant un savoir-faire sans pareil, avait échoué à mettre le cargo en orbite.

Son téléphone portable sonna. Sa femme, encore. Elle s'inquiétait pour lui. Elle lui laisserait un message. Il ne se sentait pas capable de l'affronter. Ni elle ni personne.

Son ordinateur tinta. Il jeta un coup d'œil au moniteur : un e-mail de JPL. Un message relayé par Pathfinder :

[16:03] WATNEY : Comment s'est passé le lancement ?

Chapitre 16

Martinez :

Le docteur Shields dit que j'ai besoin d'écrire un message personnel à chaque membre d'équipage. Elle pense que cela m'aidera à ne pas me sentir exclu du reste de l'humanité. M'est avis que ce sont des conneries, mais bon, un ordre est un ordre.

Avec vous, je peux me permettre d'être direct :

Si je meurs, j'aimerais que vous vous occupiez de mes parents. Ils auront envie qu'on leur raconte ce qu'on a fait tous ensemble sur Mars, et j'aimerais que vous vous en chargiez.

Parler à des parents de leur fils décédé ne sera pas facile. Je vous demande beaucoup, mais c'est parce que c'est vous. Je pourrais vous dire que vous êtes mon meilleur ami dans la bande, mais ce serait craignos.

Je ne baisse pas les bras ; je me prépare à toute éventualité. Je fais cela depuis le début.

* * *

Guo Ming, directeur de l'Administration spatiale nationale chinoise, examina l'énorme pile de documents qui trônait sur son bureau. Dans le temps, quand la Chine voulait lancer une fusée, eh bien, elle le faisait. Désormais, des tas d'accords internationaux la contraignaient à tenir les autres au courant.

Des accords qui ne contraignaient pas les États-Unis, nota Guo Ming, mais, pour être tout à fait honnête, les Américains annonçaient leur programme de lancements longtemps à l'avance, ce qui revenait au même.

Il remplit donc les formulaires à sa manière, subtile, révélant la date du lancement et la trajectoire du lanceur, mais dissimulant les « secrets d'État ». Il eut un sourire en coin et renifla de mépris.

— Ridicule, marmonna-t-il.

Taiyang Shen n'avait aucune valeur stratégique ou militaire. C'était une sonde non habitée qui resterait moins de deux jours en orbite autour de la Terre. Après cela, elle filerait entre Mercure et Vénus pour aller se placer en orbite autour du soleil. Taiyang Shen serait la première sonde d'héliologie chinoise à orbiter autour de l'astre du jour.

Toutefois, le Conseil d'État insistait pour que toutes les missions soient entourées du plus grand secret, même celles qui n'avaient rien à cacher, et ce afin d'interdire aux autres nations de déduire quels lanceurs embarquaient des cargaisons réellement classées.

Quelqu'un frappa à la porte, l'interrompant dans son travail.

— Entrez, dit Guo, heureux de pouvoir penser à autre chose.

— Bonsoir, monsieur, commença le sous-directeur Zhu Tao.

— Bienvenue, Tao. Alors, enfin de retour ?

— Merci, monsieur. Pékin m'avait manqué.

— Comment s'est passé votre séjour à Jiuquan ? Vous n'aviez pas trop froid, j'espère ? Je n'ai jamais compris pourquoi nous avions choisi d'installer notre complexe de lancement au cœur du désert de Gobi.

— J'avais froid, mais c'était supportable, répondit Zhu Tao.

— Où en sont les préparatifs ?

— Je suis heureux de pouvoir vous annoncer que nous sommes dans les temps.

— Excellent, approuva Guo dans un sourire.

Zhu Tao s'assit en silence et regarda son patron.

Guo Ming attendit patiemment que son subalterne reprenne la parole, mais celui-ci resta muet. Et pourtant, il ne donnait pas non plus l'impression de vouloir partir.

— Vous avez quelque chose à ajouter ? demanda Guo Ming.

— Mmh… vous devez avoir entendu parler du cargo Iris ?

— Bien sûr, acquiesça Guo en plissant le front. C'est terrible. Ce pauvre homme va mourir de faim.

— Possible. Mais ce n'est pas sûr.

Guo Ming s'adossa contre son fauteuil.

— Qu'est-ce que vous racontez ?

— Je parle du lanceur de Taiyang Shen. Nos ingénieurs ont refait tous les calculs, et il transporte assez de carburant pour une injection en orbite martienne. Il pourrait y arriver en quatre cent dix-neuf jours.

— Vous rigolez ?

— M'avez-vous déjà vu « rigoler », monsieur ?

Guo Ming se leva et se pinça le menton.

— Nous pourrions vraiment envoyer Taiyang Shen sur Mars ?

— Non, monsieur, la sonde est bien trop lourde. Son énorme bouclier thermique fait d'elle la sonde la plus lourde que nous ayons jamais construite. C'est la raison pour laquelle le lanceur est si puissant. Un chargement plus léger, toutefois, pourrait atteindre Mars.

— Quelle masse pourrions-nous envoyer ?

— Neuf cent quarante et un kilogrammes, monsieur.

— Mmh… Avec ça, la NASA aurait largement de quoi faire, j'imagine. Pourquoi ne nous a-t-elle pas contactés ?

— Parce qu'elle n'est pas au courant, monsieur. Les informations relatives à la technologie de nos lanceurs sont classées. Le ministère de la Sûreté de l'État fait même courir des rumeurs complètement fausses concernant nos capacités réelles. Et ce pour des raisons évidentes.

— Donc, la NASA ne sait pas que nous pouvons l'aider. Si nous décidions de ne pas le faire, personne n'en saurait jamais rien.

— C'est exact, monsieur.

— Imaginons un instant que nous voulions les aider, que se passerait-il ?

— Ce serait une course contre la montre. Vu la durée d'un tel voyage et les vivres dont dispose leur astronaute, le cargo devrait partir dans le mois qui vient. Et même alors, Watney souffrirait de la faim en attendant son arrivée.

— C'est exactement la période durant laquelle nous comptions lancer Taiyang Shen.

— Oui, monsieur. Il leur a fallu deux mois pour construire Iris. Dans la précipitation, comme l'atteste leur échec.

— C'est leur problème, rétorqua Guo Ming. De notre côté, nous fournirions le lanceur. Il partirait de Jiuquan, bien sûr ; on ne peut pas transporter une fusée de huit cents tonnes en Floride.

— Les Américains nous rembourseraient le lanceur, évidemment. Et puis, le Conseil d'État exigerait probablement une faveur politique de la part du gouvernement des États-Unis.

— Un remboursement ne rimerait à rien. Il s'agit d'un projet très coûteux, et le Conseil d'État n'a cessé de nous casser les pieds depuis le début. Si on lui remboursait le prix de ce lanceur, il garderait l'argent et ne nous demanderait certainement pas d'en construire un autre. (Il joignit les mains derrière son dos.) Si les Américains sont sentimentaux, leur gouvernement ne l'est pas. Le département d'État américain ne céderait rien de majeur en échange d'une vie humaine.

— Alors c'est sans espoir ? demanda Zhu Tao.

— Non, ce serait simplement difficile, le corrigea Guo Ming. Si nous laissons faire les diplomates, nous n'arriverons jamais à rien. Nous devrons rester entre scientifiques. Parler d'agence spatiale à agence spatiale. Je vais dégotter un interprète et appeler l'administrateur de la NASA. Nous élaborerons un accord et le soumettrons à nos gouvernements respectifs quand il n'y aura plus rien à négocier.

— Que peuvent-ils nous proposer ? Nous sacrifierions un lanceur et ferions une croix sur Taiyang Shen…

Guo Ming sourit.

— Ils nous donneront quelque chose que nous ne pouvons pas obtenir sans eux.

— C'est-à-dire ?

— Ils enverront un astronaute chinois sur Mars.

Zhu Tao se leva et sourit à son tour.

— Mais bien sûr ! L'équipage d'Arès 5 n'a pas encore été sélectionné. Nous insisterons pour que l'un des nôtres soit du voyage. Un homme que nous aurons choisi et entraîné. La NASA et le département d'État américain accepteront sans doute nos conditions, mais notre Conseil d'État ?…

Guo Ming eut un sourire satisfait.

— Venir publiquement au secours des Américains ? Envoyer un astronaute chinois sur Mars ? Montrer au monde que la Chine est l'égale de l'Amérique dans l'espace ? Nos conseillers d'État vendraient père et mère pour cela.

* * *

Le téléphone collé contre l'oreille, Teddy écoutait ce que la voix, à l'autre bout du fil, avait à lui dire. Son interlocuteur se tut, attendant une réponse.

Les yeux dans le vague, Teddy tenta d'assimiler ce qu'il venait d'entendre.

Puis, après quelques secondes, il répondit :

— Oui.

* * *

Johanssen :

Votre poster s'est plus vendu que tous les nôtres réunis. Vous êtes la bombe qui est allée sur Mars. Vous êtes affichée dans des chambres d'étudiant aux quatre coins du monde.

Un mystère demeure. Comment peut-on être une geek avec un physique pareil ? Parce que vous en êtes une belle, de geek. On m'a demandé de bidouiller l'ordinateur du rover pour lui permettre de communiquer avec Pathfinder et... putain ! Et j'avais la NASA derrière moi pour me guider dans toutes les étapes !

Vous devriez essayer d'être plus cool. Portez des lunettes noires et un blouson en cuir. Et un couteau à cran d'arrêt. Les botanistes sont cool, par exemple. Inspirez-vous de moi.

Vous saviez que le commandant Lewis nous avait parlé de vous, à nous, les hommes ? Si l'un d'entre nous avait essayé de vous draguer, elle l'aurait immédiatement viré à coups de pied dans le cul. Après une vie à commander des marins, on ne la lui fait pas, à Lewis.

Bref, vous êtes une geek. Attendez-vous à un bon tire-slip la prochaine fois que nous nous verrons.

* * *

— Bien, nous voici de nouveau réunis, dit Bruce aux chefs de département de JPL. Vous avez tous entendu parler de Taiyang Shen, donc vous savez tous que, grâce à nos amis chinois, nous avons une seconde chance. Mais cette fois-ci, ce sera plus dur.

» Taiyang Shen sera prêt à décoller dans vingt-huit jours. S'il part à temps, notre chargement arrivera sur Mars vers sol 624, soit six semaines après que Watney aura épuisé ses réserves de vivres. La NASA est en train d'essayer de trouver un moyen de les faire durer plus longtemps.

» On est déjà entrés dans l'histoire en préparant Iris en seulement soixante-trois jours. Maintenant, il faut recommencer, mais en seulement vingt-huit jours.

Il jeta un regard circulaire sur les visages incrédules de ceux qui l'entouraient.

— On va devoir construire ce cargo à l'arrache, et il n'y a qu'une façon de le terminer à temps : nous passer de système d'atterrissage.

— Hein ! pardon ? bafouilla Jack Trevor.

Bruce hocha la tête.

— Vous m'avez bien compris. Pas de système d'atterrissage. Il faudra un système de guidage pour les ajustements nécessaires à la rentrée dans l'atmosphère, mais après cela, le cargo s'écrasera.

— C'est stupide ! protesta Jack. Le cargo frappera le sol à une vitesse ahurissante !

— Ouais, confirma Bruce. Même si l'atmosphère le freine de manière idéale, il foncera vers le sol à trois cents mètres par seconde.

— Que fera Watney d'un cargo pulvérisé ? demanda Jack.

— À condition qu'elles ne brûlent pas en chemin, les provisions resteront comestibles. (Bruce se tourna vers son tableau blanc et commença à dessiner un organigramme.) Je veux deux équipes. L'équipe un se chargera de la coque externe, du système de guidage et des propulseurs. Tout ce dont nous avons besoin, c'est qu'elle arrive jusqu'à Mars. Je veux les systèmes les plus fiables possible. Des gaz aérosols propulsifs seraient parfaits. Et puis, il faut une radio à grand gain afin que nous puissions lui parler, et aussi un logiciel de navigation satellite standard.

» L'équipe deux s'occupera de la cargaison. Elle devra trouver un moyen de contenir la nourriture au moment de l'impact. Des barres protéinées frappant le sol à trois cents mètres par seconde ne feraient qu'assaisonner le sable martien. Nous devons trouver une solution pour qu'elles soient toujours comestibles après l'impact.

» Notre poids total ne devra pas excéder neuf cent quarante et un kilogrammes, dont au moins trois cents de vivres. Je crois qu'il est temps de s'y mettre.

* * *

— Euh, docteur Kapoor ? appela Rich en passant la tête dans l'embrasure de la porte. Vous avez une minute ?

Venkat lui fit signe d'entrer.

— Vous êtes… ?

— Rich, Rich Purnell, répondit-il en se faufilant dans la pièce, une liasse désorganisée de feuilles de papier dans les bras. Du département d'astrodynamique.

— Enchanté. Que puis-je faire pour vous, Rich ?

— J'ai eu une idée, il y a pas mal de temps déjà. J'ai passé beaucoup de temps dessus. (Il laissa tomber sa liasse sur le bureau de Venkat.) Attendez, je vais vous trouver le résumé…

Venkat considéra d'un air défait sa table de travail autrefois immaculée, et désormais jonchée de dizaines et de dizaines de sorties papier.

— Ah ! nous y voilà, s'écria Rich, triomphant, en brandissant un document. (Sa mine s'assombrit soudain.) Non, ce n'est pas ça…

— Et si vous me disiez plutôt de quoi il s'agit ? proposa Venkat.

Rich regarda ses feuilles éparpillées et lâcha un soupir.

— J'avais préparé un super résumé…

— Un résumé de quoi ?

— De la manière dont on peut sauver Mark Watney.

— Une opération est déjà en cours. Ce sera une tentative désespérée, mais…

— Vous parlez de Taiyang Shen ? gloussa Rich. Ça ne marchera pas. On ne peut pas fabriquer un cargo martien en moins d'un mois.

— En tout cas, on est bien décidés à essayer, rétorqua Venkat, une pointe d'exaspération dans la voix.

— Oh ! je vous prie de m'excuser. Ai-je été maladroit ? demanda Rich. Je suis nul en relations humaines. Il m'arrive d'être maladroit. Il faudrait que les gens hésitent moins à me le faire remarquer. De toute façon, on a besoin de Taiyang Shen. Mon idée ne fonctionnera pas sans le lanceur. Mais un cargo martien ? Pfff! n'importe quoi !

— D'accord, le coupa Venkat. Dites-moi tout.

Rich attrapa une feuille de papier sur le bureau.

— Ah ! le voilà, lança-t-il en la tendant à Venkat avec un sourire espiègle.

Venkat prit le résumé et le survola. Et plus il lisait, plus il écarquillait les yeux.

— Vous êtes sûr ? s'étonna-t-il.

— Absolument ! s'enthousiasma Rich.

— En avez-vous parlé à quelqu'un d'autre ?

— À qui aurais-je pu en parler ?

— Je ne sais pas… Des amis ?

— Je n'en ai pas.

— Bien. Gardez ça sous votre chapeau.

— Je ne porte pas de chapeau.

— C'est une expression.

— Ah bon ? Complètement débile, votre expression.

— Rich, vous êtes maladroit.

— Ah… Merci.

* * *

Vogel :

Être votre assistant n'a pas que des bons côtés.

Les gars de la NASA ne sont pas bien futés. Pour eux, la chimie ou la botanique, c'est du pareil au même. Voilà pourquoi je me suis retrouvé à vous aider.

Vous vous rappelez la fois où ils vous ont obligé à m'expliquer vos expériences ? pendant une journée entière ? Et en plein milieu d'un stage de préparation très intensif. Peut-être avez-vous oublié...
Vous avez commencé ma formation en m'offrant une bière. Pour le petit déjeuner. Les Allemands sont vraiment géniaux.
Enfin bref, comme j'ai du temps à tuer, la NASA m'a confié une montagne de boulot. Et toutes vos conneries de chimiste sont sur la liste. Je me retrouve donc à faire plein d'expériences emmerdantes avec des tubes à essai, des échantillons de sol, des histoires de pH... Zzzzzzzzzzz...
Mon existence n'est donc plus qu'un combat désespéré pour survivre... un combat parsemé de titrages occasionnels.
Franchement, je vous suspecte d'être le super-vilain de cette aventure. Vous êtes chimiste, vous avez un accent allemand, une base sur Mars... Plus aucun doute n'est permis.

* * *

— Qu'est-ce que c'est que ce « Projet Elrond » ? s'emporta Annie.

— Il fallait bien trouver quelque chose, se défendit Venkat.

— Alors vous avez tout de suite pensé à « Elrond »..., insista Annie.

— Parce que c'est une réunion secrète ? demanda Mitch. L'e-mail disait que je ne devais même pas en parler à mon assistante.

— Je vous expliquerai tout dès que Teddy sera là, répondit Venkat.

— « Elrond » signifie « réunion secrète » ? s'enquit Annie.

— On va prendre une décision très importante ? proposa Bruce Ng.

— Exactement, acquiesça Venkat.

— Comment avez-vous deviné ? s'énerva Annie.

— Elrond, dit Bruce. Le Conseil d'Elrond, dans *Le Seigneur des anneaux*. C'est la réunion au cours de laquelle ils décident de détruire l'Anneau unique.

— Mon Dieu, soupira Annie. Aucun d'entre vous n'a eu de copine au lycée, hein ?

— Bonjour, lança Teddy en s'asseyant et en posant les mains à plat sur la table. Quelqu'un sait pourquoi on est là ?

— Attendez…, s'étonna Mitch. Teddy non plus ne sait pas ?

Venkat prit une profonde inspiration.

— Un de nos spécialistes en astrodynamique, un certain Rich Purnell, a trouvé un moyen de renvoyer *Hermès* vers Mars. D'après ses calculs, le vaisseau pourrait atteindre la planète rouge vers sol 549.

Le silence.

— Vous vous foutez de notre gueule ? demanda Annie.

— Sol 549 ? répéta Bruce. Comment est-ce possible ? Même Iris n'aurait pas pu arriver avant sol 588.

— Iris n'aurait allumé ses moteurs que par intermittence, expliqua Venkat. Les moteurs ioniques d'*Hermès* fonctionnent constamment, et le vaisseau accélère sans cesse. À ce stade, il vole très, très vite. Il va d'ailleurs devoir ralentir pendant un mois avant d'arriver à la maison.

— Waouh… ! fit Mitch en se frottant l'arrière de la tête. Sol 549. Trente-cinq sols avant que Watney se retrouve à court de nourriture. Ça réglerait tous nos problèmes.

— Racontez-nous tout, Venkat, dit Teddy en se penchant en avant. Qu'est-ce que cela impliquerait ?

— Eh bien, pour mettre en pratique cette manœuvre dite « de Rich Purnell », le vaisseau devra reprendre son accélération dès que possible pour préserver sa vélocité et gagner encore de la vitesse. Il n'intercepterait pas la Terre, mais passerait suffisamment près pour utiliser sa force gravitationnelle afin d'ajuster sa trajectoire. Au passage, il attraperait un cargo rempli de vivres pour la suite du voyage.

» Après cela, l'accélération orbitale le projetterait vers Mars, et il arriverait vers sol 549. Comme je vous l'ai dit, *Hermès* ne ferait que survoler la planète. Cela n'aurait rien à voir avec une mission Arès. Sa vitesse serait trop importante pour une mise en orbite, et la suite de la manœuvre le ramènerait à la maison deux cent onze jours plus tard.

— À quoi bon survoler la planète ? s'enquit Bruce. Ils ne pourraient même pas descendre pour récupérer Mark.

— Ouais…, lui concéda Venkat. Maintenant, la partie la plus délicate du plan… Watney devrait se débrouiller pour atteindre le VAM de la mission Arès 4.

— Schiaparelli ? lança Mitch, ahuri. Mais c'est à plus de trois mille kilomètres !

— Trois mille deux cent trente-cinq kilomètres, pour être exact. Ce n'est pas complètement impossible. Il est allé récupérer Pathfinder ; avec le retour, ça fait plus de quinze cents kilomètres.

— Oui, mais le terrain était plat et désertique, fit remarquer Bruce. Pour aller à Schiaparelli…

— Nous savons bien que ce serait très difficile, le coupa Venkat. Et dangereux. Mais nous avons de nombreux scientifiques de haut niveau qui l'aideraient à tirer le meilleur de son rover. Et puis, il faudrait modifier le VAM.

— Pour quoi faire ? s'étonna Mitch.

— Le VAM a été conçu pour atteindre une orbite basse. Pour avoir des chances de croiser la route d'*Hermès*, qui ne ferait que contourner la planète, le VAM devrait échapper totalement à la gravitation martienne.

— Mais comment ? demanda Mitch.

— Cela impliquerait de l'alléger. De l'alléger *énormément*. Si nous décidions de nous lancer dans ce projet, je pourrais remplir des salles entières de spécialistes qui travailleraient sur cette question.

— Plus tôt, vous avez mentionné un cargo de ravitaillement pour *Hermès*, intervint Teddy. Nous avons cette capacité ?

— Oui, grâce à Taiyang Shen. Le cargo et le vaisseau se rencontreraient au-dessus de la Terre. Ce serait beaucoup plus facile que d'envoyer le cargo jusqu'à Mars.

— Je vois. Nous avons donc deux options : envoyer à Watney de quoi attendre l'arrivée d'Arès 4, ou bien renvoyer *Hermès* le récupérer. Dans tous les cas, nous ne pouvons pas nous passer de Taiyang Shen. Maintenant, il faut choisir.

— En effet, confirma Venkat. Nous devons choisir l'une de ces deux options.

Ils prirent le temps de réfléchir.

— Et l'équipage d'*Hermès* ? finit par demander Annie, brisant le silence. Cela ne les dérangerait pas de prolonger leur mission de… (elle fit un rapide calcul dans sa tête)… cinq cent trente-trois jours ?

— Ils n'hésiteraient pas une minute, répondit Mitch. Pas une seconde. C'est pour ça que Venkat nous a tous convoqués, ajouta-t-il en lançant un regard noir à celui-ci. Il veut que nous décidions pour eux.

— Exactement, confirma Venkat.

— C'est le commandant Lewis qui devrait décider…

— Inutile de lui poser la question. C'est à nous de prendre cette décision, et c'est une question de vie ou de mort.

— Elle commande cette mission, contra Mitch. Les questions de vie ou de mort font partie de son putain de boulot !

— Du calme, Mitch, intervint Teddy.

— C'est des conneries ! Vous n'avez jamais hésité à vous foutre de la gueule de cet équipage. Vous ne leur avez pas dit que Watney était en vie ; et maintenant, vous refusez de leur dire qu'il existe un moyen de le sauver.

— Nous avons déjà un moyen de le garder en vie, rétorqua Teddy. Nous en évoquons seulement un autre.

— Le cargo qui s'écrase sur Mars ? vociféra Mitch. Quelqu'un croit-il vraiment que ça peut marcher ? Vraiment, je veux dire ?

— Très bien, Mitch, reprit Teddy. Vous avez exprimé votre opinion, et nous l'avons entendue. Poursuivons. (Il se tourna vers Venkat.) *Hermès* peut-il fonctionner pendant cinq cent trente-trois jours supplémentaires ?

— Il n'y a pas de raison. L'équipage aura peut-être à réparer quelques trucs par-ci par-là, mais il est entraîné à cela. N'oubliez pas qu'*Hermès* a été construit pour assurer les cinq missions Arès. Il n'en est qu'à la moitié de sa vie.

— C'est le vaisseau le plus onéreux jamais construit, fit remarquer Teddy. Nous ne pourrons pas en faire un autre. Si quelque chose tournait mal, l'équipage mourrait, et le programme Arès avec.

— Perdre l'équipage serait un désastre, lui concéda Venkat, mais nous ne perdrions pas le vaisseau. Nous pouvons le piloter à distance. Tant que le réacteur et les moteurs ioniques fonctionneront, on pourra le ramener à la maison.

— Le voyage spatial est une aventure dangereuse, dit Mitch. Il n'y a pas de solution plus sûre qu'une autre.

— Je ne suis pas d'accord, le coupa Teddy. Nous devons justement discuter de la solution la plus sûre. Et du nombre de vies qui sont en jeu.

Les deux plans sont tirés par les cheveux ; toutefois la mission sur laquelle nous travaillons aujourd'hui, si elle échoue, ne risque de coûter que la vie d'un seul homme, tandis que la manœuvre proposée par Rich Purnell implique six personnes.

—Il faut aussi considérer l'ampleur du risque encouru, le corrigea Venkat. Mitch a raison. L'idée d'un cargo plein de provisions s'écrasant sur Mars est en soi très audacieuse. L'engin pourrait manquer la planète, rater son entrée dans l'atmosphère et brûler, s'écraser trop violemment et détruire les vivres… Nous estimons les chances de succès à trente pour cent.

—Vous pensez qu'un rendez-vous à proximité de la Terre est plus faisable ? demanda Teddy.

—Absolument, acquiesça Venkat. Avec des délais de transmission inférieurs à une seconde, nous pouvons contrôler le cargo depuis la Terre, plutôt que de nous fier à des systèmes automatisés. Et quand il faudra amarrer l'engin au vaisseau, Martinez sera en mesure de le piloter sans aucune latence. *Hermès* a un équipage humain capable de réagir en cas d'imprévu. Et puis, il n'y aura plus d'entrée dans l'atmosphère à prévoir, plus de risque de voir les vivres détruits dans un atterrissage trop violent.

—Si je comprends bien, intervint Bruce, nous avons le choix entre un grand risque de tuer une personne et un petit risque d'en tuer six ? Comment prendre une décision pareille ?

—On en discute, et on laisse le dernier mot à Teddy, répondit Venkat. Je ne vois pas ce qu'on peut faire d'autre.

—On pourrait laisser Lewis…, commença Mitch.

—Oui, à part ça, l'interrompit Venkat.

—J'ai une question, dit Annie. Qu'est-ce que je fais ici, au juste ? Qu'est-ce que je fais dans cette réunion de geeks ?

—Nous avons besoin de vous dans la boucle, expliqua Venkat. Nous n'allons pas prendre notre décision tout de suite, mais nous renseigner chacun de notre côté. Si des infos viennent à fuiter, vous devrez savoir comment répondre à certaines questions.

—Combien de temps avons-nous pour décider ? demanda Teddy.

—La fenêtre pour commencer la manœuvre avec *Hermès* se refermera dans trente-neuf heures.

— Bien. Écoutez-moi tous : toutes les discussions devront avoir lieu face à face ou par téléphone, pas par e-mails. Ne parlez à personne de ce projet. *Personne.* On n'a pas besoin que l'opinion publique nous pousse à nous lancer dans un projet risqué et désespéré.

* * *

Beck :

Eh ! mec, ça roule ?

Vu que je suis dans une situation pour le moins délicate, je ne suis plus forcé de me plier aux règles sociales. Je peux être honnête avec tout le monde.

Je peux donc vous dire honnêtement ce que je pense... Sans déconner, Beck, vous devez dire à Johanssen ce que vous ressentez, autrement, vous le regretterez pendant le restant de votre vie.

Je ne vous mentirai pas : ça ne va pas forcément très bien se passer. Je n'ai pas la moindre idée de ce qu'elle pense de vous. De ce qu'elle pense tout court, d'ailleurs. Elle est un peu bizarre, non ?

Attendez la fin de la mission. Vous allez passer encore deux mois avec elle dans ce vaisseau. Si vous tentez quelque chose avant la fin de votre voyage, Lewis vous tuera.

* * *

Venkat, Mitch, Annie, Bruce et Teddy se réunirent de nouveau le lendemain. Le « Projet Elrond » était entouré d'une aura de mystère qui le rendait particulier. Dans le centre spatial, tout le monde en avait entendu parler, mais personne ne savait de quoi il s'agissait.

Les spéculations allaient bon train. Certains pensaient à un tout nouveau programme. D'autres craignaient une annulation des missions Arès 4 et 5. La plupart croyaient que cela concernait Arès 6.

— Cela n'a pas été une décision facile, commença Teddy devant cette petite élite réunie, mais j'ai opté pour Iris 2. Je renonce à tenter la manœuvre de Rich Purnell.

Mitch tapa du poing sur la table.

— Nous ferons notre possible pour que cela fonctionne, dit Bruce.

— Si ce n'est pas trop vous demander, intervint Venkat, qu'est-ce qui a fait pencher la balance du côté d'Iris 2 ?

Teddy soupira.

— C'est à cause du risque. Avec Iris 2, il n'y a qu'une seule vie en jeu, contre six dans le plan de Purnell. Je sais que ce dernier a plus de chances de réussir, mais… pas six fois plus de chances.

— Vous n'êtes qu'un lâche, lâcha Mitch.

— Mitch…, intervint Venkat.

— Oui, vous n'êtes qu'un sale lâche ! insista Mitch. Un gagne-petit. Vous essayez seulement de limiter les dégâts. La vie de Watney, vous n'en avez rien à foutre.

— C'est faux. J'en ai assez de votre attitude infantile. Continuez avec vos caprices si ça vous chante ; nous autres allons nous comporter en adultes. Nous ne sommes pas dans un film ; la solution la plus risquée n'est pas forcément la meilleure.

— L'espace, c'est dangereux, le contra Mitch. Gérer ce danger, c'est notre boulot. Si vous craignez de prendre des risques, allez plutôt bosser dans une compagnie d'assurances. Et puis, il ne s'agit même pas de votre vie à vous. L'équipage est parfaitement capable de décider lui-même ce qu'il a envie de faire.

— Certainement pas. Il est trop impliqué émotionnellement. Et vous aussi, apparemment. Il est hors de question que je risque intentionnellement la vie de cinq personnes pour en sauver une. Surtout quand on peut faire autrement.

— Foutaises ! vociféra Mitch en se levant. Vous essayez de vous convaincre qu'Iris 2 marchera pour ne pas avoir à prendre une décision difficile. Vous le condamnez, pour ainsi dire, sale trouillard de merde !

Sur ce, il sortit en claquant la porte.

Quelques instants plus tard, Venkat le suivit en disant :

— Je vais essayer de le calmer.

— Merde, marmonna nerveusement Bruce en s'affaissant sur sa chaise. On est des scientifiques, pour l'amour du ciel !

Annie rassembla ses affaires en silence et les rangea dans sa mallette.

— Je suis vraiment désolé, lui dit Teddy. Je ne sais pas quoi vous dire. Chez nous, les hommes, il arrive que la testostérone prenne le dessus…

— J'aurais aimé qu'il vous botte le cul, l'interrompit-elle.

— Pardon ?

— Je sais que vous vous souciez de vos astronautes, poursuivit-elle, mais il a raison. Vous n'êtes qu'un lâche. Si vous aviez des couilles, on réussirait peut-être à sauver Watney.

* * *

Lewis :

Salut, commandant.

Entre notre entraînement et le voyage vers Mars, j'ai passé deux ans sous vos ordres. Je crois bien vous connaître, et je suis presque certain que vous continuez de vous en vouloir, alors que, comme je vous l'ai écrit plus tôt, vous n'êtes pour rien dans ce qui m'arrive. Vous avez dû affronter un scénario impossible et prendre une décision très difficile. C'est à cela que sert un commandant. Et vous n'avez pas flanché. Si vous aviez attendu quelques instants de plus, le VAM aurait basculé.

Je sais que vous avez repensé à ces événements des milliers fois, mais croyez-moi, il n'y avait rien d'autre à faire – à moins que vous soyez clairvoyante ou un truc comme ça.

Vous vous dites sans doute que perdre un homme d'équipage est la pire chose qui puisse arriver. C'est faux. Perdre l'équipage tout entier est bien pire. Et vous avez empêché que cela arrive.

Je me dois d'aborder un sujet plus sérieux : qu'est-ce que c'est que cette manie pour le disco ? Les séries des années soixante-dix, je veux bien – tout le monde aime les cheveux longs et les grands cols –, mais le disco ?

Sérieusement ?!

* * *

Vogel compara la position et la direction prise par *Hermès* à la trajectoire prévue. Tout était parfait, comme d'habitude. En plus d'être le chimiste de la mission, il était un astrophysicien accompli. Les tâches qu'on lui confiait, en tant que navigateur, étaient ridiculement faciles.

L'ordinateur connaissait le chemin. Il savait quand modifier la position du vaisseau afin que ses moteurs ioniques soient parfaitement alignés. Et il connaissait la position exacte du navire à tout moment – grâce au soleil et à la Terre, mais aussi à son horloge atomique.

Sauf panne informatique totale ou autre catastrophe, les connaissances en astrodynamique de Vogel ne lui serviraient à rien.

Ses vérifications terminées, il lança un diagnostic des moteurs. Ils fonctionnaient au maximum de leurs capacités. Il travaillait depuis ses quartiers. Tous les ordinateurs embarqués pouvaient contrôler toutes les fonctions du vaisseau. Cela faisait bien longtemps qu'il n'était plus nécessaire d'examiner les moteurs de près pour vérifier leur bon fonctionnement.

Ayant fini ses corvées du jour, il avait enfin le temps de lire ses e-mails.

Il tria les messages que la NASA avait jugé bon de lui transmettre, lisant les plus intéressants et rédigeant des réponses quand c'était nécessaire. Celles-ci partiraient avec le prochain paquet envoyé par Johanssen.

Un message de sa femme attira son attention. Intitulé « *unsere kinder* » (nos enfants), il ne contenait qu'une image. Il haussa un sourcil. Plusieurs détails lui avaient sauté aux yeux. Pour commencer, « *kinder* » aurait dû être écrit avec une majuscule. Helena, professeur de lycée, n'aurait pas commis une erreur si grossière. Et puis, tous les deux utilisaient un autre terme plus familier pour se référer à leurs enfants : « *die Affen* » (les singes).

Quand il essaya d'ouvrir l'image, le logiciel lui dit que le fichier était illisible.

Vogel s'engouffra dans le couloir étroit. Les quartiers de l'équipage se trouvaient contre la coque externe du vaisseau, qui tournait constamment sur lui-même afin de maximiser la pesanteur artificielle. La porte de Johanssen était ouverte, comme d'habitude.

—Johanssen. Bonsoir.

Tous les membres d'équipage vivaient au même rythme, et il était presque l'heure de se coucher.

— Eh ! salut, répondit la jeune femme en lâchant son ordinateur des yeux.

— Souci d'informatique. Je me demandais si vous pouviez m'aider.

— Bien sûr.

— Mais je vois que je vous interromps pendant votre temps libre ; je ferais peut-être mieux de repasser demain…

— Non, pas de problème. Dites-moi tout.

— C'est un fichier, une image. Mon ordinateur refuse de l'ouvrir.

— Où est-il ? demanda-t-elle en pianotant sur son clavier.

— Sur mon espace de partage. Il s'appelle « kinder.jpg ».

— Voyons voir…

Ses doigts voletaient au-dessus de son clavier, tandis que des fenêtres s'ouvraient et se refermaient sur son moniteur.

— Le header n'est pas correct, à tous les coups. Il y a sûrement eu un problème durant le chargement. Je vais jeter un coup d'œil dans l'éditeur hexa, histoire de voir si le fichier contient quelque chose…

Quelques instants plus tard, elle poursuivit :

— Ce n'est pas un jpeg. C'est un texte en ASCII. On dirait… je ne sais pas… On dirait des formules mathématiques. Est-ce que ça vous dit quelque chose ? demanda-t-elle en désignant son écran.

Vogel se pencha en avant pour regarder le texte de plus près.

— *Ja*. C'est la description d'une manœuvre pour *Hermès*. Une manœuvre dite « de Rich Purnell ».

— Qu'est-ce que c'est ?

— Je n'en ai jamais entendu parler…, murmura-t-il en étudiant les formules. C'est compliqué, très compliqué… (Soudain, il se figea.) Sol 549 ! ? *Mein Gott!*

* * *

L'équipage d'*Hermès* passait le peu de temps libre qu'il avait dans une zone baptisée « la cour de récré ». Contenant une table, à peine assez grande pour abriter six personnes, elle ne bénéficiait pas de la même pesanteur artificielle que les quartiers privés. Sa position, au cœur du vaisseau, ne lui permettait pas de dépasser 0,2 *g*.

Néanmoins, cela suffisait à maintenir tout le monde sur sa chaise pendant que Vogel expliquait le contenu du message qu'il avait reçu.

— … et la mission se conclurait par un retour en orbite autour de la Terre deux cent onze jours plus tard, termina-t-il.

— Merci, Vogel, dit Lewis.

Vogel était venu lui en parler avant cette petite réunion, mais Johanssen, Martinez et Beck entendaient son explication pour la première fois. Le commandant leur laissa quelques secondes pour digérer ces informations.

— Et ça marcherait vraiment ? demanda Martinez.

— *Ja*, acquiesça Vogel en hochant la tête. J'ai refait les calculs et ça fonctionne. C'est une trajectoire brillante. Incroyable.

— Comment quitterait-il le sol martien ?

— Il y avait autre chose dans le message, intervint Lewis en se penchant en avant. Nous aurions également à embarquer des vivres dans le voisinage de la Terre, tandis que, de son côté, Watney devrait rejoindre le VAM d'Arès 4.

— Pourquoi ce secret ? s'étonna Beck.

— D'après le message, la NASA a rejeté l'idée. Elle préfère courir un grand risque de perdre Watney, qu'un petit risque de nous perdre tous. Celui ou celle qui a envoyé cet e-mail à Vogel n'est manifestement pas de cet avis.

— Nous parlons de contrevenir aux consignes de la NASA, fit remarquer Martinez.

— Oui, confirma Lewis. C'est exactement cela. Si nous décidons de nous lancer dans cette manœuvre, ils devront nous envoyer des provisions ou nous mourrons. Nous avons le pouvoir de leur forcer la main.

— Va-t-on le faire ? demanda Johanssen.

Ils se tournèrent tous vers Lewis.

— Je ne vous mentirai pas : j'ai carrément envie de le faire. Mais ce n'est pas une décision comme les autres. Après tout, la NASA l'a expressément rejetée. Il s'agirait d'une mutinerie, et ce n'est pas un mot que j'utilise à la légère. (Elle se leva et contourna lentement la table.) Nous ne le ferons que si nous sommes tous d'accord. Avant de vous prononcer, pensez aux conséquences. Si on rate le rendez-vous avec notre ravitaillement, on meurt. Si on foire la manœuvre d'assistance gravitationnelle près de la Terre, on meurt. Si on fait tout parfaitement, on prolonge notre mission de cinq cent trente-trois jours. Cinq cent trente-trois jours de vol spatial non planifié où tout un tas de choses peuvent mal tourner. La maintenance sera vraiment emmerdante. Si un élément tombe en panne, et que cet élément soit d'une importance vitale, on meurt.

— Vous pouvez compter sur moi ! sourit Martinez.

— Doucement, cow-boy. Vous et moi sommes des soldats. Il y a de grandes chances qu'on soit tous les deux traduits en cour martiale à notre retour. Quant à vous autres, je vous garantis qu'on ne vous enverra plus jamais dans l'espace.

Martinez s'adossa contre la paroi, croisa les bras sur sa poitrine et afficha un sourire en coin. Les autres réfléchissaient en silence à ce que venait de leur dire le commandant.

— Si on se lance, intervint Vogel, cela fera plus de mille jours d'espace. C'est assez pour toute une vie. Je n'aurai pas besoin d'y retourner.

— On dirait que Vogel veut y aller, s'amusa Martinez. Moi aussi, évidemment.

— Faisons-le, lança Beck.

— Si vous pensez que ça peut marcher, dit Johanssen à Lewis, je vous fais confiance.

— Bien, reprit Lewis. Si on décide d'y aller, que faut-il prévoir ?

Vogel haussa les épaules.

— Je planifie la trajectoire et on la suit. C'est tout, non ?

— La prise de commande à distance, suggéra Johanssen. Au cas où on mourrait tous, il est possible de piloter le vaisseau depuis la Terre. Ils peuvent très bien prendre les commandes d'*Hermès* depuis le Centre de contrôle.

— Sauf que, pour le moment, nous avons le pouvoir de défaire toutes leurs décisions, n'est-ce pas ? la contra Lewis.

— Pas vraiment, répondit Johanssen. La prise de contrôle à distance désactive automatiquement tous les systèmes embarqués. Elle est prévue en cas de désastre, dans le cas où on ne pourrait plus avoir confiance dans les commandes du vaisseau.

— Est-il envisageable de rendre impossible cette prise de contrôle à distance ?

— Mmh… *Hermès* est doté de quatre ordinateurs de bord, qui sont chacun connectés à trois systèmes de communication différents. Il suffit qu'un de ces ordinateurs reçoive un signal envoyé par n'importe lequel des systèmes de communication pour que le Centre de contrôle prenne les commandes. On ne peut pas couper toutes les communications ; cela nous priverait de télémétrie et de guidage. Et on ne peut pas couper les ordinateurs ; on a besoin d'eux pour piloter le vaisseau. Je devrais désactiver le contrôle à distance de tous les systèmes, me plonger dans l'OS, modifier les codes… Oui, je peux y arriver.

— Vous êtes sûre ? demanda Lewis. Vous pouvez le désactiver ?

— Oui, ça ne devrait pas être trop difficile. C'est un genre de programme d'urgence non sécurisé. Il n'est pas protégé contre les codes malveillants.

— Des codes malveillants ? s'amusa Beck. Vous allez vous transformer en pirate ?

— Oui, confirma Johanssen en souriant. C'est un peu ça.

— Bien, reprit Lewis. Apparemment, on peut le faire ; toutefois, je ne veux pas que quiconque se sente obligé. On va donc attendre vingt-quatre heures. Ça laissera à tout le monde le temps de changer d'avis. Venez me parler en privé ou bien envoyez-moi un e-mail. J'annulerai tout et ne révélerai jamais l'identité de celui qui a refusé.

Lewis resta sur place tandis que les autres s'en allaient un à un. En les regardant partir, elle remarqua qu'ils souriaient. Tous les quatre. Pour la première fois depuis qu'ils avaient quitté Mars, ils étaient redevenus eux-mêmes. Il était évident que personne ne changerait d'avis.

Ils retourneraient sur Mars.

* * *

Tout le monde savait que Brendan Hutch dirigerait bientôt des missions.

Il avait gravi les échelons de la hiérarchie de la NASA aussi rapidement qu'il était possible de le faire dans une organisation à l'inertie bien connue. Sa capacité de travail était célèbre, et ses qualités de meneur reconnues par ses subordonnés.

Brendan était chargé du Centre de contrôle chaque nuit de 1 heure à 9 heures. L'excellence et la régularité de ses performances lui vaudraient bientôt une promotion. On avait déjà annoncé qu'il serait le directeur de vol suppléant de la mission Arès 4. Le poste suprême lui tendait les bras pour Arès 5.

— Monsieur le directeur, ici CAPCOM.

— Je vous écoute, CAPCOM, répondit Brendan.

Les deux interlocuteurs se trouvaient dans la même pièce, mais le protocole radio était respecté à la lettre.

— *Hermès* nous envoie son statut. Ce n'était pas prévu…

Comme le vaisseau se situait à encore quatre-vingt-dix secondes-lumière, la communication directe n'était pas pratique. En dehors des messages adressés aux médias, *Hermès* continuerait de communiquer par texte.

— Entendu, répondit Brendan. Lisez.

— Je… Je ne comprends pas, monsieur le directeur. Il n'y a pas de véritable statut, juste une simple phrase.

— C'est-à-dire ?

— Le message dit : « Houston, sachez que Rich Purnell est un boss de la balistique. »

— Hein ? s'exclama Brendan. Qui diable est ce Rich Purnell ?

— Monsieur le directeur, ici la télémétrie, appela une autre voix.

— Je vous écoute, télémétrie.

— *Hermès* a quitté sa trajectoire.

— CAPCOM, informez *Hermès* qu'il n'est plus sur la bonne trajectoire. Télémétrie, préparez un vecteur de correction.

— Négatif, monsieur le directeur, assena la télémétrie. Le vaisseau n'a pas dérivé. Il a ajusté sa trajectoire. Les instruments montrent une rotation délibérée de 27,812°.

— Comment ? bafouilla Brendan. CAPCOM, demandez-leur ce qui se passe.

— Entendu, monsieur le directeur… Message envoyé. Temps minimal de réponse : trois minutes et quatre secondes.

— Télémétrie, est-il possible que les instruments soient défaillants ?

— Négatif, monsieur le directeur. Nous les suivons avec SatCon. Leur position corrobore ce changement de trajectoire.

— CAPCOM, lisez le journal de bord et voyez ce qu'a fait l'équipe précédente. Vérifiez : peut-être qu'un changement de trajectoire a été décidé mais qu'on a omis de nous prévenir.

— Entendu, monsieur le directeur.

— Guidage, ici le directeur.

— Je vous écoute, monsieur le directeur, répondit le contrôleur du guidage.

— Calculez pendant combien de temps ils pourront rester sur cette trajectoire avant que cela devienne irréversible. À partir de quel moment *Hermès* ne pourra-t-il plus revenir vers la Terre.

— Nous y travaillons, monsieur le directeur.

— Et que quelqu'un me dise qui est ce Rich Purnell !

* * *

Mitch s'affala dans le canapé du bureau de Teddy, posa les pieds sur la table basse et sourit.

— Vous vouliez me voir ?

— Pourquoi avez-vous fait ça ? demanda Teddy.

— Fait quoi ?

— Vous savez très bien de quoi je parle.

— Oh ! vous faites référence à la mutinerie de l'équipage d'*Hermès* ? dit Mitch d'un air faussement innocent. Ça ferait un bon titre de film. *Les Mutinés d'Hermès*. Ça sonne bien, je trouve.

— Nous savons que c'est vous, poursuivit Teddy d'un ton sec. Nous ignorons comment, mais il est certain que vous leur avez envoyé les détails de la manœuvre.

— Vous n'avez aucune preuve.

— Non, répondit Teddy en lui lançant un regard noir. Pas encore, mais ça va venir.

— Vraiment ? Vous n'avez pas mieux à faire de votre temps ? Nous avons un ravitaillement à organiser, et je ne parle même pas de Watney, qui devra se rendre dans le cratère de Schiaparelli. On a du pain sur la planche.

— On a effectivement beaucoup de pain sur la planche ! fulmina Teddy. À cause de votre magouille, nous n'avons plus le choix.

— Supposée magouille, le corrigea Mitch en levant le doigt. Je suppose qu'Annie racontera aux médias que nous avons choisi la manœuvre la plus risquée ? qu'elle ne révélera rien de la mutinerie ?

— Évidemment. Autrement, nous aurions l'air d'idiots.

— Personne ne risque rien, alors ? s'amusa Mitch. On ne peut virer quelqu'un qui met en pratique la politique de la NASA. Même Lewis sera tranquille. Une mutinerie ? Quelle mutinerie ? Si ça se trouve, on va même réussir à sauver Watney. Et ce sera un *happy end* intégral !

— Vous serez peut-être responsable de la mort de l'équipage tout entier. Vous avez pensé à cela ?

— Celui ou celle qui a envoyé ces équations à *Hermès* n'a fait que transmettre des informations. Lewis en a tenu compte et a pris une décision. Si elle avait été un mauvais officier, elle aurait laissé ses sentiments influencer son jugement, mais elle est loin d'être un mauvais officier.

— Si j'arrive à prouver que c'est bien vous, je trouverai un moyen de vous foutre à la porte.

— Pas de problème, répondit Mitch dans un haussement d'épaules. Si je n'étais pas prêt à prendre des risques pour sauver des vies, je serais... (Il hésita quelques instants.) Je serais vous, en fait.

Chapitre 17

Journal de bord : Sol 192

Nom de Dieu !

Ils reviennent me chercher !

Je ne sais même pas comment réagir. Je suis sur le cul !

J'ai un paquet de trucs à faire avant de monter dans le bus pour rentrer à la maison.

Le vaisseau ne pourra pas m'attendre en orbite. Si je ne suis pas dans l'espace quand il passera, mes camarades pourront simplement me faire coucou avant de disparaître.

J'ai besoin du VAM d'Arès 4. Même la NASA est d'accord. Pour que les nounous de la NASA recommandent une balade de trois mille deux cents kilomètres sur les sables de Mars, il faut vraiment que la situation soit désespérée.

Schiaparelli, j'arrive !

Enfin… pas tout de suite. Il me reste encore tout un tas de choses à régler.

Le voyage que j'ai fait pour aller récupérer Pathfinder n'était qu'une partie de plaisir comparé à ce qui m'attend. Comme je n'avais à survivre que dix-huit jours, je me suis permis de nombreux raccourcis. Cette fois, ce sera différent.

Lors de l'« Opération Pathfinder », je parcourais une moyenne de quatre-vingts kilomètres par sol. Si j'arrive à faire aussi bien, il me faudra quarante jours pour atteindre Schiaparelli. Disons cinquante, en voyant large.

Toutefois, il ne me suffira pas d'y arriver. Une fois sur place, je devrai dresser un campement pour pratiquer quelques modifications sur le VAM. La NASA estime que j'aurai besoin d'une trentaine de sols pour accomplir ces tâches, quarante-cinq, au pire. Entre le voyage et le bricolage du VAM, il faudra donc compter quatre-vingt-quinze sols. Arrondissons à cent – ça sonne mieux.

Je vais donc devoir survivre loin de l'Habitat pendant cent sols.

Je vous vois venir avec vos gros sabots. Et le VAM ? allez-vous me demander (dans mon imagination enfiévrée). Ne contient-il pas des vivres ? ou au moins de l'eau ?

Eh bien, non. Il ne contient rien. Que dalle.

Il est doté de réservoirs d'air, mais vides. Une mission Arès a déjà besoin de beaucoup d'O_2, de N_2 et d'eau, alors pourquoi en envoyer davantage dans le VAM ? Il est plus facile pour l'équipage d'alimenter le VAM grâce aux systèmes de l'Habitat. Heureusement pour mes coéquipiers, Martinez avait rempli les réservoirs de notre VAM dès le jour de notre arrivée, conformément au planning de la mission.

Hermès passera au-dessus de ma tête vers sol 549, ce qui signifie que je dois partir vers sol 449. Cela me laisse deux cent cinquante-sept sols pour me bouger le cul et me préparer.

Vous croyez que ça fait beaucoup ?

Pendant le temps qui me reste, je vais devoir modifier le rover afin d'embarquer mon G3 : le régulateur atmosphérique, l'oxygénateur et le recycleur d'eau. Les trois seront stockés dans l'habitacle pressurisé, pourtant trop exigu. Les trois devront être alimentés en permanence, alors que les batteries du rover ne fournissent pas assez de courant.

Le véhicule devra aussi transporter des vivres, de l'eau, les panneaux solaires, ma seconde batterie, mes outils, quelques pièces détachées et Pathfinder. Étant mon seul moyen de communication avec la NASA, la sonde devra voyager sur le toit, comme Mamie Clampett dans *Beverly Hillbillies*[1].

---

1. Série télévisée américaine, diffusée par la chaîne CBS entre 1962 et 1971. Elle inspira un film, sorti en France sous le titre *Les Allumés de Beverly Hills*, réalisé par Penelope Spheeris en 1993. (*NdT*)

J'ai plein de problèmes à résoudre, mais je bénéficie de l'aide de beaucoup de personnes très intelligentes. En gros, tous les habitants de la planète Terre.

La NASA peaufine encore les détails, mais l'idée sera d'utiliser les deux rovers. J'en conduirai un, tandis que l'autre fera office de remorque.

Cette remorque nécessitera des modifications structurelles. Quand je dis « modifications structurelles », je pense « tailler un gros trou dans la carrosserie ». Ainsi, je pourrai y embarquer mon G3 dans l'habitacle et je refermerai le trou grâce à un morceau de toile. Celle-ci se gonflera lorsque je pressuriserai le véhicule, mais elle tiendra le coup. Comment vais-je découper un trou dans la carrosserie ? Laissons mon adorable assistant, Venkat Kapoor, expliquer la méthode :

[14:38] JPL : Vous vous demandez sans doute comment découper une ouverture dans le rover…

Nos expériences ont prouvé que les mèches destinées au prélèvement d'échantillons de roche sont capables de transpercer la carrosserie. L'usure du foret sera minimale – la roche est beaucoup plus dure que le matériau composite. Vous n'aurez qu'à percer des alignements de trous et tailler le carbone entre ces derniers.

J'espère que vous aimez percer. La mèche mesure un centimètre de diamètre, et les trous seront séparés de cinq millimètres. La longueur totale à découper sera de 11,4 m, ce qui correspond à sept cent soixante trous. Qu'il faut multiplier par cent soixante secondes.

Problème : les perceuses n'ont pas été conçues pour des projets de construction, mais pour du carottage. Leurs batteries ne fonctionnent que deux cent quarante secondes. Vous avez deux perceuses, mais vous ne pourrez percer que trois trous avant de recharger, ce qui prendra quarante et une minutes.

En tout, cela représente donc cent soixante-treize heures de travail, sachant que vous devrez vous limiter à huit heures d'AEV par jour. Si on fait le calcul, on obtient vingt et un jours de travail, ce qui est trop long. Toutes nos autres idées sont fondées sur le succès de cette première étape. En cas d'échec, il nous faudra du temps pour en trouver d'autres.

Nous voulons que vous branchiez votre perceuse sur l'alimentation électrique de l'Habitat.

La perceuse a besoin de 28,8 volts et de neuf ampères. Les seuls câbles capables de supporter cette quantité de courant sont ceux que vous utilisez pour recharger le rover. Ils acceptent trente-six volts et dix ampères au maximum. Comme vous en avez deux, nous pensons que vous pouvez en modifier un.

Nous vous enverrons des instructions pour vous expliquer comment limiter le voltage et installer un disjoncteur, même si vous savez sans doute déjà comment procéder.

Dès demain, je vais m'amuser avec de la haute tension. Normalement, tout devrait bien se passer !

Journal de bord : Sol 193

J'ai fait joujou avec de l'électricité, et j'ai réussi à ne pas me tuer. Ouais, enfin, je frime un peu, parce que, en vérité, j'ai coupé le courant avant de bidouiller les fils.

Appliquant les consignes de la NASA, j'ai transformé un câble destiné à charger le rover en source d'énergie pour mes perceuses. Pour diminuer le voltage, je n'avais besoin que de quelques résistances, dont regorge mon kit d'électronique.

Comme je n'avais pas de fusible de neuf ampères, j'ai pris trois fusibles de trois ampères chacun, que j'ai câblés en parallèle. En cas de surtension, ils grilleront tous les trois successivement.

Ensuite, il a fallu que je recâble la perceuse. J'ai déjà fait ce genre de truc avec Pathfinder. J'ai retiré la batterie et connecté le câble d'alimentation, mais cette fois-ci, ç'a été beaucoup plus facile.

Comme Pathfinder était trop gros pour passer par les sas, j'ai effectué toutes les modifications dehors. Vous avez déjà essayé de faire de l'électronique vêtu d'une combinaison spatiale ? Un enfer… J'ai même dû bricoler un établi avec des poutrelles récupérées sur les trains d'atterrissage du VAM, vous vous rappelez ?

Bref, la perceuse entre sans problème dans le sas. Elle mesure à peine un mètre de haut et a la forme d'un marteau-piqueur. Tout comme les astronautes des missions Apollo, on faisait nos forages debout.

Si j'avais bricolé à la va-vite avec Pathfinder, cette fois-ci, j'avais les plans de la perceuse. Une fois la batterie enlevée, j'ai simplement raccordé les nouveaux câbles, après quoi je suis sorti et j'ai branché l'outil sur le chargeur modifié du rover.

Tout s'est passé comme sur des roulettes ! Je l'ai mise en route, et la perceuse a bourdonné avec une joie non dissimulée. Apparemment, j'avais réussi du premier coup, alors que, pour vous dire la vérité, j'étais intimement persuadé d'avoir détruit la machine.

Comme il n'était pas encore midi, j'avais largement le temps de l'essayer.

[10:07] WATNEY : Modification du circuit électrique terminée. J'ai essayé la perceuse, et tout fonctionne parfaitement. La journée est loin d'être terminée. Envoyez-moi une description du trou que vous voulez que je découpe.

[10:25] JPL : Excellente nouvelle. Pourquoi ne pas commencer, effectivement ? Pour que les choses soient très claires, vous allez modifier le rover n° 1, celui que nous appellerons désormais « la remorque ». Le rover n° 2, celui que vous avez déjà modifié pour aller récupérer Pathfinder, restera tel quel pour le moment.
Vous allez retirer un morceau du toit, juste devant le sas, à l'arrière du véhicule. Le trou devra mesurer au moins 2,5 m de long, et 2 m de large, soit toute la largeur de l'habitacle pressurisé.
Avant de commencer, dessinez la forme sur le toit de la remorque, et placez celle-ci à portée de la caméra de Pathfinder. Ainsi, nous vous ferons savoir si vous êtes sur la bonne voie.

[10:43] WATNEY : Ça marche. Prenez une photo à 11 h 30 si je n'ai pas donné de nouvelles d'ici là.

Les rovers ont été conçus pour pouvoir s'accrocher les uns aux autres, pour se remorquer mutuellement en cas de gros pépin. Pour ces mêmes raisons, les véhicules peuvent partager le même air grâce à des conduits spéciaux. Je vais utiliser ce système quand je partirai pour Schiaparelli.

La remorque est incapable de rouler par ses propres moyens, puisque je l'ai dépouillée de sa batterie, aussi ai-je dû la tracter jusqu'à Pathfinder avec mon rover merveilleusement modifié.

Venkat m'a conseillé de tracer la forme à découper avant de me mettre au travail, mais il n'a pas dit comment. Ce n'est pas comme si j'avais un marqueur permanent fonctionnant sur ce genre de support. Alors j'ai vandalisé le lit de Martinez.

Nos lits ressemblent beaucoup à des hamacs. De la fibre légère tissée pour former une couche relativement confortable. Le moindre gramme compte quand on conçoit du matériel pour les missions martiennes.

J'ai défait la trame du lit de Martinez, j'ai emporté le fil avec moi à l'extérieur et je l'ai déroulé sur le toit du rover avant de le coller avec du ruban adhésif transparent. Oui, le ruban adhésif colle même dans l'atmosphère rare de Mars. Il fonctionne partout. Il est magique. En fait, on devrait l'adorer comme un dieu.

Je vois ce que la NASA a derrière la tête. L'arrière de la remorque est équipé d'un sas qu'on ne va pas trafiquer. L'ouverture se situera juste devant et permettra à mon G3 de se tenir debout. Il y aura largement assez de place.

En revanche, je serais curieux de savoir comment la NASA compte s'y prendre pour alimenter le G3 vingt-quatre heures et trente minutes par sol sans m'empêcher de rouler. À mon avis, elle n'en sait encore rien. Mais ils sont malins à la NASA ; ils trouveront bien quelque chose.

[11:49] JPL : D'après ce qu'on peut voir, votre tracé nous semble bon. Nous imaginons que l'autre moitié, invisible pour nous, est identique. Vous pouvez commencer à percer.

[12:07] WATNEY : C'est ce qu'elles me disent toutes.

[12:25] JPL : Mark, sérieusement…

J'ai commencé par dépressuriser la remorque. Traitez-moi de cinglé si vous voulez, mais je ne voulais pas prendre le risque de me recevoir la perceuse dans la tronche.

Après, il a fallu choisir un endroit où commencer. J'ai opté pour le flanc du véhicule, mais je me suis trompé.

J'aurais mieux fait de commencer par le toit, car, pour transpercer le flanc du rover, je devais tenir la perceuse à bout de bras, parallèlement au sol. Et on ne parle pas de la Black & Decker à papa, hein ? Ma perceuse mesure un bon mètre et ne peut être tenue sans risque que par les poignées.

J'ai eu beaucoup de mal à lui faire mordre dans le composite. Dès que je la mettais en route, le foret se mettait à glisser partout. Heureusement, j'avais mon cher marteau et mon tournevis. Quelques coups bien placés en guise de préliminaires, et c'était parti. Une fois la mèche positionnée, percer n'était plus un problème. Comme la NASA l'avait prévu, transpercer le composite prenait environ deux minutes et demie.

J'ai appliqué la même procédure pour le deuxième trou, et cela s'est beaucoup mieux passé. Après le troisième trou, le témoin de surchauffe de la perceuse s'est allumé. La pauvre machine n'était pas conçue pour fonctionner de manière si prolongée. Heureusement, elle a décelé la surchauffe et m'a prévenu. Je l'ai appuyée contre mon établi pendant quelques minutes, et elle s'est refroidie. C'est ce qu'il y a de bien, sur Mars : il caille ! L'atmosphère fine conduit mal la chaleur, mais elle finit par tout refroidir.

Comme j'avais retiré une partie du carénage de la perceuse pour faire passer mon câble, le moteur se refroidissait plus vite, ce qui était une bonne chose. En revanche, cela m'obligeait à la nettoyer soigneusement toutes les quelques minutes, car la poussière s'accumulait.

Vers 17 heures, quand le soleil a commencé à disparaître sous la ligne d'horizon, j'avais percé soixante-quinze trous. C'est un bon début, mais il m'en reste tellement à faire. Sans compter que très bientôt, sans doute dès demain, je vais devoir commencer à attaquer des parties de la carrosserie inatteignables depuis le sol. Je vais avoir besoin d'un genre d'escabeau.

Mon « établi » est déjà pris, puisqu'il sert de support à Pathfinder, et il est hors de question que je touche à la sonde. Il me reste encore trois poutrelles prises sur les trains d'atterrissage du MAV. Je suis sûr qu'il est possible d'en faire une rampe ou un truc de ce genre.

Mais je m'occuperai de cela demain. Ce soir, je m'autorise à avaler une ration entière pour le dîner.

Eh bien, ouais, quoi ! soit on me sauve autour de sol 549, soit je meurs. Je dispose donc de trente-cinq sols de vivres en trop. Autant en profiter, non ?

Journal de bord : Sol 194

En moyenne, je perce un trou toutes les trois minutes et demie, en comptant une pause occasionnelle pour laisser la machine refroidir.

Je le sais, parce que j'ai passé toute la journée à percer. Après huit heures d'un travail physique et monotone, j'avais cent trente-sept trous à mon tableau de chasse.

Percer les parties inaccessibles s'est révélé plus facile que prévu. Inutile d'utiliser les poutrelles du MAV, après tout. J'avais simplement besoin de monter sur quelque chose, et le container dévolu aux échantillons géologiques – également appelé « boîte » – était parfait pour cela.

Avant d'être en contact avec la NASA, j'aurais travaillé plus de huit heures. Je peux rester dehors une dizaine d'heures avant de taper dans les réserves d'air d'urgence de la combinaison, mais il y a plein de fillettes à la NASA qui ne veulent pas que je tire trop sur la corde.

En comptant le boulot effectué aujourd'hui, j'ai fait un quart des trous nécessaires. Ce qui n'équivaut pas à un quart de la découpe, puisqu'il me restera ensuite à tailler sept cent cinquante-neuf petits morceaux de carbone. Je ne suis d'ailleurs pas certain de savoir comment découper ce composite, mais la NASA testera mille méthodes sur Terre avant de m'indiquer la plus efficace.

Bref, à ce rythme, il me faudra encore quatre sols d'un travail chiant comme la mort pour en finir avec ces trous.

J'ai fait le tour des séries télé de Lewis, et j'ai lu tous les polars de Johanssen. J'ai déjà farfouillé dans les affaires des autres pour trouver de quoi me divertir, mais Vogel n'a apporté que des trucs en allemand, et Beck des revues médicales. Martinez, lui, semble être venu les mains vides.

Comme je m'ennuyais à crever, j'ai décidé de choisir un hymne !

Quelque chose d'approprié. Une perle issue de l'horrible collection des années soixante-dix de notre cher commandant. Cela me semblait nécessaire, obligatoire.

Oh ! il y avait plein de candidats : *Life on Mars?* de David Bowie ; *Rocket Man* d'Elton John ; *Alone Again (Naturally)* de Gilbert O'Sullivan.

Finalement, je me suis décidé pour *Stayin' Alive* des Bee Gees.

Journal de bord : Sol 195

À chaque jour, ses trous. Cent quarante-cinq, cette fois – je m'améliore. Je suis à mi-chemin, et je commence à en avoir vraiment marre.

Au moins, Kapoor Venkat m'envoie des messages d'encouragement !

> [17:12] WATNEY : Cent quarante-cinq trous aujourd'hui. Trois cent cinquante-sept au total.
>
> [17:31] JPL : C'est tout ?

Connard.

Bref, je m'emmerde le soir. C'est une bonne chose, j'imagine. L'Habitat n'est pas du tout responsable. Et puis, la NASA va essayer de me sauver et, à cause des tâches physiques que j'accomplis, je dors super bien la nuit.

Je regrette de ne plus avoir à m'occuper de mes pommes de terre. Sans elles, l'Habitat n'est plus le même.

Il y a toujours de la terre partout. Je ne vais quand même pas la ressortir ! Faute d'avoir quelque chose de plus intéressant à faire, je l'ai testée un peu. C'est étonnant, mais quelques bactéries ont survécu. Et elles se multiplient. Je suis très impressionné. Elles ont quand même été exposées au quasi-vide et à des températures arctiques pendant plus de vingt-quatre heures.

Je suppose que des poches de glace contenant des pressions suffisantes se sont formées autour des bactéries, et que le froid n'a pas été assez intense pour les tuer. Il suffit qu'une seule bactérie survive sur des centaines de millions pour éviter l'extinction.

La vie est tellement tenace. Tout comme moi, ces bactéries refusent de mourir.

Journal de bord : Sol 196

J'ai merdé.

J'ai carrément merdé. J'ai commis une erreur qui pourrait bien me tuer.

J'ai commencé mon AEV vers 8 h 45, comme d'habitude. J'ai pris un marteau et un tournevis, et j'ai commencé à poinçonner la carrosserie de la remorque. Faire les avant-trous avant de percer est emmerdant au possible ; je préfère me débarrasser de cette corvée avant de prendre ma perceuse.

Après avoir taillé cent cinquante avant-trous – eh ! je suis optimiste de nature –, je me suis mis au boulot.

C'était la même routine que les jours précédents : transpercer et déplacer la mèche, transpercer et déplacer la mèche, transpercer une troisième fois, puis laisser la perceuse se refroidir. Répéter le processus encore et encore jusqu'à l'heure du déjeuner.

À midi, j'ai fait une pause. Je suis retourné dans l'Habitat pour manger un bon repas et jouer aux échecs contre l'ordinateur, qui m'a mis une déculottée. Puis je suis ressorti pour la seconde AEV de la journée.

La catastrophe s'est produite à 13 h 30, même si je ne m'en suis pas rendu compte tout de suite.

Les pires moments de la vie sont annoncés par des observations en apparence anodines. Une petite boule sur le flanc qu'on n'avait jamais remarquée. Deux verres à vin posés dans l'évier. Chaque fois que vous entendez : « Nous interrompons votre programme pour... »

La perceuse qui refuse de démarrer...

Trois minutes plus tôt, elle fonctionnait parfaitement. Je venais de terminer un trou, et je l'avais posée pour qu'elle refroidisse. Comme d'habitude.

Mais quand j'ai voulu me remettre au travail, elle a refusé de réagir. La LED d'activation ne s'allumait plus.

Je n'étais pas spécialement inquiet. Dans le pire des cas, j'avais une seconde perceuse. Il me faudrait quelques heures pour la relier au réseau électrique, et ce serait parfait.

Le fait que la LED ne s'allume pas signifiait sans doute qu'il y avait un problème d'alimentation. Dans mon dos, toutefois, les lumières de l'Habitat, visibles à travers le hublot du sas, fonctionnaient normalement. Pas de problème électrique majeur, donc. J'ai vérifié mes fusibles automatiques et, effectivement, ils avaient tous les trois sauté.

La perceuse devait avoir tiré un peu trop d'ampérage. Ce n'était pas grand-chose. J'ai réarmé les fusibles et je suis retourné au travail. La perceuse s'est rallumée aussitôt, et j'ai recommencé à faire des trous.

Ce n'était rien, finalement, hein ? C'est en tout cas ce que je me suis dit sur le coup.

J'ai terminé ma journée de travail à 17 heures après avoir percé cent trente et un trous. Un moins bon score que la veille, mais j'avais perdu du temps avec mon problème de perceuse.

J'ai fait part de mes progrès à JPL.

[17:08] WATNEY : Cent trente et un trous, aujourd'hui. Quatre cent quatre-vingt-huit au total. Léger souci avec la perceuse. Les plombs ont sauté. Sans doute un court-circuit intermittent là où le câble d'alimentation est fixé. Je vais peut-être devoir m'occuper de nouveau de ce branchement.

La Terre et Mars sont séparées par dix-huit minutes-lumière, en ce moment. En général, la NASA répond dans les vingt-cinq minutes. Vous n'avez pas oublié ? Je communique depuis le rover n° 2, qui relaie mes messages vers Pathfinder. Je ne peux pas me détendre dans l'Habitat en attendant une réponse ; je suis obligé de rester dans le véhicule jusqu'à ce qu'ils accusent réception de mon message.

[17:38] WATNEY : Toujours pas de réponse. Dernier message envoyé il y a trente minutes. Accusez réception, s'il vous plaît.

J'ai attendu trente minutes supplémentaires. Toujours pas de réponse. Alors la peur s'est installée doucement.

Quand la brigade des geeks de JPL a piraté le rover et la sonde pour en faire un client de messagerie instantanée de fortune, elle en a profité pour m'envoyer une antisèche, histoire de m'aider à régler seul d'éventuels problèmes de base. Alors j'ai exécuté la première instruction :

> [18:09] WATNEY : system_command : STATUS
>
> [18:09] SYSTEM : Dernier message envoyé il y a 00 h 31 m. Dernier message reçu il y a 26 h 17 m. Dernière réponse ping de la sonde reçue il y a 04 h 24 m. ALERTE : 52 pings sans réponse.

Pathfinder ne communiquait plus avec le rover. La sonde avait cessé de répondre aux pings depuis quatre heures et vingt-quatre minutes. Vers 13 h 30 aujourd'hui, donc.

Au moment où la perceuse avait rendu l'âme.

J'ai tâché de ne pas paniquer. Sur mon antisèche, il y a toute une liste de trucs à essayer en cas de perte de contact. Dans l'ordre, cela donne :

Vérifier que Pathfinder est alimenté.

Redémarrer le rover.

Redémarrer Pathfinder en déconnectant/reconnectant l'alimentation électrique.

Installer le logiciel de com. du rover sur l'ordinateur de l'autre rover ; réessayer de là.

Si les deux rovers échouent, le problème provient sans doute de la sonde. Vérifier très soigneusement les connexions. Nettoyer la poussière martienne de Pathfinder.

Écrivez votre message en morse avec des pierres ; précisez ce que vous avez tenté. Il est possible que le problème soit réglable par une mise à jour à distance de Pathfinder.

Je me suis arrêté à la première étape. En vérifiant les connexions de Pathfinder, j'ai vite découvert que le fil négatif s'était détaché.

J'étais tellement content ! soulagé ! Un sourire aux lèvres, je suis allé chercher mon kit d'électronique, bien décidé à remettre le fil à sa place. En sortant le câble de la sonde pour le nettoyer – malgré les gants qui limitaient ma liberté de mouvement –, j'ai remarqué quelque chose d'étrange. La couche isolante avait fondu.

J'ai réfléchi à ce nouveau développement. Le plastique fondu est normalement synonyme de court-circuit. Une quantité d'énergie trop importante avait traversé le câble. Pourtant, la partie mise à nue du fil de cuivre n'était pas le moins du monde noircie, et l'isolation du fil positif n'avait pas fondu.

Alors, une à une, les horribles réalités martiennes se sont imposées à moi. Les câbles n'avaient pas été brûlés. Il ne pouvait pas y avoir eu oxydation, puisqu'il n'y avait pas d'oxygène dans l'air. Il y avait sans doute eu un court-circuit, mais comme le fil positif n'avait pas été touché, l'électricité était venue d'ailleurs.

Et les fusibles de la perceuse avaient sauté à peu près au même moment…

Merde…

Les systèmes électroniques de Pathfinder incluaient une mise à la terre via la coque. De cette façon, la sonde ne pouvait pas accumuler de charge statique, malgré l'absence d'eau et les tempêtes de sable à répétition.

La coque reposait sur le panneau A, une des quatre faces du tétraèdre qui avait amené la sonde sur Mars. Les trois autres faces étaient toujours là où je les avais laissées, au cœur d'Ares Vallis.

Entre le panneau A et mon établi, il y avait les ballons de Mylar qui avaient amorti la chute de Pathfinder. J'en avais déchiré un certain nombre pour transporter la sonde, mais beaucoup de matériau était resté accroché – assez pour entrer en contact avec le panneau A. Au fait, le Mylar est conducteur.

À 13 h 30, j'avais posé la perceuse contre l'établi. J'avais retiré le carénage de l'outil pour faire mes câblages. L'établi était en métal. En posant la perceuse d'une certaine manière, il était possible d'établir un contact métal contre métal.

C'est exactement ce qui s'était passé.

L'électricité était passée du fil positif de la perceuse à l'établi, puis à travers le Mylar, la coque de Pathfinder – et tout un tas de systèmes électroniques extrêmement sensibles –, pour finir dans le fil négatif de l'alimentation de la sonde.

Pathfinder avait reçu neuf mille milliampères au lieu des cinquante qu'il consomme normalement. Ceux-ci s'étaient frayé un chemin dans des systèmes très délicats, grillant tout sur leur passage. Les plombs avaient sauté, mais trop tard.

La sonde est morte. Je ne peux plus contacter la Terre.

Je suis tout seul.

Chapitre 18

Journal de bord : Sol 197

Soupir…

Pour une fois, j'aimerais que les choses se passent comme prévu. Seulement pour une fois…

Mars continue à essayer d'avoir m'a peau.

Enfin… ce n'est pas Mars qui a électrocuté Pathfinder. Laissez-moi rectifier la phrase précédente :

Mars et ma connerie continuent à essayer d'avoir ma peau.

Trêve d'autoapitoiement. Je ne suis pas condamné. Ça va simplement être un peu plus dur que prévu. J'ai tout ce dont j'ai besoin pour survivre. Et *Hermès* est en route.

J'ai écrit un message en morse avec des cailloux : « PF grillé avec 9 ampères. Mort pour de bon. Plan inchangé. Vais tenter de rallier VAM. »

Si je parviens à rejoindre le VAM d'Arès 4, je suis sauvé. Toutefois, ayant perdu tout contact avec la NASA, je vais devoir concevoir seul mon Grand Winnebago martien pour réussir.

Pour le moment, j'ai cessé de travailler dessus. Je ne veux pas continuer sans plan. Je suis sûr que la NASA avait tout un tas d'idées géniales. Tant pis.

Comme je l'ai déjà dit, mon G3 – régulateur atmosphérique, oxygénateur et recycleur d'eau – est capital. Je me suis passé de lui pour aller récupérer Pathfinder. Je me suis contenté de filtres à CO_2 pour réguler l'atmosphère, et j'avais assez d'oxygène et d'eau pour toute la durée du trajet. Cette fois, cependant, je ne pourrai pas me passer des systèmes de l'Habitat.

Le problème étant qu'ils consomment beaucoup d'énergie et qu'ils doivent rester en fonction toute la journée. Les batteries des rovers contiennent dix-huit kilowatts de jus. L'oxygénateur seul en bouffe 41,1 par jour. Vous comprenez mon désarroi, maintenant ?

Vous savez quoi ? « Kilowattheures par sol » est super emmerdant à dire. Je vais inventer une nouvelle unité de mesure scientifique. Un kilowattheure par sol s'appelle aussi... ça pourrait être n'importe quoi... ah ! je suis vraiment nul à ce jeu... Un « pirate-ninja » ! Oui, voilà, un kilowattheure par sol s'appelle aussi un « pirate-ninja ».

Mon G3 a donc besoin de 69,2 pirates-ninjas. L'oxygénateur et le régulateur atmosphérique étant de gros consommateurs et le recycleur d'eau ne nécessitant que 3,6 pirates-ninjas.

Évidemment, on peut revoir ces chiffres à la baisse, surtout pour ce qui concerne le recycleur. Je dispose de six cent vingt litres d'eau ; j'en avais beaucoup plus avant que l'Habitat explose. Je n'ai besoin que de trois litres par sol, aussi mes réserves dureront-elles deux cent six sols. Entre mon départ et le jour où je serai secouru – à moins que je meure dans la tentative –, il ne s'écoulera que cent sols.

Conclusion : je peux me passer du recycleur d'eau. Je boirai autant que nécessaire, et je me débarrasserai de mes déchets sur la surface martienne. Ouais, tu as bien compris, Mars, je vais te pisser et te chier dessus. Ça t'apprendra à vouloir me zigouiller.

Et voilà, je viens d'économiser 3,6 pirates-ninjas.

Journal de bord : Sol 198

J'ai fait une découverte capitale au sujet de l'oxygénateur !

J'ai passé la majeure partie de la journée à étudier son fonctionnement. Il chauffe le CO_2 à neuf cents degrés avant de l'envoyer dans une cellule à électrolyse en zirconium, qui le débarrasse de ses atomes de carbone. Réchauffer ce gaz est très coûteux en énergie. Et alors ? me direz-vous. Eh bien, je serai seul à bord, alors que l'oxygénateur est conçu pour six personnes. Un sixième de la quantité de CO_2 signifie un sixième de l'énergie pour le chauffer.

Le mode d'emploi parle de 44,1 pirates-ninjas, mais, pendant tout ce temps, l'appareil n'en a consommé que 7,35 du fait de la charge amoindrie. Ah ! maintenant on peut discuter sérieusement.

Reste le régulateur atmosphérique. Celui-ci analyse l'atmosphère et corrige les déséquilibres éventuels. Trop de CO_2 ? J'en retire un peu. Pas assez d'O_2 ? J'en rajoute. Sans lui, l'oxygénateur ne sert à rien. Le CO_2 a besoin d'être séparé avant d'être travaillé.

Le régulateur analyse l'air par spectroscopie, puis sépare les gaz en les refroidissant. Des éléments différents deviennent liquides à des températures différentes. Sur Terre, atteindre de telles températures ne serait possible qu'en consommant des quantités pharaoniques d'énergie, mais, comme je ne le sais que trop bien, je ne suis pas sur Terre.

Ici, sur Mars, le refroidissement se fait en envoyant l'air dans un compartiment situé à l'extérieur de l'Habitat. Les gaz atteignent alors rapidement la température extérieure, qui varie de - 150° à 0 °C. Quand il fait plus chaud, on a recours à un procédé de réfrigération, mais les journées bien froides liquéfient votre air gratuitement. On consomme surtout de l'énergie en le réchauffant, car s'il revenait dans l'Habitat sans être préalablement réchauffé, je mourrais de froid.

Eh ! mais attendez ! êtes-vous en train de vous dire. L'atmosphère martienne n'est pas liquide, alors pourquoi l'air de l'Habitat se condense-t-il ?

L'atmosphère de l'Habitat est environ cent fois plus dense, aussi devient-elle liquide à des températures beaucoup plus élevées. Le régulateur profite ainsi des avantages des deux mondes. Littéralement. À ce sujet : l'atmosphère martienne se condense au niveau des pôles. Elle se solidifie sous forme de neige carbonique.

Problème : le régulateur consomme 21,5 pirates-ninjas. Même en récupérant des piles dans l'Habitat, je n'aurai pas assez de jus pour alimenter le régulateur. Et je ne parle même pas de faire rouler le rover.

Réfléchir, réfléchir encore…

Journal de bord : Sol 199

Ça y est. Je sais comment alimenter l'oxygénateur et le régulateur atmosphérique.

Le problème avec les petits espaces pressurisés, c'est la toxicité du CO_2. Vous pouvez avoir tout l'oxygène du monde, si le CO_2 dépasse un pour cent, vous commencez à souffrir de vertiges. À deux pour cent, vous êtes comme saoul. À cinq pour cent, il est difficile de ne pas perdre connaissance. À huit pour cent, vous êtes mort. Rester en vie n'est pas une question d'oxygène, mais de CO_2, dont il faut se débarrasser.

Cela signifie que je ne peux pas me passer du régulateur. En revanche, je n'ai pas besoin de l'oxygénateur en permanence. Il faut simplement que je retire le CO_2 de mon air et que je compense avec de l'oxygène. Dans l'Habitat, je dispose de cinquante litres d'oxygène liquide répartis dans deux bouteilles de vingt-cinq litres. Cela représente cinquante mille litres sous forme gazeuse, soit de quoi survivre pendant quatre-vingt-cinq jours. Pas assez, donc, pour que je tienne jusqu'à mon sauvetage, mais cela fait tout de même beaucoup.

Le régulateur peut séparer le CO_2 et le stocker dans un réservoir, puis se servir dans les bouteilles d'oxygène lorsque cela devient nécessaire. Quand je n'aurai plus beaucoup d'oxygène, je pourrai camper dehors pendant une journée et utiliser toute mon énergie pour traiter le CO_2 stocké avec l'oxygénateur. De cette façon, l'oxygénateur ne grillera pas l'énergie réservée au rover.

Le régulateur fonctionnera donc tout le temps, tandis que l'oxygénateur ne sera mis en route que les jours où je l'aurai décidé.

Au problème suivant, à présent. Lorsque le CO_2 devient liquide dans le régulateur, l'oxygène et l'azote, eux, sont toujours gazeux, mais ils sont à - 75 °C. Si le régulateur les réinjectait dans mon air sans les réchauffer au préalable, je me transformerais en Mister Freeze en quelques heures seulement. La majeure partie de l'énergie consommée par l'appareil est dévolue au réchauffage de l'air renvoyé dans l'atmosphère, justement.

Mais je connais une meilleure façon de procéder. Une méthode à laquelle la NASA ne penserait jamais, pas même un jour de folie meurtrière.

Le GTR!

Oui, le GTR. Vous ne l'avez peut-être pas oublié depuis mon excitante expédition en Ares Vallis. Un morceau de plutonium tellement radioactif qu'il émet mille cinq cents watts de chaleur, utilisés pour produire cent watts d'électricité. Que deviennent les mille quatre cents watts restants ? Ils sont dissipés sous forme de chaleur.

Au cours de mon expédition, j'avais dû arracher une partie du revêtement isolant du rover afin de libérer une partie de la chaleur produite par cette saloperie. Je vais remettre le revêtement en place, parce que j'aurai besoin de cette chaleur pour réchauffer l'air renvoyé par le régulateur.

J'ai fait les calculs. Le régulateur utilise sept cent quatre-vingt-dix watts pour réchauffer l'air. Les mille quatre cents watts du GTR feront le job merveilleusement, en plus de maintenir le rover à une température décente.

En guise de test, j'ai désactivé les radiateurs du régulateur, puis j'ai mesuré sa consommation énergétique. J'ai attendu quelques minutes avant de les rallumer. Bordel, l'air retourné était sacrément froid, mais j'ai eu les données dont j'avais besoin.

Avec le chauffage, le régulateur a besoin de 21,5 pirates-ninjas. Sans le chauffage – attention, roulement de tambour – seulement 1 pirate-ninja. Absolument, presque toute l'énergie était grillée par le chauffage.

Comme la plupart des soucis de la vie, celui-ci peut être réglé par une boîte de *pure radiation*.

J'ai passé le restant de la journée à vérifier mes chiffres et à faire d'autres tests. Et tout concorde. Oui, je peux le faire.

Journal de bord : Sol 200

Aujourd'hui, j'ai soulevé des cailloux.

J'avais besoin d'estimer la consommation du rover tractant la remorque. Lors de l'« Opération Pathfinder », je parcourais quatre-vingts kilomètres par jour en consommant dix-huit kilowattheures. Cette fois, le chargement serait beaucoup plus lourd. Je tracterais la remorque et tout un tas de conneries.

J'ai reculé le rover jusqu'à la remorque, et j'ai accroché les deux pinces. Rien de plus facile.

La remorque étant dépressurisée depuis un petit bout de temps maintenant – il faut dire que j'ai fait quelques centaines de petits trous dedans –, j'ai pu ouvrir les deux sas pour jeter un coup d'œil. Et mettre des pierres à l'intérieur.

Pour la quantité, j'ai fait au jugé. La plus grosse partie de mon chargement sera constituée d'eau. Six cent vingt kilogrammes d'eau. Auxquels il faudra ajouter deux cents kilogrammes de pommes de terre congelées. J'emporterai sans doute plus de panneaux solaires que la fois précédente, et peut-être une batterie récupérée dans l'Habitat. Plus le régulateur atmosphérique et l'oxygénateur, évidemment. Au lieu de peser tout ce bazar, j'ai estimé son poids à mille deux cents kilogrammes.

C'est le poids approximatif d'un demi-mètre cube de basalte. Il m'a fallu deux heures de travail acharné pour transporter tout ça. En me plaignant beaucoup.

Alors, après avoir chargé à bloc mes deux batteries, j'ai roulé autour de l'Habitat jusqu'à ce que le rover s'arrête.

Avec une vitesse de pointe avoisinant les vingt-cinq kilomètres par heure, ça n'a pas été très excitant. Néanmoins, j'ai été impressionné de constater que la charge supplémentaire n'empêchait pas le rover d'atteindre sa vitesse maximale. Le couple de la machine est vraiment spectaculaire.

Les lois de la physique étant ce qu'elles sont – emmerdantes et incontournables –, je n'ai parcouru que cinquante-sept kilomètres avant de me retrouver à court d'électricité.

Cinquante-sept kilomètres sur un terrain parfaitement plat, et sans faire fonctionner le régulateur – qui, sans son chauffage, ne consomme presque rien. Arrondissons à cinquante kilomètres par jour, par sécurité. À ce rythme, il me faudrait donc soixante-quatre sols pour atteindre le cratère de Schiaparelli.

Soixante-quatre sols à rouler. Sauf que, de temps à autre, j'aurai besoin de m'arrêter une journée complète pour activer l'oxygénateur. À quelle fréquence ? D'après mes calculs, mon budget de dix-huit pirates-ninjas permettra à l'oxygénateur de produire 2,5 sols d'O_2. Je serai donc contraint de m'arrêter tous les deux ou trois jours pour faire de l'oxygène. D'un coup d'un seul, je suis passé de soixante-quatre à quatre-vingt-douze sols de voyage !

C'est beaucoup trop long. Si on m'oblige à passer tant de temps dans le rover, je vais finir par m'arracher la tête.

Bref, j'en ai marre de soulever des pierres et de me plaindre d'avoir à soulever des pierres. En plus, je crois que je me suis fait mal au dos. Je vais me tenir tranquille pour le moment.

Journal de bord : Sol 201

Ouais, je me suis clairement fait mal au dos. À mon réveil, je souffrais le martyre.

J'ai laissé de côté mes préparatifs pour prendre des médicaments et m'amuser avec des radiations.

Pour commencer, j'ai avalé un stock de Vicodin. Remercions Beck d'avoir laissé sa trousse à pharmacie !

Puis j'ai roulé jusqu'au GTR. Il était là où je l'avais laissé, dans un trou, à quatre kilomètres de la base. Seul un idiot aurait laissé ce truc près de l'Habitat. Alors je l'ai rapporté à la maison…

Peut-être qu'il finira par me tuer, peut-être que non. Des types ont bossé très dur pour s'assurer que ce machin ne se casserait pas. À qui puis-je faire confiance, sinon à la NASA ? (Bon, d'accord, c'est la NASA qui nous a demandé d'enterrer le GTR le plus loin possible.)

Pour le retour, je l'ai attaché sur le toit. Il faut dire que ce bébé crache un maximum de chaleur.

J'ai trouvé des tuyaux en plastique destinés à de menues réparations du recycleur d'eau. Après avoir rapporté le GTR dans l'Habitat, j'ai collé très délicatement un tuyau autour des déflecteurs de chaleur. À l'aide d'un entonnoir confectionné avec un morceau de papier, je l'ai rempli d'une eau que j'ai ensuite laissée couler dans un container à échantillons.

Comme prévu, celle-ci était chaude. Il est toujours satisfaisant de constater que les lois de la thermodynamique s'appliquent normalement.

Sauf que… Le régulateur atmosphérique ne fonctionne pas en permanence. La vitesse de séparation des gaz par le froid dépend de la météo et de la température extérieure. Il n'y a pas de flot constant d'air froid renvoyé dans l'atmosphère. Le GTR, lui, génère une chaleur constante et prévisible. Il ne peut pas augmenter son rendement.

Je chaufferai donc de l'eau avec le GTR afin de constituer un réservoir de chaleur, dans lequel je ferai transiter l'air envoyé par le régulateur. De cette manière, je n'aurai pas à m'inquiéter du moment où l'air arrivera. Et je n'aurai pas à subir de changements de température dans le rover.

Lorsque les effets du Vicodin se sont dissipés, mon dos s'est rappelé à mon bon souvenir. Je vais devoir me calmer sur le boulot. Comme je ne peux pas passer ma vie à avaler des cachets, j'ai décidé de laisser mon corps au repos pendant deux jours. Pour m'aider, j'ai même eu l'idée d'une invention…

J'ai découpé le lit de Johanssen, n'en gardant que le cadre, dans lequel j'ai enfoncé un grand morceau de toile pour Habitat, créant ainsi une baignoire étanche. Par sécurité, j'ai lesté la toile à l'extérieur de la cuvette avec des pierres.

Cent litres d'eau ont suffi pour remplir la baignoire peu profonde.

Puis j'ai récupéré la pompe du recycleur d'eau – je pourrais tenir un bon moment sans recycleur –, que j'ai connectée à mon chauffe-eau de fortune et dont j'ai plongé à la fois l'entrée et la sortie dans la baignoire.

Oui, je sais, c'est ridicule, mais je n'avais pas pris de bain depuis la Terre et j'avais très mal au dos. Par ailleurs, je m'apprêtais à passer cent sols avec le GTR, alors… Un peu plus de radiation ne pouvait pas me faire de mal. C'était un raisonnement idiot, mais il avait sa logique.

Il a fallu deux heures à l'eau pour atteindre trente-sept degrés. Alors j'ai éteint la pompe et je me suis glissé dans la baignoire.

Ahhhhhh !

Pourquoi diable n'avais-je pas eu cette idée plus tôt ?

Journal de bord : Sol 207

J'ai passé la semaine écoulée à soigner mon dos. Je n'avais plus trop mal, mais, Mars manquant de chiropracteurs, j'ai préféré ne pas prendre de risques.

J'ai pris deux bains chauds par jour et je me suis beaucoup reposé en regardant des séries à la con. J'ai déjà épuisé la collection de Lewis, mais je n'avais pas grand-chose d'autre à faire. J'en étais donc réduit à me taper des rediffusions.

J'ai beaucoup réfléchi, aussi.

Emporter plus de panneaux solaires arrangerait beaucoup ma situation. Les quatorze panneaux que j'avais emportés pour aller chercher Pathfinder me fournissaient les dix-huit kilowatts que les batteries pouvaient stocker. Je transportais les panneaux sur le toit du rover. Cette fois, je pourrai en prendre sept de plus, la moitié du toit de la remorque étant destinée à disparaître.

Mes besoins énergétiques, pour ce nouveau voyage, seront multipliés à cause de l'oxygénateur. Ma réussite dépendra grandement de la quantité d'électricité que j'arriverai à fournir par sol à ce petit enfoiré. Ce que je veux, c'est avoir à m'arrêter le moins possible. Plus je l'alimenterai, plus il libérera d'oxygène, et plus je pourrai rouler sans avoir à m'arrêter pour le laisser fonctionner.

Voyons les choses en grand. Admettons que je sois capable de trouver de la place pour non pas sept, mais quatorze panneaux supplémentaires. Ne me demandez pas encore comment je compte m'y prendre... Cela me donnerait trente-six pirates-ninjas, soit cinq sols d'oxygène par sol passé à faire tourner l'oxygénateur. Je n'aurais donc à m'arrêter que tous les cinq sols, ce qui est bien plus raisonnable.

Et puis, si j'arrivais à stocker l'énergie produite, je pourrais parcourir cent kilomètres par sol ! Plus facile à dire qu'à faire, toutefois. Stocker dix-huit kilowattheures supplémentaires ne serait pas aisé. Il me faudrait prendre deux batteries de neuf kilowattheures dans l'Habitat pour les charger dans la remorque. Elles ne sont ni petites ni faciles à transporter. Sans être très lourdes, elles sont encombrantes. Je serais peut-être contraint de les attacher à l'extérieur du véhicule, ce qui ne m'aiderait pas à stocker mes panneaux solaires supplémentaires.

Cent kilomètres par sol, c'est une estimation très optimiste. Disons que j'atteigne une moyenne de quatre-vingt-dix kilomètres par sol et que je m'arrête tous les cinquièmes sols pour recycler mon oxygène. J'arriverais à bon port en quarante-cinq sols. Ce serait vraiment génial !

Sinon, la NASA doit être en train de se chier dessus. Venkat et ses copains m'observent avec leurs satellites, mais cela fait six jours qu'ils ne m'ont pas vu sortir de l'Habitat. Mon dos allant mieux, j'ai décidé de leur écrire un petit message.

J'ai fait une petite AEV. Déplaçant les pierres avec circonspection, cette fois, j'ai épelé en morse le message suivant : « FAIT MAL AU DOS. VAIS MIEUX. REPRENDS LES MODIFICATIONS DU ROVER. »

J'avais eu mon content de travail physique pour la journée.

Il faut savoir s'arrêter à temps.

Tiens, si je prenais un bain ?

Journal de bord : Sol 208

Il était temps d'expérimenter avec les panneaux.

Tout d'abord, J'ai mis l'Habitat en mode basse consomma—tion : pas d'éclairage interne, désactivation de tous les systèmes non essentiels et du chauffage. De toute façon, j'allais passer la majeure partie de la journée dehors.

Ensuite, j'ai détaché vingt-huit panneaux solaires de ma petite usine et je les ai traînés jusqu'au rover. J'ai passé quatre heures à les empiler de diverses manières. Le pauvre rover ressemblait à la camionnette des Beverly Hillbillies. Aucune de mes tentatives ne m'a convaincu.

La pile de panneaux était si haute, sur le toit, qu'elle s'écroulerait au premier virage. Et si je les solidarisais tous, eh bien… ils tomberaient tous en même temps. Si je trouvais un moyen efficace de les ancrer au rover, celui-ci se renverserait. Je ne me suis même pas donné la peine d'essayer ; c'était tellement évident, eh je n'avais pas envie de casser quelque chose.

Je n'ai pas terminé de découper le toit de la remorque. La moitié des trous ont été percés, mais je ne suis pas décidé à continuer. Si je laissais le toit tel quel, je pourrais avoir quatre piles de sept panneaux. Ce serait parfait – une technique déjà éprouvée lors de mon premier périple.

Malheureusement, je ne peux pas me passer de cette ouverture. Le régulateur a besoin de se trouver dans un volume pressurisé, et il est trop gros pour entrer dans le rover non modifié. Sans compter que l'oxygénateur devra se trouver lui aussi dans un habitacle pressurisé quand il fonctionnera. Ce ne sera le cas qu'un sol sur cinq, mais il n'y a pas de solution miracle. Non, impossible de se passer de ce trou.

Pour l'instant, j'ai de la place pour vingt et un panneaux. Reste donc à en caser sept. À part les mettre sur les flancs du rover et de la remorque, je ne vois pas comment faire.

Pour aller récupérer Pathfinder, j'avais confectionné des « sacoches » pour le rover. D'un côté, il y avait la batterie – prise dans ce qui est désormais ma remorque –, de l'autre, des pierres servant de contrepoids.

Je n'aurai pas besoin de sacoches, cette fois. Je peux même remettre la seconde batterie à sa place, ce qui m'épargnera une AEV par jour. En effet, lorsque deux rovers sont reliés, ils partagent leurs ressources, y compris l'électricité. Inutile donc de m'arrêter pour débrancher et rebrancher les câbles.

Réinstaller la batterie dans la remorque m'a pris deux heures. Une bonne chose de faite. J'ai retiré les sacoches et je les ai mises de côté. Peut-être me serviront-elles plus tard. Si j'ai appris un truc pendant mes vacances au Club Mars, c'est bien que tout peut servir un jour.

J'avais dégagé les flancs du rover et de la remorque. La solution m'est venue après les avoir contemplés pendant un long moment.

Je fabriquerais des équerres en L que je fixerais au châssis. Deux équerres par flanc feraient un genre d'étagère. Je poserais les panneaux dessus, je les appuierais contre la carrosserie, puis je les arrimerais au véhicule avec de la corde maison.

Il y aurait quatre étagères au total, deux sur le rover et deux autres sur la remorque. À condition que les équerres soient suffisamment larges, je pourrais mettre deux panneaux de chaque côté, soit huit en tout. Un de plus que ce que j'avais prévu.

Je fabriquerai et installerai ces équerres demain. J'aurais pu le faire aujourd'hui, mais la journée arrivait à son terme, et j'avais la flemme.

Journal de bord : Sol 209

La nuit dernière a été froide. Comme les panneaux solaires étaient toujours déconnectés de ma petite centrale électrique, j'avais laissé l'Habitat en mode basse consommation. N'étant pas timbré, j'avais aussi rallumé le chauffage, mais en réglant le thermostat sur 1 °C seulement, histoire d'économiser de l'énergie. Me réveiller dans ce froid glacial m'a rendu drôlement nostalgique. J'ai grandi à Chicago, après tout.

Trêve de pleurniche. J'avais décidé d'en finir avec ces équerres afin de pouvoir mettre les panneaux à leur place. Et de pouvoir monter le chauffage !

J'ai trouvé le métal dont j'avais besoin dans ce qui restait du VAM. Celui-ci est surtout constitué de matériau composite, mais les poutrelles des trains d'atterrissage doivent pouvoir absorber un gros choc, d'où la nécessité d'utiliser du métal.

J'ai rapporté une des poutrelles dans l'Habitat pour ne pas avoir à travailler vêtu de ma combinaison. C'était un treillage à section triangulaire de bandes de métal maintenues ensemble par des boulons. Je l'ai désassemblé.

Pour modeler mes équerres, j'avais besoin d'un marteau et de... Et de rien d'autre, en fait. Fabriquer des L n'était pas un travail de précision.

J'avais besoin de trous pour faire passer mes boulons ; heureusement, ma perceuse – celle qui avait assassiné Pathfinder – a rempli merveilleusement sa mission.

Je craignais de ne pas réussir à fixer mes équerres au châssis, mais cela s'est révélé très facile, car celui-ci se détache du véhicule. J'y ai percé quelques trous, serré quelques boulons, et voilà. Puis j'ai recommencé l'opération avec la remorque. Détail important : le châssis ne fait pas partie de l'habitacle pressurisé. Les trous que j'avais faits ne provoqueraient pas de dépressurisation.

J'ai testé mes équerres en tapant dessus avec des pierres. Nous autres, scientifiques interplanétaires, sommes connus pour ce genre de méthode sophistiquée.

Enfin convaincu que mes équerres ne casseraient pas à la première occasion, j'ai décidé d'essayer mes étagères. J'ai posé deux fois sept panneaux sur le toit du rover, sept autres sur celui de la remorque, puis deux sur chaque étagère. Jusque-là, tout se passait comme je l'avais imaginé.

Après avoir sanglé tout ça, je suis parti en balade. J'ai accéléré et décéléré plus ou moins violemment, j'ai pris des virages de plus en plus serrés, et j'ai freiné des deux pieds. Les panneaux n'ont pas bougé.

Putain ! vingt-huit panneaux solaires ! Et de la place pour un panneau supplémentaire !

Après avoir célébré mon succès en brandissant mon poing serré, j'ai déchargé les panneaux pour les raccorder à la centrale. Pas question de revivre une nouvelle matinée hivernale.

Journal de bord : Sol 211

Je souris de toutes mes dents. Je souris comme un type qui a trafiqué sa bagnole sans rien casser.

J'ai passé la journée à retirer tout ce qui n'est pas nécessaire du rover et de la remorque. Et je n'y suis pas allé de main morte. L'espace est limité dans les habitacles pressurisés. Plus je dégagerai de choses inutiles, plus j'aurai de place pour moi. Plus je libérerai de place dans la remorque, plus je pourrai y ranger de provisions et autres, et moins je serai encombré dans le rover.

Pour commencer, j'ai dit adieu aux banquettes réservées aux passagers qui équipaient les deux véhicules. Ensuite... La remorque n'a pas besoin de systèmes de support-vie. Les réservoirs d'oxygène, d'azote, le filtre à CO_2... Inutiles ! Les deux véhicules partageront le même air, et le rover restera équipé de ces mêmes systèmes. Par ailleurs, la remorque accueillera l'oxygénateur et le régulateur. Entre les systèmes récupérés dans l'Habitat et ceux du rover, j'aurai deux jeux de systèmes de support-vie, ce qui est largement assez.

Ensuite, j'ai arraché le siège du conducteur et le panneau de contrôle de la remorque. Le lien entre les deux véhicules est physique. La remorque sera totalement passive ; elle sera tractée et alimentée en oxygène. Elle n'a donc besoin ni de contrôles ni de cerveau. Mais j'ai gardé son ordinateur. Comme il est petit et léger, je vais l'emporter avec moi. Au cas où celui du rover aurait un problème.

Comme j'avais un maximum de place, à présent, il était temps d'expérimenter.

L'Habitat est équipé de douze batteries de neuf kilowattheures. Elles sont grosses et peu pratiques. Plus de deux mètres de hauteur, cinquante centimètres de largeur, soixante-quinze centimètres de profondeur. Les faire plus grosses permet d'utiliser moins de masse pour chaque kilowattheure stocké. C'est vrai qu'on pourrait croire le contraire. Une fois que la NASA a eu compris qu'elle pouvait augmenter le volume pour diminuer la masse, elle ne s'en est pas privée. La masse, c'est ce qui coûte le plus cher quand il faut envoyer des choses sur Mars.

J'en ai détaché deux. Il ne devrait pas y avoir de problème, si je les remets en place avant la fin de la journée. L'Habitat utilise surtout ses batteries la nuit.

Les deux sas de la remorque étant ouverts, j'ai pu glisser la première batterie à l'intérieur. Après avoir joué à Tetris pendant un bon moment, j'ai trouvé un moyen de ranger la première sans gêner le passage de la seconde. À elles deux, elles occupaient la moitié avant de la remorque. Si je n'avais pas vidé le véhicule des trucs inutiles plus tôt dans la journée, jamais je ne serais parvenu à les embarquer toutes les deux.

La batterie de la remorque est logée dans le châssis, mais le câble d'alimentation principal traverse l'habitacle pressurisé, aussi ai-je pu relier les batteries de l'Habitat directement – même si ça n'a pas été facile, vêtu de ma combinaison.

Une vérification des systèmes depuis l'ordinateur du rover m'a confirmé que la connexion était bonne.

Ce n'est pas grand-chose, pensez-vous peut-être. Bien au contraire. Cela signifie que je peux avoir vingt-neuf panneaux solaires et trente-six kilowattheures de stockage. Finalement, je vais pouvoir avaler cent kilomètres par jour.

Quatre jours sur cinq, en tout cas.

D'après mon calendrier, le cargo de ravitaillement d'*Hermès* devrait partir de la Chine dans deux jours – sauf contretemps. Si cette mission merde, l'équipage sera dans le pétrin. C'est ce qui me terrorise.

Cela fait des mois que je suis en danger de mort, et on finit par s'habituer à tout. Mais voilà que je suis de nouveau nerveux. Mourir m'emmerderait, c'est sûr, mais voir l'équipage mourir serait pire. Et je n'aurai pas de nouvelles du lancement avant d'atteindre Schiaparelli.

Bonne chance, les gars.

Chapitre 19

— Eh ! Melissa…, commença Robert. Est-ce que ça marche ? Tu me vois ?

— Je te vois et t'entends parfaitement, chéri, répondit le commandant Lewis. La liaison vidéo est solide.

— Ils disent que j'ai cinq minutes, dit Robert.

— C'est mieux que rien. (Flottant dans ses quartiers, elle effleura la cloison pour se stabiliser.) C'est sympa de te voir en temps réel, pour changer.

— Ouais, sourit-il. Il n'y a quasiment pas de décalage. Il faut que je te dise… j'aurais aimé que tu rentres à la maison.

— Oui, moi aussi, chéri, soupira Lewis.

— Comprends-moi, ajouta aussitôt Robert. Je sais pourquoi tu fais ça, mais je suis un peu égoïste, et ma femme me manque. Au fait, tu flottes ?

— Hein ? Oh ! oui. Le vaisseau ne tourne pas pour l'instant. Pas de pesanteur centripète.

— Pourquoi ?

— Parce qu'on va s'amarrer à Taiyang Shen dans quelques jours. On ne peut pas tourner et s'amarrer en même temps.

— Je vois. Comment ça se passe, là-haut ? Ils te donnent du fil à retordre ?

— Non, répondit Lewis en secouant la tête. C'est un bon équipage. J'ai de la chance de les avoir.

— Au fait, j'ai ajouté une superbe pièce à notre collection !

— C'est vrai ? Qu'est-ce que c'est ?

— Un huit pistes de la production originale des *Greatest Hits* d'ABBA. Dans son emballage d'époque !

— Sérieusement ?! s'enthousiasma Lewis en écarquillant les yeux. De 1976 ou une réédition ?

— Non, de 1976.

— Waouh ! c'est génial !

— Ouais, merci.

* * *

Avec une dernière secousse, l'avion de ligne s'arrêta devant le terminal.

— Quelle horreur, lança Venkat en se massant le cou. Je crois que c'est le vol le plus long que j'aie jamais fait.

— Mmm…, fit Teddy en se frottant les yeux.

— Au moins, on n'est pas obligés de partir pour Jiuquan avant demain, gémit Venkat. Quatorze heures et trente minutes de vol dans une journée, ça suffit.

— Ne vous emballez pas trop quand même. Il nous reste à passer la douane, et on va sûrement nous donner un paquet de formulaires à remplir parce qu'on est des fonctionnaires américains. On ne va pas pouvoir se coucher avant plusieurs heures.

— Et meeeeerde !

Ils attrapèrent leurs bagages à main et piétinèrent avec les autres passagers pour sortir de l'appareil.

Le terminal 3 de l'aéroport international de Beijing était une cacophonie de bruits, comme tous les grands terminaux du monde. Venkat et Teddy rejoignirent les autres étrangers du vol, tandis que les passagers chinois se dirigeaient vers un guichet spécial, où l'attente était moins longue.

Venkat commença à faire la queue, bientôt rejoint par Teddy, qui cherchait du regard une buvette. Il avait besoin de caféine, sous n'importe quelle forme.

— Excusez-moi, messieurs, lança une voix derrière eux.

Ils se retournèrent et découvrirent un jeune Chinois vêtu d'un jean et d'un polo.

— Je m'appelle Su Bin Bao, poursuivit-il dans un anglais parfait. Je travaille pour notre administration spatiale. Je serai votre guide et interprète pendant votre séjour en république populaire de Chine.

— Heureux de faire votre connaissance, monsieur Su, répondit Teddy. Je suis Teddy Sanders, et voici le docteur Venkat Kapoor.

— Nous avons besoin de dormir, dit aussitôt Venkat. Si vous pouviez nous conduire à notre hôtel dès que nous aurons passé la douane...

— Je peux faire mieux que cela, docteur Kapoor, rétorqua Su en souriant. Vous êtes des invités officiels de la république populaire de Chine. Vous n'avez pas à passer par la douane. Je vais vous conduire à l'hôtel immédiatement.

— Je vous aime, affirma Venkat.

— Dites à la république populaire de Chine que nous la remercions, ajouta Teddy.

— Je n'y manquerai pas, acquiesça Su dans un sourire.

* * *

— Helena, mon amour, commença Vogel. Je suppose que tu vas bien ?

— Oui, je vais bien, mais tu me manques.

— Désolé.

— On n'y peut rien, dit-elle en haussant les épaules.

— Comment vont les singes ?

— Les enfants vont bien, répondit-elle en souriant. Eliza est amoureuse d'un nouveau garçon de sa classe, et Victor est devenu le gardien de but de son équipe de football, au lycée.

— Excellent ! Tu es au Centre de contrôle, si j'ai bien compris. La NASA n'aurait pas pu relayer le signal vers Brême ?

— Si, mais c'était plus facile de me faire venir à Houston. Des vacances gratuites aux États-Unis ! Je n'allais pas refuser ça.

— Bien joué. Comment va ma mère ?

— Aussi bien que possible. Les jours passent mais ne se ressemblent pas. La dernière fois que je suis allée la voir, elle ne m'a pas reconnue. D'une certaine manière, c'est mieux comme ça. Elle ne s'inquiète pas pour toi, elle.

— Son état ne s'est pas aggravé ? demanda-t-il.

— Non. Les médecins pensent qu'elle sera toujours là quand tu rentreras.

— Bien. Je n'aimerais pas avoir à me dire que je ne la reverrai jamais.

— Alex, est-ce que vous allez vous en sortir ?

— Ne t'inquiète pas. Le vaisseau est en parfait état, et quand on aura récupéré Taiyang Shen, on aura assez de provisions pour le reste du voyage.

— Sois prudent.

— Je le serai, mon amour, promit Vogel.

* * *

— Bienvenue à Jiuquan, commença Guo Ming. J'espère que votre vol s'est bien passé ?

Su Bin traduisit sa phrase tandis que Teddy s'asseyait à la deuxième meilleure place de la salle d'observation. Derrière la vitre s'étirait la vaste salle de contrôle. Elle ressemblait énormément à celle de Houston, même si Teddy était incapable de déchiffrer les caractères chinois sur les écrans géants.

— Oui, merci, répondit-il. Votre peuple est très hospitalier. Et le jet privé que vous avez affrété pour nous conduire jusqu'ici nous a facilité la tâche.

— Mes hommes ont beaucoup apprécié de travailler avec votre équipe, dit Guo Ming. Le mois écoulé a été très intéressant. Arrimer un cargo américain à un lanceur chinois… Je crois que c'est la première fois qu'on accomplit une chose pareille.

— Cela prouve que l'amour de la science est universel, fit remarquer Teddy.

Guo Ming hocha la tête.

— Mon équipe a particulièrement apprécié l'éthique de travail de votre collègue Mitch Henderson. Un homme très passionné.

— C'est un emmerdeur de première, dit Teddy.

Su Bin hésita un instant avant de traduire.

Guo Ming éclata de rire.

— Oui, vous pouvez le dire, acquiesça-t-il. Mais moi, non !

* * *

— Attends, je ne suis pas sûre d'avoir compris, dit Amy, la sœur de Beck. Pourquoi dois-tu faire une AEV ?

— Non, je dois simplement me tenir prêt, au cas où, expliqua Beck.

— Pourquoi ?

— Si jamais le cargo ne s'amarrait pas correctement. Si quelque chose se passe mal, mon boulot consistera à sortir pour attraper l'engin.

— Vous ne pouvez pas simplement déplacer *Hermès* ?

— Non, pas possible. *Hermès* est énorme. Il n'est pas fait pour ce genre de manœuvres précises.

— Mais pourquoi toi ?

— Parce que c'est ma spécialité.

— Je croyais que tu étais médecin !

— Oui, je suis médecin, mais tout le monde, ici, doit remplir plusieurs missions. Je suis médecin, biologiste et spécialiste des AEV. Le commandant Lewis est notre géologue. Johanssen est notre informaticienne et notre technicienne spécialiste des réacteurs. *Et cetera.*

— Et le beau gosse… Martinez ? demanda Amy. Qu'est-ce qu'il fait ?

— Il pilote le VDM et le VAM. Et il est aussi marié et père de famille, espèce de briseuse de couples lubrique.

— Ah !… dommage. Et Watney ? Qu'est-ce qu'il faisait ?

— Il est botaniste et ingénieur. Et ne parle pas de lui au passé.

— Ingénieur ? Comme Scotty ?

— Si on veut. Il répare les trucs cassés.

— J'imagine que ça lui sert pas mal, en ce moment.

— C'est clair.

* * *

Les Chinois avaient aménagé une petite salle de conférences pour les Américains. Ils y étaient à l'étroit, même si, selon les standards de Jiuquan, leurs conditions de travail étaient plutôt luxueuses. Venkat travaillait sur des feuilles de calcul budgétaires quand Mitch arriva, l'interrompant. Une interruption bienvenue…

— Ils sont bizarres, ces geeks chinois, commença Mitch en s'affaissant sur une chaise. Mais ils ont fabriqué un bon lanceur.

— Excellent. Comment marche la liaison entre le booster et le cargo ?

— Parfaitement. JPL a respecté leurs consignes à la lettre. C'est du sur-mesure.

— Des inquiétudes, des réserves ? demanda Venkat.

— Ouais. Je me demande ce que j'ai mangé hier soir. Je crois qu'il y avait un globe oculaire dedans.

— Je suis certain que non.

— Ce plat, c'était un cadeau des ingénieurs.

— Ah !… Alors il y avait peut-être un globe oculaire dedans. Ils vous détestent.

— Pourquoi ?

— Parce que vous êtes un connard, Mitch, répondit Venkat. Un connard fini. Tout le monde le pense.

— Ça ne me dérange pas. Du moment que le cargo arrive jusqu'à *Hermès*, ils peuvent brûler mon effigie, si ça leur chante.

* * *

— Fais coucou à papa ! chantonna Marissa en agitant la main de David devant la caméra. Fais coucou à papa !

— Il est trop petit pour comprendre ce qui se passe, dit Martinez.

— Imagine la cote qu'il aura auprès de ses camarades de classe, dans quelques années. « Mon papa à moi, il est allé sur Mars. Et toi, ton papa, qu'est-ce qu'il fait ? »

— Faut avouer que j'ai la classe, lui concéda Martinez.

Marissa continua à agiter la main de David, qui s'intéressait davantage à son autre main, occupée à farfouiller dans son nez.

— Alors, reprit Martinez, tu es furieuse ?

— Ça se voit tant que ça ? Moi qui pensais être bonne comédienne.

— On est ensemble depuis qu'on a quinze ans. Je sais reconnaître quand tu es furieuse.

— Tu t'es porté volontaire pour prolonger ta mission de cinq cent trente-trois jours. Connard.

— Ouais, je me doutais que c'était à cause de ça.

— Ton fils ira à la maternelle à ton retour. Et il n'aura aucun souvenir de toi.

— Ouais, je sais.

— Et je vais devoir attendre cinq cent trente-trois jours avant de me taper mon mec !

— Et moi ma femme, répondit Martinez sur la défensive.

— Et je vais m'en faire pour toi pendant tout ce temps, ajouta-t-elle.

— Ouais. Désolé.

Elle prit une profonde inspiration.

— Mais on surmontera cette épreuve.

— Oui, on la surmontera, acquiesça-t-il.

* * *

— Bienvenue sur CNN et dans *Opération Mark Watney*. Aujourd'hui, nous sommes en duplex avec le directeur des opérations martiennes, Venkat Kapoor, qui nous parle de Chine. Docteur Kapoor, merci de vous être joint à nous.

— C'est un plaisir.

— Docteur Kapoor, parlez-nous de Taiyang Shen. Pourquoi le lanceur doit-il partir de Chine, pourquoi pas de chez nous ?

— *Hermès* ne va pas se mettre en orbite autour de la Terre. Il va simplement nous frôler en filant vers Mars. Nous frôler à très grande vitesse. Nous avions besoin d'un lanceur capable non seulement d'échapper à la gravitation terrestre, mais d'atteindre ce genre de vitesse. Seul Taiyang Shen avait cette capacité.

— Parlez-nous du cargo.

— Le finir dans les temps n'a pas été facile. JPL n'a eu que trente jours pour tout faire. Trente jours pour allier efficacité et sécurité. Pour résumer, notre cargo est une coque emplie de provisions et autres. Il est équipé de propulseurs de satellite standard pour manœuvrer, mais c'est tout.

— Et cela sera suffisant pour rejoindre *Hermès* ?

— C'est Taiyang Shen qui l'enverra jusqu'à *Hermès*. Les propulseurs ne serviront que pour la manœuvre d'amarrage. D'autant que JPL n'a pas eu le temps d'élaborer un système de guidage. Le cargo sera piloté à distance par un humain.

— Qui sera cet humain ? demanda Cathy.

— Le pilote d'Arès 3, le major Rick Martinez. Quand le cargo sera suffisamment proche du vaisseau, il en prendra le contrôle et le guidera jusqu'au dock d'amarrage.

— Et s'il y avait un problème ?

— Le spécialiste des AEV d'*Hermès*, le docteur Chris Beck, revêtira sa combinaison et se tiendra prêt à intervenir. En cas de nécessité, il ira littéralement chercher le cargo pour le ramener à bon port.

— Pas très scientifique, comme méthode, s'amusa Cathy.

— Dans le genre, nous avons encore beaucoup mieux, reprit Venkat en souriant. Si, pour une raison ou une autre, le cargo refusait de s'amarrer au vaisseau, Beck serait obligé de l'ouvrir et de transférer manuellement son contenu dans le sas.

— Comme s'il allait chercher les courses dans le coffre de sa voiture ?

— Exactement. Nous avons estimé qu'il lui faudrait quatre allers et retours. Mais ce serait une solution extrême. La manœuvre d'amarrage devrait se passer sans problème.

— On dirait que vous avez pensé à tout, remarqua Cathy.

— Il le faut. S'ils ne reçoivent pas ce ravitaillement… Eh bien, ils en ont vraiment besoin.

— Merci d'avoir pris le temps de répondre à nos questions.

— C'est toujours un plaisir, Cathy.

* * *

Le père de Johanssen s'agitait sur sa chaise. Il ne savait pas trop quoi dire. Quelque temps plus tard, il sortit un mouchoir de sa poche pour tamponner son front dégarni et humide.

— Si le cargo ne vous arrive pas…
— Essaie de ne pas y penser, l'interrompit sa fille.
— Ta mère s'inquiète tellement qu'elle n'a même pas pu venir.
— Je suis désolée, marmonna Johanssen en baissant les yeux.
— Elle ne mange plus, elle ne dort plus. Elle a la nausée. Et je ne vais pas tellement mieux. Comment ont-ils pu te forcer à accepter ?
— Ils ne m'ont pas forcée, papa. Je me suis portée volontaire.
— Comment peux-tu faire ça à ta mère ?
— Je suis navrée, mais Mark Watney est mon coéquipier. Je ne peux pas le laisser mourir.
Il soupira.
— Je regrette qu'on ne t'ait pas élevée en fille égoïste.
Johanssen gloussa doucement.
— Comment est-ce que j'ai pu en arriver là ? Je suis directeur des ventes d'une marque de serviettes en papier ; comment ma fille s'est-elle retrouvée dans l'espace ?
Johanssen haussa les épaules.
— Tu as toujours aimé les sciences, poursuivit-il. C'était génial. Que des bonnes notes… Et puis, tu traînais tout le temps avec des types boutonneux trop trouillards pour tenter quoi que ce soit. Tu ne t'es jamais rebellée. De quoi rendre jaloux tous les autres papas de la Terre.
— Merci. Papa, je…
— Jusqu'au jour où tu es montée à bord d'une bombe géante qui t'a emmenée sur Mars. Pour de vrai.
— Techniquement, le corrigea-t-elle, le lanceur nous a seulement mis en orbite. C'est un moteur ionique à énergie nucléaire qui m'a emmenée sur Mars.
— Suis-je bête… Un moteur ionique à énergie nucléaire, c'est beaucoup mieux !
— Papa, ça va bien se passer. Dis à maman que ça va bien se passer.
— À quoi bon ? Elle se fera du mauvais sang jusqu'à ton retour.
— Je sais, bafouilla Johanssen. Mais…
— Mais quoi ?
— Je ne mourrai pas. Je t'assure. Même si tout se passe mal.
— Comment ça ?

— Dis simplement à maman que je ne mourrai pas, répéta Johanssen en fronçant les sourcils.

— Comment ? Je ne comprends pas.

— Je ne veux pas rentrer dans les détails.

— Écoute, poursuivit-il en se penchant vers la caméra. J'ai toujours respecté ta vie privée et ton indépendance. Je ne me suis jamais immiscé dans ta vie, je n'ai jamais essayé de te contrôler. Je n'ai jamais abusé, pas vrai ?

— C'est vrai.

— En échange de toute une vie à ne pas me mêler de ce qui ne me regarde pas, dis-moi ce que tu nous caches. Juste une fois.

Elle se tut pendant quelques secondes, puis elle reprit la parole :

— Ils ont un plan.

— Qui ?

— Ils ont toujours un plan. Ils prévoient toujours tout à l'avance.

— Quel plan ?

— Ils ont décidé que je survivrais. Je suis la plus jeune. J'ai les compétences nécessaires pour rentrer à la maison en un seul morceau. Je suis aussi la plus petite, celle qui a le moins besoin de manger.

— Que se passerait-il si le cargo échouait, Beth ? demanda son père.

— Tout le monde mourrait, sauf moi. Ils prendraient tous une pilule pour mourir. Ils le feraient sans attendre, afin de me laisser le plus de vivres possible. Le commandant Lewis a décidé que je vivrais. Elle m'en a parlé hier. Je pense que la NASA n'est pas au courant.

— Et vos réserves te permettraient de tenir jusqu'à ton retour sur Terre ?

— Non. On a à manger pour six et pour un mois. Si j'étais seule, je pourrais tenir six mois – neuf en me rationnant. Mais je ne rentrerais que dans dix-sept mois.

— Dans ce cas, comment ferais-tu pour survivre ?

— Nos réserves ne seraient pas ma seule source de nourriture, répondit-elle.

Il écarquilla les yeux.

— Oh !… Oh ! mon Dieu…

— Tu diras à maman que j'aurais assez de vivres, d'accord ?

* * *

Ingénieurs américains et chinois applaudirent ensemble dans la salle de contrôle de Jiuquan.

Sur le moniteur principal, la traînée blanche de Taiyang Shen enflait dans le ciel glacé du désert de Gobi. Invisible à l'œil nu, le lanceur fonçait vers l'espace. Son grondement assourdissant n'était plus qu'un ronflement lointain.

— Lancement parfait, s'exclama Venkat.

— Bien sûr, dit Zhu Tao.

— Nous vous devons une fière chandelle. Nous vous sommes extrêmement reconnaissants !

— Naturellement.

— Grâce à ça, vous allez obtenir une place dans Arès 5, hein ! Tout le monde est gagnant.

— Mmh...

— Vous n'avez pas l'air très heureux, remarqua Venkat en lançant à Zhu Tao un regard oblique.

— J'ai passé quatre années de ma vie à travailler sur Taiyang Shen. Comme de très nombreux autres chercheurs, scientifiques et ingénieurs. Tout le monde a mis son âme dans ce projet, tandis que je me battais sur le terrain politique pour obtenir des financements.

» Tout ça pour construire une superbe sonde. La plus grande, la plus robuste des sondes non habitées jamais construites par l'homme. Une sonde qui dort désormais dans un hangar. Et qui ne volera jamais. Le Conseil d'État ne financera plus jamais un lanceur tel que celui-là.

Il se tourna vers Venkat.

— Ç'aurait pu être une formidable réussite scientifique. Une réussite à long terme sur laquelle nous avons fait une croix, lui préférant une simple mission de livraison. Alors, c'est vrai, nous allons envoyer un astronaute chinois sur Mars, mais quelles connaissances nous rapportera-t-il qu'un autre astronaute n'aurait pu nous rapporter ? Cette mission tout entière est une perte nette pour le savoir de l'humanité.

— Peut-être, acquiesça prudemment Venkat, mais c'est un gain net pour Mark Watney.

— Mmh..., fit Zhu Tao.

* * *

— Distance : soixante et un mètres ; vélocité : 2,3 mètres par seconde, annonça Johanssen.

— Pas de problème, assura Martinez, les yeux rivés sur ses moniteurs.

L'un montrait des images en temps réels du poste d'amarrage A, l'autre les données télémétriques du cargo.

Lewis flottait derrière les postes de travail de Johanssen et Martinez.

La voix de Beck résonna dans la radio.

— Contact visuel.

Grâce à des bottes magnétiques, il se tenait dans le sas n° 3, dont la porte était grande ouverte. La grosse unité SAFER[1] qu'il portait dans le dos lui permettrait de se déplacer à sa guise dans l'espace, si le besoin s'en faisait sentir, tout en restant accroché à un câble fixé à la paroi du sas.

— Vogel, appela Lewis dans son micro. Vous êtes en position ?

Vogel se tenait dans le sas n° 2 toujours pressurisé. Il était vêtu de sa combinaison, mais ne portait pas son casque.

— *Ja*, je suis prêt et en position.

Il était prêt à intervenir au cas où Beck rencontrerait des difficultés.

— Parfait. Martinez, vous pouvez y aller.

— À vos ordres, commandant.

— Distance : quarante-trois mètres ; vélocité : 2,3 mètres par seconde, annonça Johanssen.

— Aucune déviation par rapport au plan, dit Martinez.

— Légère rotation du cargo, poursuivit Johanssen. Vitesse de rotation relative : 0,05 révolution par seconde.

— En dessous de 0,3, il n'y a pas de problème, commenta Martinez. Le système de capture peut s'en accommoder.

— Le cargo est à portée de récupération manuelle, lança Beck.

---

1. Acronyme de Simplified Aid for EVA Rescue, système de propulsion autonome permettant à un astronaute de regagner un lieu sûr en cas d'urgence lors d'une AEV. (*NdT*)

—Entendu, acquiesça Lewis.

—Distance : vingt-deux mètres ; vélocité : 2,3 mètres par seconde. L'angle est bon.

—Je le ralentis un peu, expliqua Martinez en envoyant des instructions au cargo.

—Vélocité : 1,8... 1,3... 0,9. Vélocité stabilisée à 0,9 mètre par seconde.

—Distance ? demanda Martinez.

—Douze mètres, répondit Johanssen. Vélocité stable.

—Angle ?

—L'angle est bon.

—Dans ce cas, on est OK pour un autoamarrage. Allez, viens voir papa...

Le cargo flotta lentement jusqu'au port d'amarrage. Sa tige de capture métallique à la section triangulaire glissa dans l'entonnoir du port en frottant un peu contre les bords. Lorsque la tige eut atteint le mécanisme de rétraction, le système automatisé l'agrippa et la tira, orientant et alignant parfaitement l'engin. Plusieurs claquements métalliques résonnèrent dans le vaisseau, et l'ordinateur confirma le succès de la manœuvre.

—Amarrage réussi, annonça Martinez.

—Étanchéité confirmée, ajouta Johanssen.

—Beck, appela Lewis. Nous n'allons pas avoir besoin de vos services.

—Entendu, commandant. Je referme le sas.

—Vogel, revenez à l'intérieur, ordonna-t-elle.

—À vos ordres, commandant.

—Pression du sas, cent pour cent, dit Beck. Je rentre au bercail.

—Moi aussi, intervint Vogel.

Lewis appuya sur un bouton de son micro-casque.

—Houst... euh... Jiuquan, amarrage du cargo réussi. Tout s'est bien passé.

—Heureux de l'entendre, *Hermès*, répondit Mitch. Une fois que vous aurez tout rapporté à bord et que vous aurez tout inspecté, prévenez-nous.

—Entendu, Jiuquan, répondit Lewis. (Retirant son micro-casque, elle rejoignit Johanssen et Martinez.) Déchargez et stockez les vivres. Je vais aider Beck à retirer la combinaison de Vogel.

Martinez et Johanssen flottèrent dans le couloir en direction du port d'amarrage A.

— Alors, vous auriez mangé qui en premier ? lui demanda-t-il.

Elle lui lança un regard noir.

— À mon avis, c'est moi qui aurais eu meilleur goût, ajouta-t-il en fléchissant son biceps. Regardez ça. Du bon muscle cent pour cent naturel.

— Vous n'êtes pas drôle.

— Eh ! j'ai été élevé en plein air, nourri au grain.

Elle secoua la tête et prit de l'avance.

— Je croyais que vous aimiez manger mexicain !

— Je ne vous écoute plus !

Chapitre 20

Journal de bord : Sol 376

J'ai enfin terminé de modifier le rover !

Le plus difficile a été de trouver un moyen de faire fonctionner les systèmes de support-vie. Pour le reste, il a seulement fallu travailler. Beaucoup travailler.

Comme je n'ai pas été très sérieux avec ce journal de bord, ces derniers temps, laissez-moi vous résumer ce qui s'est passé :

Tout d'abord, j'ai terminé de percer les trous dans la remorque avec la machine qui avait tué Pathfinder. Puis j'ai taillé ce qui restait de matériau composite entre les trous ; cela représentait des milliards de petits morceaux à découper. Bon, d'accord, seulement sept cent cinquante-neuf, mais merde, c'était interminable comme boulot !

Une fois mon énorme ouverture achevée, j'en ai limé les contours pour qu'ils ne soient pas trop coupants.

Vous vous rappelez mes deux tentes ? J'en ai pris une dont j'ai découpé le fond, la partie restante ayant pile la bonne taille et la bonne forme. Avec des bandes adhésives, je l'ai collée à l'intérieur de la remorque. Après avoir pressurisé cette dernière et bouché les quelques fuites, j'avais un rover surplombé d'un beau ballon. La partie pressurisée est largement assez grande pour accueillir l'oxygénateur et le régulateur atmosphérique.

Léger souci : je vais devoir mettre le CERA à l'extérieur. Le bien nommé « composant externe du régulateur atmosphérique » est la machine qui isole le dioxyde de carbone de l'air en le refroidissant. En effet, pourquoi dépenser de l'énergie précieuse pour refroidir des trucs, quand il fait un froid de canard dehors ?

Le régulateur envoie de l'air au CERA, qui laisse Mars le refroidir. Le processus se déroule dans un conduit qui traverse une valve et court sur la paroi de l'Habitat. Puis l'air retourne dans l'abri par une valve similaire.

Faire passer un tuyau à travers la toile de mon ballon n'a pas été très difficile, les valves autocollantes ne manquant pas dans mes fournitures. Il s'agit de simples carrés de toile de dix centimètres de côté avec une valve au milieu. Pourquoi en ai-je tellement ? Imaginez ce qui arriverait à une mission classique si la valve du régulateur cédait. Ce serait une bonne raison de tout arrêter. D'où l'utilité d'en avoir quelques-unes de rechange.

Le CERA est relativement petit. Je l'ai logé sur une étagère de fortune en dessous de celles qui j'avais préparées pour accueillir mes panneaux solaires. Maintenant, tout est prêt pour le jour où j'installerai le régulateur et le CERA dans la remorque.

Mais il reste beaucoup à faire.

Je ne suis pas pressé, remarquez. Je prends mon temps. Une AEV de quatre heures par jour ; après, je me détends dans l'Habitat. De temps en temps, je m'autorise même un jour de congé, surtout quand j'ai mal au dos. Je ne peux pas me permettre de me blesser maintenant.

J'essaierai de tenir ce journal plus sérieusement. Vu que je risque de sortir d'ici vivant, des gens vont sans doute le lire. Je serai plus consciencieux et le remplirai tous les jours.

Journal de bord : Sol 380

Le réservoir de chaleur est terminé.

Vous n'avez pas oublié le GTR ni mes bains chauds ? C'est le même principe, mais avec une amélioration : désormais, je submerge le GTR afin de limiter les déperditions.

J'ai trouvé un grand container à échantillons rigide (aussi appelé « boîte en plastique » par ceux qui ne travaillent pas pour la NASA) sur la paroi intérieure duquel j'ai collé un tuyau auquel j'ai fait décrire une spirale dans le fond, avant d'en sceller l'extrémité. Utilisant ma mèche la plus fine, j'ai percé des dizaines de petits trous dans le conduit, l'idée étant de faire traverser le bac d'eau par l'air froid envoyé par le régulateur sous la forme de minuscules bulles. Ainsi, la surface de contact augmentée réchaufferait l'air plus rapidement.

Puis j'ai pris un contenant à échantillons flexible de taille moyenne (« sachet en plastique refermable ») dans lequel j'ai tenté d'enfermer le GTR. Malheureusement, le GTR ayant une forme irrégulière, je ne suis pas parvenu à chasser tout l'air du sachet, ce qui était pourtant nécessaire pour éviter que le gaz, en surchauffant du fait de la chaleur accumulée, fasse fondre le plastique.

J'ai essayé plusieurs fois, sans jamais parvenir à chasser tout l'air. J'étais frustré et en colère. Jusqu'à ce que je pense au sas.

Après avoir enfilé une combinaison, je me suis enfermé dans le sas n° 2, que j'ai aussitôt dépressurisé. J'ai glissé le GTR dans le sachet vide d'air, et le tour était joué !

Puis j'ai procédé à quelques tests. J'ai posé le sac contenant le GTR dans le fond de la boîte, que j'ai remplie avec vingt litres d'eau. Celle-ci s'est réchauffée rapidement. Un degré par minute. Quand elle a eu atteint quarante degrés, j'ai relié le retour d'air du régulateur à ma petite installation et j'ai observé le résultat.

Cela fonctionnait parfaitement ! Les bulles d'air traversaient le liquide comme je l'avais prévu. Mieux encore, elles agitaient l'eau, distribuant la chaleur régulièrement.

J'ai laissé mon montage fonctionner pendant une heure, après quoi l'Habitat a commencé à se refroidir. La surface de toile de l'Habitat est trop importante pour que le petit GTR parvienne à pallier les déperditions de chaleur. Mais cela ne me dérange pas ; l'important, c'est qu'il soit bien assez puissant pour maintenir le rover au chaud.

J'ai rebranché la sortie d'air au régulateur, et les choses sont redevenues normales.

Journal de bord : Sol 381

J'ai pas mal réfléchi à l'application des lois sur Mars.

Ouais, je sais, c'est complètement débile, mais comme j'ai du temps à tuer…

Il existe un traité international qui stipule qu'aucun pays n'a le droit de s'approprier ce qui n'est pas sur Terre. D'après un autre traité, les lois maritimes s'appliquent automatiquement quand on n'est pas sur le territoire d'un pays.

Mars se trouve donc dans les « eaux internationales ».

La NASA est une organisation civile américaine, et l'Habitat lui appartient. Quand je suis dans l'Habitat, les lois américaines prévalent, mais dès que je mets le pied dehors, je suis dans les eaux internationales. Quand je monte à bord du rover, je suis de nouveau en territoire américain.

Détail amusant : dans le cratère de Schiaparelli, je prendrai le contrôle du VAM d'Arès 4. Personne ne m'a explicitement donné la permission de le faire, et personne ne me la donnera tant que je ne serai pas à bord et que je n'aurai pas activé le système de communication. Mais une fois à bord, et avant de parler à la NASA, j'aurai pris le contrôle d'un navire dans les eaux internationales sans permission.

Cela fera de moi un pirate !

Un pirate de l'espace !

Journal de bord : Sol 383

Vous vous demandez peut-être ce que je fais de mon temps libre ? Je passe beaucoup de temps vautré à regarder la télé. Vous aussi, alors ne me jugez pas.

Et puis, je planifie mon voyage.

La mission Pathfinder avait été de la rigolade. Du terrain plat et lisse du début à la fin. Seule la navigation m'avait posé un problème. Pour rallier Schiaparelli, il faudra au contraire franchir des accidents de terrain impressionnants.

Je dispose d'une carte satellite de toute la planète. Elle n'est pas très détaillée, mais je peux m'estimer heureux de l'avoir. La NASA n'avait pas prévu que je m'aventurerais à trois mille deux cents kilomètres de l'Habitat.

Acidalia Planitia, où je me trouve, se situe à basse altitude, tout comme Schiaparelli. Entre les deux, toutefois, il y a de véritables montagnes russes, avec des dénivelées de dix kilomètres. Autant dire que ce sera dangereux.

La traversée d'Acidalia se déroulera sans encombre, mais cela ne représente que six cent cinquante kilomètres. Après cela viendra le paysage constellé de cratères d'Arabia Terra.

Heureusement, je croiserai sur ma route un véritable don du ciel, à savoir Mawrth Vallis, une vallée qui, pour des raisons géologiques qui me sont inconnues, est parfaitement placée.

Quelques millions d'années plus tôt, un fleuve coulait là. Le cours d'eau a disparu, mais subsiste la vallée qui traverse le paysage hostile d'Arabia Terra et trace une ligne presque droite en direction de Schiaparelli. Le terrain y est beaucoup plus praticable que dans le reste de la région. Par ailleurs, je ne devrais pas avoir de problème pour en sortir.

Entre Acidalia et Mawrth Vallis, cela fera environ mille trois cent cinquante kilomètres de terrain relativement facile.

Quant aux mille huit cent cinquante kilomètres restants... Cela risque d'être coton. En particulier la descente finale dans Schiaparelli. Ouille...

Enfin, pour le moment, je suis heureux d'avoir Mawrth Vallis sur ma route.

Journal de bord : Sol 385

Le pire, pendant la mission Pathfinder, avait été de passer tout ce temps dans le rover. Vivre dans un environnement exigu, jonché de détritus et empestant l'humain qui se néglige... Je me serais cru dans ma chambre d'étudiant.

Ha ha ! je suis trop drôle...

Bon, plus sérieusement, c'était vraiment horrible. Vingt-deux sols de souffrances abjectes.

J'ai prévu de partir pour Schiaparelli cent sols avant mon sauvetage – ou ma mort –, et je jure devant Dieu que je m'arracherai le visage si on m'oblige à passer tout ce temps dans le rover !

J'ai besoin d'un endroit où je pourrai me lever et faire quelques pas sans buter dans des objets divers. Non, sortir revêtu d'une satanée combinaison pour AEV ne compte pas. J'ai besoin d'un espace personnel, pas de cinquante kilogrammes de vêtements sur le dos.

Aujourd'hui, j'ai commencé à me fabriquer une tente, un endroit où me détendre pendant que les batteries se rechargeront, un lieu où je pourrai m'allonger confortablement pour dormir.

Récemment, j'ai sacrifié une de mes deux tentes pour en faire le ballon pressurisé de la remorque, mais l'autre est en parfait état. Mieux encore, on peut la relier au sas du rover. Avant que je la transforme en serre à pommes de terre, elle était un genre de canot de sauvetage.

Je pourrais attacher la tente au sas de l'un ou l'autre des deux véhicules, mais j'opte plutôt pour le rover, car il est équipé d'un ordinateur et de contrôles divers. Je peux avoir besoin de vérifier le statut de quelque chose – des systèmes de support-vie ou des batteries en train de se recharger – à tout moment. De cette façon, je n'aurai pas à enfiler de combinaison.

Quand je roulerai, la tente sera repliée dans le rover. En cas d'urgence, elle sera facilement accessible.

La tente sera donc la base de ma « chambre à coucher », mais la base seulement. Car elle n'est pas très grande – à peine plus grande que l'habitacle du rover. Toutefois, elle peut être raccordée au sas, ce qui est un bon début. J'ai pour projet d'en doubler la surface au sol et la hauteur, ce qui fera un bel espace de détente.

Pour le sol, j'utiliserai le plancher des deux tentes ; sinon, mon salon se transformerait en boule à hamster géante, la toile de l'Habitat étant flexible. Quand on la gonfle avec de l'air sous pression, elle a tendance à vouloir devenir une sphère, ce qui n'est pas une forme très utile.

Pour empêcher que cela arrive, l'Habitat et les tentes disposent d'un plancher spécial constitué de segments qui se déplient sans jamais dépasser cent quatre-vingts degrés, restant ainsi parfaitement plat.

La base de la tente est un hexagone. J'en ai un second, récupéré sur ce qui est désormais le ballon de la remorque. Quand je l'aurai terminée, ma chambre sera constituée de deux hexagones adjacents entourés de parois et surplombés d'un plafond de fortune.

Je vais avoir besoin d'un paquet de colle pour arriver à ce résultat.

Journal de bord : Sol 387

La tente mesure 1,20 m de hauteur. Elle n'est pas faite pour être confortable, mais pour abriter des astronautes en attendant que leurs collègues viennent les sauver. Deux mètres, ce serait parfait. Je veux pouvoir me tenir debout ! Ce n'est pas trop demander, je pense.

Sur le papier, ce n'est pas très difficile. Il me suffit de découper des morceaux de toile, de les coller et de les intercaler entre le plancher et la tente telle qu'elle existe pour le moment.

Toutefois, cela représente beaucoup de toile. J'ai entamé cette mission avec six mètres carrés, dont j'ai utilisé une bonne partie. Notamment pour sceller la brèche qui a fait exploser l'Habitat.

Maudit sas n° 1.

Si je résume, ma chambre à coucher nécessiterait trente mètres carrés de toile. Je suis très, très loin du compte. Heureusement, je dispose d'une autre réserve : l'Habitat.

Le problème, c'est que (suivez-moi bien, ça va devenir compliqué – de la science de très haut niveau) si je taille un trou dans l'Habitat, l'air qu'il contient aura tendance à s'échapper.

Je vais devoir dépressuriser l'Habitat, l'amputer et le recoller. J'ai passé la journée à réfléchir à la taille et au nombre de morceaux que j'allais devoir découper. Comme je ne peux pas me permettre de me gourer, j'ai vérifié mes calculs deux fois. J'ai même fabriqué une maquette en papier.

L'Habitat est un dôme. Si je prends du matériau au niveau du sol, il me suffira de tendre davantage la toile pour la sceller de nouveau au plancher. Il en résultera un dôme un peu penché, mais ce ne sera pas un problème. Du moment qu'il reste étanche. Et qu'il tient encore soixante-deux sols.

J'ai tracé les formes au marqueur sur la paroi, puis j'ai passé un long moment à tout remesurer et à m'assurer encore et encore que je ne m'étais pas trompé.

Voilà ce que j'ai fait de ma journée. Ça vous paraît peut-être peu, mais la conception et les calculs m'ont occupé pendant des heures. Il est temps d'aller dîner.

Je mange des pommes de terre depuis des semaines. Malheureusement, je n'ai pas réussi à me rationner comme je l'avais prévu au départ. Voilà pourquoi je mange des patates.

J'en ai suffisamment pour tenir jusqu'au décollage, aussi ne mourrai-je pas de faim. Mais j'en ai franchement marre des pommes de terre. Et puis, elles contiennent beaucoup de fibres, donc… bref, heureusement que je suis seul sur cette planète.

J'ai gardé cinq sachets-repas pour des occasions spéciales. C'est écrit dessus au marqueur. Je mangerai « Départ » le jour où je partirai pour Schiaparelli, « Mi-chemin » quand j'aurai parcouru mille six cents kilomètres, et « Arrivée » quand… je serai arrivé.

Le quatrième s'appelle « J'ai survécu à un truc qui aurait dû me tuer ». Parce qu'il va forcément m'arriver quelque chose. J'en suis sûr. Je ne sais pas quoi, mais cela va arriver. Le rover va tomber en panne, ou bien je vais choper des hémorroïdes tueuses. À moins que je croise la route de Martiens pas commodes. Quand j'aurai survécu à cette épreuve, j'avalerai ce repas.

Le dernier est réservé au jour du décollage. Je l'ai baptisé « Dernier repas ».

J'aurais peut-être dû trouver autre chose.

Journal de bord : Sol 388

J'ai commencé la journée en avalant une pomme de terre, que j'ai fait descendre avec un café martien, c'est-à-dire une tasse d'eau chaude avec une pilule de caféine dedans. Du vrai café, je n'en ai plus depuis des mois.

J'avais décidé de procéder à un inventaire détaillé du contenu de l'Habitat. J'aurai besoin de déplacer tout ce qui souffrirait de la perte de pression atmosphérique. Bien sûr, l'abri tout entier avait subi un stage intensif de dépressurisation quelques mois plus tôt, mais comme, cette fois, tout serait contrôlé, j'avais choisi de faire les choses bien.

D'abord, il y avait l'eau. Quand l'Habitat avait explosé, j'avais perdu trois cents litres d'eau à cause de la sublimation. Cela n'arriverait plus. J'ai purgé le recycleur et scellé les réservoirs.

Puis j'ai rassemblé pas mal de petites choses, que j'ai stockées dans le sas n° 3. Tout ce qui ne supporterait pas très bien le quasi-vide de l'atmosphère martienne : les stylos, flacons de vitamines – qui ne risquaient sans doute rien, mais on ne sait jamais –, fournitures médicales, etc.

Alors j'ai procédé à une désactivation contrôlée de l'Habitat. Les composants critiques sont conçus pour survivre au vide ; la NASA avait bien entendu prévu le scénario de la dépressurisation. Un à un, j'ai éteint tous les systèmes en finissant par l'ordinateur principal. Après quoi j'ai enfilé une combinaison et dépressurisé l'abri. La dernière fois, la toile s'était effondrée, mettant un bazar pas possible, ce qui n'était pas censé se produire. C'est la pression de l'air qui donne sa forme au dôme, mais des poteaux flexibles renforcés sont là pour maintenir la toile en l'air. C'est grâce à eux que nous avons pu monter l'Habitat à notre arrivée.

Doucement, la toile est tombée sur les poteaux. Afin de confirmer la dépressurisation, j'ai ouvert les deux portes du sas n° 2. Je n'ai pas touché au sas n° 3, en revanche. Il devait garder sa pression pour ne pas abîmer tout ce que j'avais posé dedans.

Il était l'heure de sortir mes ciseaux !

Je ne suis pas ingénieur en matériaux. Le design de ma chambre à coucher n'est pas très élégant. Il y a juste un périmètre de six mètres et un plafond. Non, ni angles droits ni coins – les volumes pressurisés n'aiment pas trop ça. En se gonflant, elle formera un genre de boule.

Bref, cela signifie que j'ai uniquement besoin de deux mégamorceaux de toile. Un pour la paroi et un pour le plafond.

Une fois les morceaux découpés, j'ai tendu la toile pour la coller au plancher. Vous avez déjà monté une tente de camping ? de l'intérieur ? et en portant une combinaison spatiale ? Une horreur.

Pour voir si elle fuyait, je l'ai pressurisée un peu – un vingtième d'atmosphère seulement.

Ha ! évidemment, qu'elle fuyait. Et pas qu'un peu. Alors il a fallu localiser les fuites.

Sur Terre, les petites particules se diluent dans l'eau ou bien finissent par disparaître littéralement. Sur Mars, elles restent où elles sont. La couche supérieure de sable ressemble à du talc. Je suis sorti avec un sac et j'ai gratté la surface, ramassant du sable ordinaire, mais aussi pas mal de poudre.

J'avais programmé l'Habitat pour qu'il compense les fuites et maintienne une pression d'un vingtième d'atmosphère. De retour à l'intérieur, j'ai vidé le sac dans les airs. Les particules les plus fines sont restées en suspension, avant de se diriger rapidement vers les fuites. Chaque fois que j'en trouvais une, je la scellais avec de la résine.

Cela m'a pris des heures, mais j'ai fini par obtenir un résultat satisfaisant. Je peux vous dire que l'Habitat a une allure assez *destroy*, maintenant. Une moitié du dôme est beaucoup plus basse que l'autre, m'obligeant à me baisser pour m'y rendre.

J'ai demandé à l'ordinateur de pressuriser normalement l'abri, puis j'ai attendu une heure. Pas de fuite.

La journée a été longue et harassante. Je suis épuisé, mais je n'arrive pas à dormir. Le moindre bruit me fiche une trouille bleue. Est-ce que l'Habitat va exploser ? Non ? D'accord… Alors, qu'est-ce que c'était ? Rien ? Sûr ?

Devoir s'en remettre à un boulot à moitié bâclé est une chose difficile.

Je crois qu'un petit somnifère ne me ferait pas de mal.

Journal de bord : Sol 389

Mais qu'est-ce qu'ils mettent dans ces putains de pilules ?! La journée est déjà bien entamée.

Après deux tasses de café martien, j'étais un peu plus réveillé. Je ne reprendrai plus de ces cachets. Ce n'est pas comme si je devais me lever pour aller au boulot le matin.

Bref, comme vous pouvez le constater, je ne suis pas mort, ce qui signifie que mon sceau a tenu le choc. Il est solide. Moche comme un pou, mais solide.

Maintenant que j'avais la toile, je devais m'occuper de ma chambre.

Son assemblage a été beaucoup plus facile que mon travail de la veille. Notamment parce que je n'étais pas obligé de porter une combinaison spatiale, puisque je travaillais dans l'Habitat. Pourquoi pas ? Une fois mon œuvre terminée, il me suffisait de la rouler et de la transporter dans le sas.

Pour commencer, la tente restante a subi une petite intervention chirurgicale. Je devais surtout faire très attention à la connexion destinée à épouser les contours du sas du rover et à la toile qui l'entourait. Quant au reste, je n'en avais pas besoin. Pourquoi me débarrasser de la toile de la tente pour la remplacer par une toile identique ? À cause des joints.

La NASA est forte pour fabriquer ces machins, moi non. Dans cette structure, le danger ne viendra pas de la toile, mais des joints de résine. En laissant de côté la toile récupérée sur la tente, je limite la longueur totale de ces joints.

Une fois terminée la découpe, j'ai relié les deux planchers, avant de coller tout autour la toile que j'avais prise à l'Habitat.

C'était plus facile sans combinaison d'AEV. Tellement plus facile !

Enfin, j'ai testé le résultat. Dans l'Habitat, là encore. Muni d'une combinaison d'AEV, je me suis enfermé dans la tente, puis j'ai mis en route la combinaison sans sceller le casque, lui demandant de monter la pression à 1,2 atmosphère.

Cela a pris un peu de temps et nécessité la désactivation de quelques alarmes. (« Eh ! mec, chuis à peu près certain que t'as pas mis ton casque ! ») La combinaison a utilisé presque toutes ses réserves de N_2, mais a réussi à faire monter la pression.

Je me suis assis et j'ai attendu un peu. Comme je respirais, la combinaison régulait la composition de l'air. Tout fonctionnait parfaitement. J'ai étudié de près les données affichées par l'ordinateur pour m'assurer que la machine n'était pas contrainte de remplacer de l'air « disparu ». Une heure plus tard, comme je n'avais noté aucun changement, j'ai déclaré le test réussi.

J'ai roulé la tente – je l'ai mise en boule, même – et je l'ai portée jusqu'au rover.

Je ne cesse pas d'enfiler ma combinaison ces derniers jours. Encore un record pour ma pomme. Sur Mars, les astronautes font en moyenne une quarantaine d'AEV. Moi, j'en suis à plusieurs centaines.

Une fois installé dans le véhicule, j'ai raccordé la tente au sas, puis j'ai ouvert la porte. Je portais ma combinaison, évidemment ; je ne suis pas idiot.

Ma chambre s'est dépliée et gonflée en moins de trois secondes. Le sas ouvert du rover permettait d'y accéder directement. Apparemment, il n'y avait pas de fuite.

Comme la fois précédente, j'ai attendu une petite heure. Et comme la fois précédente, il n'y a eu aucun problème. Contrairement à l'Habitat, dont j'avais dû colmater les fuites nombreuses, la tente avait été parfaitement réalisée. Et du premier coup. Notamment parce que je ne portais pas ma combinaison spatiale quand j'ai tout scellé.

À la base, j'avais prévu de laisser ma tente dépliée toute la nuit et d'y jeter un coup d'œil le lendemain matin, mais j'ai rapidement rencontré un problème. En effet, pour cela, il aurait fallu que je reste à l'intérieur, car le rover n'est doté que d'un seul sas. Impossible de sortir sans détacher la chambre, ou de la relier et de la pressuriser sans être à bord du véhicule.

C'est un peu flippant, quand on y pense. Pour tester ma structure une nuit durant, je vais devoir rester dedans. Mais chaque chose en son temps. J'ai assez travaillé pour aujourd'hui.

Journal de bord : Sol 390

Il faut voir les choses en face. J'ai fini de préparer le rover. Je n'ai pas le sentiment d'avoir terminé, et pourtant… Il est prêt à partir.

Nourriture : mille six cent quatre-vingt-douze pommes de terre. Pilules de vitamines.

Eau : six cent vingt litres.

Abri : rover, remorque, chambre.

Air : réserves combinées du rover et de la remorque – quatorze litres d'O_2 liquide, quatorze litres de N_2 liquide.

Systèmes de support-vie : oxygénateur et régulateur atmosphérique, quatre cent dix-huit heures de filtres à CO_2 jetables en cas d'urgence.

Énergie : trente-six kilowattheures de réserve. Possibilité d'embarquer vingt-neuf panneaux solaires.

Chaleur : GTR de mille quatre cents watts. Réservoir artisanal pour réchauffer l'air retourné par le régulateur. Chauffage électrique dans le rover en cas de coup dur.

Disco : réserves infinies.

J'ai fixé mon départ à sol 449. Cela me laisse cinquante-neuf sols pour tout tester et bricoler ce qui aura besoin de l'être. Et pour décider ce que j'emporterai avec moi. Et pour prévoir un itinéraire en me fiant à des photos satellite floues. Et pour me creuser les méninges afin de ne rien oublier d'important.

Depuis sol 6, je ne suis obsédé que par une chose : me tirer d'ici. Mais à présent, la perspective d'abandonner l'Habitat me fiche une trouille bleue. J'ai besoin d'encouragements et de me poser cette question : *Que ferait un astronaute d'Apollo à ma place ?*

Il avalerait trois whiskys cul sec, foncerait au pas de tir au volant de sa Corvette et s'envolerait vers la Lune à bord d'un module plus petit que mon rover. Ces mecs étaient quand même cool…

Chapitre 21

Journal de bord : Sol 431

Je réfléchis à la manière dont je vais faire mes bagages, et ce sera plus difficile que prévu.

Je dispose de deux volumes pressurisés : le rover et la remorque. Ils sont reliés par des tuyaux, mais ces engins ne sont pas débiles. Si l'un des deux perdait brusquement de la pression, l'autre couperait ce cordon ombilical.

Il y a une logique sinistre là-dedans : si une brèche apparaît dans le rover, je suis mort. Inutile de réfléchir à cette éventualité. Si une brèche se forme dans la remorque, en revanche, je devrais m'en sortir. Ce qui signifie que tout ce qui est important devra se trouver dans le rover.

Tout ce que je rangerai dans la remorque devra être insensible au vide et aux très basses températures. Je ne m'attends pas à vivre ce genre de catastrophe, mais vous savez ce que c'est… Mieux vaut s'attendre au pire.

Les sacoches que j'avais fabriquées pour la mission Pathfinder me serviront à stocker mes vivres. Je ne peux pas garder les pommes de terre dans le rover ou la remorque. Dans un environnement chaud et pressurisé, elles pourriraient. J'en garderai un peu sous la main, mais le gros de mes réserves restera dans ce congélateur géant qu'est cette planète. La remorque sera pleine à craquer. Elle contiendra les deux grosses batteries prises à l'Habitat, le régulateur atmosphérique, l'oxygénateur et mon réservoir de chaleur artisanal. J'aurais préféré avoir ce dernier dans le rover, mais il a besoin de se trouver à proximité du retour d'air du régulateur.

Le rover sera plein, lui aussi. Quand je conduirai, ma chambre à coucher sera pliée à côté du sas, prête à être dépliée en cas d'accident. J'aurai également deux combinaisons spatiales fonctionnelles, ainsi que tout le nécessaire pour procéder à des réparations d'urgence : des outils, des pièces détachées, le peu qui me reste de résine collante, l'ordinateur principal de l'autre véhicule – au cas où ! – et six cent vingt litres d'eau.

Et une boîte en plastique pour faire mes besoins. Une boîte avec un couvercle bien hermétique.

* * *

— Comment s'en sort Watney ? demanda Kapoor.

Mindy sursauta et regarda par-dessus son ordinateur.

— Docteur Kapoor ?

— Il paraît que vous l'avez pris en photo pendant une AEV.

— Euh, oui, répondit Mindy en pianotant sur son clavier. J'ai remarqué que le décor changeait toujours vers 9 heures, heure locale. On a tous nos habitudes. J'en ai conclu qu'il aimait commencer sa journée de travail vers cette heure-là. Alors j'ai effectué quelques ajustements mineurs afin de faire dix-sept photos entre 9 heures et 9 h 10. Et il apparaît sur l'une d'entre elles.

— Bonne idée. Puis-je voir cette photo ?

— Bien sûr.

Elle ouvrit le fichier sur son moniteur. Venkat se pencha vers l'écran en plissant les yeux.

— On ne peut pas faire mieux ?

— La photo a été prise par un satellite, rétorqua Mindy. La NSA a utilisé ses meilleurs logiciels pour l'améliorer.

— Hein ? Quoi ? bafouilla Venkat. La National Security Agency ?

— Oui. Ils ont appelé et offert de nous aider. Ils ont passé la photo à la moulinette des programmes qu'ils utilisent avec les satellites espions.

Venkat haussa les épaules.

— Eh bien, c'est une première. Et tout ça pour sauver la vie d'un seul homme... Qu'est-ce qu'il est en train de faire ? demanda-t-il en désignant Watney sur la photo.

— Je crois qu'il charge quelque chose dans le rover.

— À quand remonte la dernière fois qu'il a travaillé sur la remorque ?

— À un bout de temps. Pourquoi ne nous écrit-il pas plus souvent ?

— Il est occupé, répondit Venkat dans un haussement d'épaules. Il s'active presque toute la journée, et déplacer des pierres pour écrire un message en morse demande du temps et de l'énergie.

— Euh… Pourquoi vous êtes-vous déplacé ? On aurait pu avoir cette conversation par e-mail…

— J'avais besoin de vous parler. À partir d'aujourd'hui, votre mission va changer un peu. Vous ne gérerez plus les satellites en orbite autour de Mars. Vous vous concentrerez exclusivement sur Mark Watney.

— Quoi ? Mais… les modifications de trajectoire, les alignements ?

— Nous confierons cette mission à d'autres personnes. À partir de maintenant, vous examinerez les images d'Arès 3. Et c'est tout.

— Vous me rétrogradez. Je suis ingénieur orbital, non pas une voyeuse.

— C'est temporaire. Et nous vous revaudrons ça. Comprenez-moi, cela fait des mois que vous faites ce job, et vous êtes devenue experte en identification des éléments d'Arès 3 sur les photos satellite. Personne d'autre n'a vos aptitudes.

— Pourquoi est-ce devenu soudain si important ?

— Il n'a presque plus de temps. Nous ignorons où il en est des modifications du rover. En revanche, nous savons qu'il ne lui reste pas plus de seize sols pour tout finir. Nous avons besoin de savoir ce qu'il fait exactement. Les médias et le Congrès me demandent constamment des nouvelles de lui. Le président en personne m'a appelé deux fois.

— D'accord, mais à quoi cela va-t-il servir ? demanda Mindy. Ce n'est pas comme si nous pouvions l'aider à rattraper son retard. Vous me confiez une mission inutile.

— Depuis le temps que vous travaillez pour le gouvernement, vous vous y connaissez en missions inutiles, non ?

Journal de bord : Sol 434

Le temps est venu de tester mon joujou.

Ce qui n'est pas sans poser quelques problèmes. Cette fois-ci, si je veux faire un test dans des conditions réelles, je vais devoir démonter certains systèmes de support-vie dans l'Habitat. Un Habitat sans oxygénateur ni régulateur atmosphérique n'est plus qu'une... tente. Une grande tente ronde incapable d'abriter la vie.

Toutefois, ce n'est pas aussi risqué que cela en a l'air. Comme d'habitude, la mission la plus délicate des systèmes de support-vie est la gestion du dioxyde de carbone. À partir d'un pour cent de CO_2 dans l'atmosphère, on commence à ressentir les effets de l'empoisonnement. Il est donc nécessaire de maintenir le mélange de l'Habitat en dessous de ce seuil.

Le volume interne du dôme est d'environ cent vingt mille litres. En respirant normalement, il me faudrait plus de deux jours pour atteindre un pour cent de CO_2 – sans entamer de façon signifiante le taux d'oxygène. Il n'est donc pas très dangereux de sortir l'oxygénateur et le régulateur pendant quelque temps.

Les deux sont beaucoup trop gros pour passer par le sas de la remorque. Toutefois, pour des raisons pratiques, ils sont arrivés sur Mars en kit et sont faciles à démonter.

Il m'a fallu plusieurs voyages pour les charger. Les différents modules sont passés dans le sas un à un. Rassembler le tout dans le véhicule a été un véritable calvaire, vous pouvez me croire. À l'intérieur, il y a à peine assez de place pour contenir tout ce bazar, auquel il fallait ajouter votre héros intrépide.

Puis je suis allé chercher le CERA, accroché à l'extérieur de l'Habitat à la manière du module externe d'un climatiseur, ce qu'il était d'une certaine manière. Je l'ai porté jusqu'à la remorque et je l'ai coincé dans l'étagère que j'avais préparée pour l'accueillir. Ne restait plus qu'à le connecter aux conduits qui traversaient mon « ballon ».

Le régulateur enverrait de l'air au CERA, lequel air reviendrait dans la remorque sous forme de bulles traversant mon réservoir de chaleur. Le régulateur a également besoin d'un réservoir pressurisé pour stocker le CO_2 qu'il retire.

En dépouillant la remorque pour y faire de la place, j'avais laissé un réservoir dans ce dessein précis. Il était censé contenir de l'oxygène, mais un réservoir est un réservoir. Dieu merci, tous les conduits d'air et autres valves sont standards afin de faciliter toutes sortes de bricolages.

Une fois le CERA en place, j'ai branché le régulateur et l'oxygénateur sur l'alimentation de la remorque et je les ai mis en route. Afin de m'assurer du bon fonctionnement des deux machines, j'ai lancé un diagnostic complet, puis j'ai éteint l'oxygénateur. Rappelez-vous : je ne suis supposé l'allumer qu'un sol sur cinq.

Je suis passé dans le rover, ce qui impliquait d'enfiler une combinaison pour parcourir seulement dix mètres. De là, j'ai surveillé le fonctionnement des systèmes de support-vie. Indirectement, évidemment, car il est important de noter que je n'ai aucun contrôle sur les machines quand je suis à bord du rover. En revanche, celui-ci peut m'apprendre tout ce que j'ai besoin de savoir sur la qualité de l'air. Oxygène, CO_2, température, humidité – tout semblait parfait.

Après avoir enfilé ma combinaison, j'ai vidé une bouteille de CO_2 dans l'atmosphère du rover. L'ordinateur de bord a failli chier dans son froc en voyant le taux de CO_2 atteindre un niveau mortel. Lentement, ce niveau est redevenu normal. Le régulateur faisait son boulot. Merci, mon gars !

J'ai laissé l'équipement fonctionner et je suis retourné dans l'Habitat. J'irai voir le résultat demain matin. D'accord, ce n'est pas un vrai test, car je ne suis pas à l'intérieur à consommer de l'oxygène et produire du CO_2. Mais bon, chaque chose en son temps.

Journal de bord : Sol 435

La nuit a été bizarre. En une seule nuit, il ne pouvait rien m'arriver de fâcheux, mais savoir que je n'avais plus de systèmes de support-vie en dehors du chauffage était un peu déstabilisant. Ma vie dépendait des calculs que j'avais effectués plus tôt. Une virgule malencontreusement déplacée, un chiffre changé, et je risquais de ne pas me réveiller.

J'ai fini par rouvrir les yeux pour constater que l'ordinateur principal avait mesuré la légère augmentation de CO_2 que j'avais prévue. Je vais vivre un sol de plus, apparemment.

Live Another Sol ferait un excellent titre pour le prochain James Bond.

Je suis allé jeter un coup d'œil au rover. Tout était normal. Les batteries du véhicule à l'arrêt ont assez de jus pour alimenter le régulateur pendant plus d'un mois – à condition de ne pas allumer le chauffage. C'est une marge de manœuvre appréciable. En cas de grosse catastrophe, j'aurai le temps de réparer ce qui a besoin de l'être. Je ne serai limité que par mes réserves d'oxygène, et non par le problème du CO_2, et j'ai plein d'oxygène.

En fait, c'était le moment idéal pour tester la chambre à coucher.

Je suis monté à bord du rover pour relier la tente au sas externe. Il n'y a pas d'autre manière de procéder, comme je vous l'ai déjà dit. Puis j'ai gonflé ma chambre d'un seul coup, prenant Mars par surprise.

Comme prévu, l'air contenu dans le rover s'est engouffré dans la tente, mais alors... Le chaos ! La pression soudaine a fait éclater ma chambre comme un ballon, vidant tout le rover de son air. Je portais ma combinaison, évidemment. Comme je ne suis pas totalement débile, je vais pouvoir...

Live Another Sol! (Avec Mark Watney dans le rôle de... Q, sans doute. Je suis loin d'être James Bond.)

J'ai traîné la tente jusqu'à l'Habitat pour l'examiner de très près. La structure avait cédé là où la paroi rejoignait le plafond. C'était logique. Un angle droit dans un volume pressurisé : la physique déteste cela.

J'ai recollé la partie qui avait lâché, avant de la renforcer avec des bandes de toile supplémentaires. À présent, j'avais deux épaisseurs de toile et deux couches de résine partout.

Peut-être cela suffira-t-il. Pour l'instant, je ne peux que supposer. Je suis un incroyable botaniste, mais cela ne me sert pas à grand-chose pour le moment.

Je referai un test demain.

Journal de bord : Sol 436

Je n'ai plus de pilules de caféine. Terminé, le café martien.

J'ai mis plus de temps que d'habitude à me réveiller, après quoi j'ai développé une migraine à vous fendre le crâne. Vivre dans un manoir coûtant plusieurs milliards de dollars sur la planète Mars a ses avantages, notamment les réserves d'oxygène pur. Pour une raison mystérieuse, une grande concentration d'O_2 peut venir à bout de n'importe quel mal de tête. Je ne sais pas pourquoi, et je m'en fous. Ce qui compte, c'est que je ne suis pas obligé de souffrir.

J'ai de nouveau testé la chambre. Comme la première fois, j'ai enfilé ma combinaison, je suis monté dans le rover et j'ai ouvert la porte du sas. La tente a tenu le coup. C'était encourageant, mais, ayant constaté la fragilité de mon bricolage, j'ai décidé de tester longuement l'étanchéité de ma structure.

Après quelques minutes passées à attendre dans ma combinaison, je me suis dit que j'avais mieux à faire de mon temps. Si je ne pouvais pas quitter le milieu constitué par le rover et la tente réunis, je pouvais rester dans le rover et refermer la porte du sas.

Cela m'a permis de me débarrasser de mon encombrante combinaison. La chambre normalement pressurisée se trouvait de l'autre côté de la porte du sas. Mon test se poursuivait sans que je sois obligé de porter ma combinaison.

Arbitrairement, j'ai choisi de le faire durer huit heures. En attendant, j'étais prisonnier du rover.

J'en ai profité pour planifier mon voyage. Je savais déjà presque tout ce qu'il y avait à savoir. Je foncerais tout droit jusqu'à Mawrth Vallis, que je suivrais jusqu'à son extrémité. Je zigzaguerais ainsi jusqu'à Arabia Terra, après quoi les choses se compliqueraient.

Contrairement à Acidalia Planitia, Arabia Terra était constellée de cratères. Et chaque cratère représente deux changements d'altitude brutaux. D'abord une descente, puis une remontée. J'ai fait mon possible pour planifier le chemin le plus court. Je ne suis pas dupe ; je sais que mes prévisions ne survivront pas à l'épreuve du terrain. Aucun plan ne survit au feu de l'ennemi.

* * *

Mitch prit place dans la salle de conférences. La bande habituelle était présente : Teddy, Venkat, Mitch et Annie. Cette fois, cependant, il y avait également Mindy Park, ainsi qu'un homme que Mitch n'avait jamais vu.

— Qu'est-ce qui se passe, Venk ? demanda Mitch. Pourquoi cette réunion imprévue ?

— Il y a du nouveau, répondit Venkat. Mindy, je vous propose de prendre la parole.

— Euh, oui. Il semblerait que Watney ait terminé d'ajouter un ballon à la remorque. Il s'est beaucoup inspiré du plan que nous lui avions transmis.

— Une idée de sa stabilité ? demanda Teddy.

— Oui, le résultat paraît assez stable. Le ballon est gonflé depuis plusieurs jours sans aucun problème. Il a aussi fabriqué un genre de... chambre.

— Une chambre ? répéta Teddy.

— Un volume fait de toile, apparemment, précisa Mindy. Un genre de tente qui se raccorde au sas du rover. Je crois qu'il a découpé un morceau de l'Habitat pour cela. J'ignore pourquoi, en revanche.

— Pourquoi ferait-il une chose pareille ? demanda Teddy en se tournant vers Venkat.

— Nous pensons que c'est un atelier. Une fois à Schiaparelli, il y aura pas mal de boulot à faire sur le VAM, et ce sera beaucoup plus facile sans combinaison. Il a sans doute prévu de travailler autant que possible dans cette pièce.

— C'est malin, dit Teddy.

— Watney est malin, en effet, acquiesça Mitch. Et les systèmes de support-vie ?

— Je crois qu'il a fini de les installer, répondit Mindy. Il a déplacé le CERA.

— Désolée, l'interrompit Annie. Il a déplacé le quoi ?

— C'est le composant externe du régulateur atmosphérique. Il était fixé à l'extérieur de l'Habitat. J'ai tout de suite remarqué quand il a disparu. Il l'a sans doute monté sur le rover. Comme il n'y a pas d'autre raison de le déplacer, je suppose qu'il a aussi déménagé les systèmes de support-vie.

— Parfait, dit Mitch. On commence à y voir clair.

— Ne vous emballez pas, intervint Venkat, en désignant le nouveau venu. Je vous présente Randall Carter, un de nos météorologues martiens. Randall, répétez-leur ce que vous m'avez dit.

— Merci, docteur Kapoor, commença Randall en hochant la tête et en retournant son ordinateur portable pour montrer une carte de

Mars. Ces deux dernières semaines, une tempête de sable s'est formée sur Arabia Terra. Pas très puissante, remarquez. Elle ne devrait pas gêner sa conduite outre mesure.

— Où est le problème, alors ? demanda Annie.

— C'est une tempête de sable de faible vélocité, expliqua Randall. Des vents faibles, quoique suffisamment rapides pour soulever de petites particules et les accumuler en épais nuages. Il y en a cinq ou six comme ça par an. Le souci, c'est qu'elles durent des mois, qu'elles couvrent de très vastes portions de la planète et qu'elles chargent l'atmosphère de poussière.

— Je ne vois toujours pas où est le problème, insista Annie.

— La lumière, poursuivit Randall. En période de tempête, l'ensoleillement est très faible. On en est à vingt pour cent de la normale, et le rover de Watney est alimenté grâce à ses panneaux solaires.

— Merde ! lâcha Mitch en se frottant les yeux. Et on ne peut pas le prévenir.

— Il lui suffira de recharger plus longtemps, non ? proposa Annie.

— À la base, il était déjà censé recharger toute la journée, expliqua Venkat. Avec seulement vingt pour cent d'ensoleillement, il lui faudra cinq fois plus de temps pour recharger à fond. Au lieu de quarante-cinq sols, son voyage en durera deux cent vingt-cinq. Il ratera le passage d'*Hermès*.

— *Hermès* ne peut pas l'attendre ? s'étonna Annie.

— Le vaisseau ne fera que passer au-dessus de Mars. Impossible d'attendre en orbite. S'il s'arrêtait, il serait incapable de rentrer sur Terre. Ils ont besoin de cette vélocité pour le voyage retour.

Après quelques instants de silence, Teddy dit :

— Espérons qu'il trouve une solution. Nous pourrons suivre ses progrès et…

— Non, nous ne pourrons pas, le coupa Mindy.

— Non ?

Mindy secoua la tête.

— Les satellites seront incapables de voir à travers la poussière. Nous perdrons le contact visuel dès qu'il entrera dans la zone affectée. Nous ne le reverrons que lorsqu'il ressortira de l'autre côté.

— Ah !… Merde…

Journal de bord : Sol 439

Avant que je risque ma vie à bord de mon installation, j'ai besoin de la tester.

Je ne parle pas des petits tests auxquels j'ai procédé jusque-là. D'accord, j'ai vérifié le fonctionnement de mon installation électrique, la solidité du ballon de la remorque et celle de ma chambre, mais j'ai besoin de tout essayer en même temps.

Je vais charger le rover comme si je partais et je roulerai en cercle autour de l'Habitat. Comme je ne serai jamais à plus de cinq cents mètres de la base, je ne serai jamais vraiment en danger en cas de gros pépin.

Aujourd'hui, donc, je vais charger le rover et la remorque. Je veux que le poids embarqué corresponde à ce qu'il sera le jour du grand départ. Par ailleurs, si ma cargaison risque de bouger et de causer des dégâts, je préfère être prévenu.

Comme je ne suis pas un imbécile, j'ai laissé le gros de l'eau dans l'Habitat. Je n'ai pris que vingt litres, soit juste assez pour procéder au test. L'abomination mécanique que j'ai créée risquera la dépressurisation à chaque moment, et je ne veux surtout pas que toute mon eau s'évapore si cela arrive.

Quand je partirai pour de bon, j'aurai six cent vingt litres d'eau avec moi. Pour mon essai, j'ai donc besoin d'embarquer six cents kilogrammes de pierres en plus du reste.

Sur Terre, les universités et les gouvernements sont prêts à débourser des millions pour obtenir de la roche martienne. Moi, elle me sert de lest.

Je vais procéder à un dernier petit test ce soir. Après avoir vérifié que les batteries étaient bien pleines, j'ai déconnecté le rover et la remorque de l'alimentation générale de l'Habitat. Je dormirai dans celui-ci, mais j'ai laissé allumés les systèmes de support-vie du véhicule. Demain matin, je vérifierai combien d'énergie ils auront consommée. Bien sûr, j'ai déjà surveillé la consommation pendant que le rover était relié à l'Habitat, et il n'y a jamais eu de surprise, mais là, le test sera plus réaliste. Je l'ai d'ailleurs baptisé « le test de la prise débranchée ».

Peut-être pas le meilleur des noms.

* * *

L'équipage d'*Hermès* se réunit dans la cour de récré.

— Voyons rapidement où nous en sommes, commença Lewis. Nous avons tous pris du retard dans notre programme scientifique. Vogel, vous d'abord.

— J'ai réparé le câble défectueux sur VASIMR 4[1]. C'était notre dernier câble de ce calibre. Encore un problème de ce genre, et nous serons contraints de tisser des câbles moins épais pour leur permettre de transporter plus de courant. Autre chose : la production de notre réacteur décline.

— Johanssen, demanda Lewis, que se passe-t-il avec le réacteur ?

— C'est moi qui ai diminué son rendement, expliqua la jeune femme. C'est à cause des ailettes de refroidissement. Elles ne dissipent plus la chaleur aussi bien qu'avant. Elles ternissent.

— Comment est-ce possible ? s'étonna le commandant. Elles sont à l'extérieur du vaisseau. Il n'y a rien, dehors, pour provoquer cette réaction.

— Je pense que c'est à cause de la poussière transportée par le vaisseau lui-même et de ses microfuites d'air. Quoi qu'il en soit, elles ternissent bel et bien. Les résidus encrassent les microtreillis, réduisant leur efficacité. Moins de surface signifie moins de chaleur dissipée. J'ai donc dû baisser le rendement du réacteur pour ne pas produire un excédent de chaleur.

— Peut-on espérer réparer les ailettes ?

— Cela se passe à un niveau microscopique, répondit Johanssen. Il nous faudrait un labo. Normalement, on remplace les ailettes après chaque mission.

— Aura-t-on de quoi alimenter le moteur jusqu'à la fin de la mission ?

— Oui, si le rythme de la détérioration ne s'accélère pas.

— Bien. Continuez à les surveiller. Beck, comment se portent les systèmes de support-vie ?

---

1. Acronyme de Variable Specific Impulse Magnetoplasma Rocket, type de moteur ionique utilisant des champs et des rayonnements électromagnétiques variables pour produire de la poussée. (*NdT*)

— Tant bien que mal. Ils n'étaient pas supposés rester dans l'espace si longtemps. Certains filtres auraient dû être remplacés depuis longtemps. J'ai trouvé un moyen de les nettoyer en labo dans un bain chimique, mais celui-ci finit par les bouffer. Pour le moment, ça tient, mais qui sait ce qui lâchera ensuite ?

— Nous savions que ça se passerait comme ça. *Hermès* a été conçu pour être révisé après chaque mission, et la nôtre est passée de 396 à 898 jours. Il y aura forcément de la casse. La NASA tout entière sera derrière nous quand ça arrivera. Contentons-nous d'assurer une maintenance méticuleuse. Martinez, que se passe-t-il dans vos quartiers ?

— Ils ont décidé de me cuire, répondit Martinez en plissant le front. La climatisation ne tient pas la cadence. À mon avis, c'est à cause des conduits dans lesquels circule le liquide de refroidissement. Comme ils sont incorporés dans la coque, je ne peux pas y accéder. On peut utiliser la pièce pour y stocker des objets non sensibles aux hausses de température, mais c'est à peu près tout.

— Vous avez emménagé dans les quartiers de Mark, alors ?

— Vu qu'ils sont juste à côté des miens, ils connaissent le même problème.

— Où dormez-vous ?

— Dans le sas n° 2. C'est le seul endroit que j'aie trouvé où je ne risque pas de me faire marcher dessus.

— Très mauvaise idée, commenta Lewis en secouant la tête. Si un joint lâche, vous êtes mort.

— Je n'ai trouvé aucun autre endroit où dormir. Le vaisseau est plein à craquer, et si je dors dans le couloir, je vais gêner tout le monde.

— Bon, à partir de maintenant, vous dormirez dans la couchette de Beck. Beck emménagera chez Johanssen.

La jeune femme s'empourpra et baissa timidement la tête.

— Vous… Vous êtes au courant ? demanda Beck.

— Qu'est-ce que vous croyez ? C'est un petit vaisseau.

— Vous n'êtes pas furieuse ?

— S'il s'était agi d'une mission ordinaire, j'aurais été plus que furieuse, mais là, on est très largement en dehors des clous. Du moment que ça ne vous empêche pas de faire votre boulot, ça me va.

— Il y en a qui s'envoient en l'air dans des avions, mais vous... ! s'exclama Martinez. Trop cool !

Johanssen rougit davantage et enfouit son visage dans ses mains.

Journal de bord : Sol 444

Je commence à être bon. Quand tout sera terminé, je deviendrai peut-être pilote d'essai de rover martien.

Tout s'est bien passé. J'ai roulé en rond pendant cinq sols, parcourant en moyenne quatre-vingt-treize kilomètres par sol. C'est un peu mieux que prévu. Le terrain, ici, est lisse et plat ; les conditions sont optimales. Quand il faudra gravir des collines et contourner des rochers, ce sera tout à fait différent.

Ma chambre est géniale – grande, spacieuse, confortable. La première nuit, j'ai eu un souci avec la température. Il caillait sacrément. Le rover et la remorque régulent correctement leurs températures respectives, mais dans la chambre, il faisait trop froid.

C'est un peu l'histoire de ma vie, d'ailleurs...

Le rover est équipé d'un radiateur électrique qui pulse l'air avec un petit ventilateur. Le GTR délivrant assez de chaleur, je ne me sers pas de ce chauffage. J'ai récupéré le ventilateur, que j'ai relié au réseau électrique près du sas. Il me suffisait alors de le diriger vers la chambre.

C'est du bricolage, mais ça marche. Grâce au GTR, je ne manque pas de chaleur ; j'avais simplement un souci de répartition. Pour une fois, l'entropie est de mon côté.

J'ai découvert que les pommes de terre crues sont dégoûtantes. Quand je suis dans l'Habitat, je les fais cuire dans un petit four à micro-ondes, mais je n'ai pas de four dans le rover. Je pourrais certes facilement installer le micro-ondes dans le véhicule, mais l'énergie nécessaire à la cuisson de dix pommes de terre par jour me ferait certainement perdre quelques kilomètres chaque sol.

Très vite, une certaine routine s'est installée. Une routine malheureusement familière. Je suis resté vingt-deux sols dans ce rover pour aller chercher Pathfinder. Cette fois, cependant, j'ai ma chambre, ce qui fait toute la différence. Au lieu d'être cloîtré dans le rover, je peux sortir dans mon mini-Habitat.

Je me réveille, je mange une pomme de terre, puis je dégonfle la chambre de l'intérieur. Ce n'est pas facile, mais j'ai élaboré une méthode.

D'abord, j'enfile ma combinaison, puis je ferme la porte intérieure du sas, laissant la porte extérieure – à laquelle est rattachée la chambre – ouverte. Cela isole totalement la tente – et moi avec – du rover. Alors je demande au sas de dépressuriser. La machine croit qu'elle pompe l'air contenu dans une zone réduite, alors qu'elle dégonfle la chambre tout entière.

Quand il n'y a plus de pression, je ramasse la toile pour la plier, je détache la chambre du sas et je referme la porte extérieure. C'est la partie la plus délicate, puisque je dois partager le sas avec la tente tout entière. Une fois le sas pressurisé, je déverrouille la porte intérieure et tombe littéralement dans le rover. Après, je range la chambre dans le véhicule et je retourne dans le sas pour une vraie sortie sur Mars.

C'est un processus complexe, mais cela me permet de détacher la chambre sans dépressuriser la cabine du rover. N'oubliez pas que tout un tas d'objets, dans le rover, supportent assez mal le vide.

La prochaine étape consiste à rassembler les panneaux solaires que j'ai disposés la veille pour les ranger sur le rover et la remorque. Puis je vérifie rapidement cette dernière. J'emprunte le sas et je jette un rapide un coup d'œil à l'intérieur et au matériel. Je ne me donne pas la peine de retirer ma combinaison. Je veux simplement m'assurer qu'il n'y a pas de problème manifeste.

Je retourne dans le rover et, une fois bien installé, je retire ma combinaison pour prendre le volant. Je conduis pendant presque quatre heures, jusqu'à me retrouver à court d'électricité.

Je me gare, j'enfile de nouveau ma combinaison et je sors pour étaler les panneaux solaires qui rechargeront les batteries.

Alors j'installe ma chambre, processus inverse de celui mis en œuvre pour la ranger. C'est le sas qui la gonfle. D'une certaine manière, la chambre est une extension de celui-ci. Et il la gonfle lentement, contrairement à la première fois, car je n'ai plus besoin de la tester, de mettre ses failles en évidence. Un gonflage rapide mettrait la tente à rude épreuve et finirait par en venir à bout. Je n'ai pas tellement apprécié la manière dont l'Habitat m'a propulsé comme un boulet de canon, il y a quelque temps. Je ne suis pas pressé de recommencer.

Une fois la chambre installée, je peux enfin retirer ma combinaison et me détendre. En regardant beaucoup de séries à la con des années soixante-dix. La majeure partie de la journée, je passe le temps comme le chômeur moyen.

J'ai respecté ce planning pendant quatre sols, et puis il a fallu s'occuper de l'air.

Une journée comme les autres, en réalité, sauf que je ne conduis pas! Une fois les panneaux solaires installés, j'ai mis en route l'oxygénateur et je l'ai laissé se charger du stock de CO_2 accumulé par le régulateur, ce qu'il a fait en utilisant l'énergie produite dans la journée.

Le test a été un succès. Je serai prêt à temps.

Journal de bord: Sol 449

C'est le grand jour. Je pars pour Schiaparelli.

La remorque et le rover sont pleins. Ils le sont depuis les tests, sauf que, cette fois, j'ai également chargé l'eau.

Ces quelques derniers jours, j'ai fait cuire toutes mes pommes de terre dans le four à micro-ondes de l'Habitat. Cela m'a pris pas mal de temps, car on ne peut cuire que quatre légumes à la fois. Ensuite, je les ai laissées dehors pour les congeler avant de les stocker dans les sacoches du rover. Vous pensez peut-être que c'est une perte de temps, mais pas du tout. Au lieu de manger des patates crues pendant mon voyage, je consommerai des patates précuites – et froides. *Primo*, elles auront bien meilleur goût. *Secundo*, elles seront cuites, ce qui est bien plus important. Quand on cuit des aliments, on casse les protéines, qui deviennent beaucoup plus faciles à digérer. Ainsi, j'assimilerai plus de calories, et j'aurai vraiment besoin de toutes les calories que je pourrai trouver.

J'ai passé les derniers jours à vérifier le bon fonctionnement d'à peu près tout. Le régulateur, l'oxygénateur, le GT, le CERA, les batteries, les systèmes de support-vie du rover – dans le cas où j'en aurais besoin –, les panneaux solaires, l'ordinateur du rover, les sas et tout ce qui contient des pièces mécaniques ou des composants électroniques. J'ai même vérifié tous les moteurs – deux véhicules fois quatre roues, soit huit moteurs en tout. Les moteurs de la remorque ne seront pas alimentés, mais c'est bien de pouvoir compter sur eux.

Tout est nickel. Je n'ai rien remarqué de particulier.

L'Habitat n'est plus que l'ombre de lui-même. Il a été dépouillé de tous ses éléments critiques et d'une partie de sa toile. J'ai tiré de cet abri tout ce qu'il avait à donner, et il m'a permis de rester en vie pendant un an et demi. Il est mon Arbre au grand cœur[1].

J'ai désactivé définitivement tous les systèmes aujourd'hui. Le chauffage, l'éclairage, l'ordinateur principal, etc. Tous les composants dont je n'ai pas besoin pour mon voyage.

J'aurais pu les laisser allumés ; cela n'aurait dérangé personne. Toutefois, la procédure originellement prévue pour sol 31 – le dernier jour de notre mission à la surface de Mars – impliquait de tout éteindre et de dégonfler l'Habitat, car la NASA ne voulait pas d'une tente pleine d'oxygène inflammable à proximité du VAM en train de décoller.

J'ai donc suivi la procédure en hommage à ce que la mission Arès 3 aurait pu être. Histoire de vivre un peu ce départ que je n'ai pas connu.

Une fois tous les systèmes désactivés, l'intérieur de l'Habitat résonnait d'un silence étrange. J'avais passé quatre cent quarante-neuf sols à écouter le chauffage, la soufflerie, les ventilateurs. Et soudain, le silence absolu. Un silence inquiétant et difficile à décrire. J'ai passé beaucoup de temps en dehors de l'abri, mais le rover comme les combinaisons sont pleins de machines qui génèrent des bruits divers.

Et puis plus rien. Je ne m'étais jamais vraiment rendu compte du silence qui régnait sur Mars. C'est un monde désert à l'atmosphère trop fine pour transporter les bruits. J'entendais battre mon cœur.

Bon, trêve de digressions philosophiques.

---

1. Allusion au livre pour enfants *L'Arbre au grand cœur* (en anglais : *The Giving Tree*) de l'auteur américain Shel Silverstein. Publié en 1964, il décrit les rapports entre un garçon et le pommier qui subvient à tous ses besoins. (*NdT*)

Je suis à bord du rover. (C'est évident, puisque j'ai désactivé l'ordinateur de l'Habitat.) Mes batteries sont pleines, tous les systèmes sont opérationnels, et j'ai quarante-cinq sols de conduite devant moi.

Schiaparelli ou la mort !

CHAPITRE 22

Journal de bord : Sol 458

Mawrth Vallis ! Enfin !

Remarquez, ce n'est pas un énorme exploit. Je ne roule que depuis dix sols. Néanmoins, psychologiquement parlant, c'est un événement-clé.

Jusqu'à présent, le rover et mes systèmes de support-vie déglingués se comportent admirablement. Enfin, disons aussi bien que possible pour des machines qui auraient dû fonctionner dix fois moins longtemps.

Aujourd'hui, je recycle mon CO_2 pour la seconde fois – la première, c'était il y a cinq sols. En planifiant mon voyage, je pensais que ces journées seraient terriblement ennuyeuses, mais j'ai changé d'avis. Désormais, je les attends avec impatience. Ce sont mes jours de congé !

Les jours ordinaires, je me réveille, je replie ma chambre, j'empile les panneaux solaires, je conduis quatre heures, je dispose les panneaux solaires, je déplie ma chambre, je vérifie mon équipement – surtout le châssis et les roues du rover –, puis, si je trouve assez de pierres dans les environs, j'écris un message en morse à l'intention de la NASA.

Les jours où je recycle le CO_2, je me réveille et j'allume l'oxygénateur. Les panneaux sont déjà installés dehors. Tout est déjà prêt. Puis je me détends dans le rover ou la chambre. J'ai la journée pour moi. J'ai suffisamment de place dans la chambre pour ne pas me sentir enfermé, et il y a suffisamment de rediffusions de séries de merde dans l'ordinateur du rover pour me distraire.

Techniquement, je suis entré dans Mawrth Vallis hier, mais je ne l'ai compris qu'en étudiant mes cartes. L'entrée de la vallée est tellement large que je n'ai même pas vu les parois du canyon.

Mais je suis bel et bien dans la vallée, dont le fond est bien lisse et plat. Exactement comme je l'espérais. C'est incroyable. Cette vallée n'a pas été creusée lentement par une rivière ; elle a été créée en une seule journée par une colossale inondation. Ce devait être un spectacle incroyable.

Pensée étrange : je ne suis plus dans Acidalia Planitia. J'y ai passé quatre cent cinquante-sept sols, presque un an et demi, et je n'y retournerai jamais. Je me demande si cela alimentera ma nostalgie, plus tard.

S'il y a un « plus tard », je serai heureux d'être un peu nostalgique. Pour l'instant, toutefois, je veux seulement rentrer chez moi.

* * *

— Bienvenue sur CNN dans *Opération Mark Watney*, dit Cathy à la caméra. Nous sommes une fois de plus avec notre invité le docteur Venkat Kapoor. Docteur Kapoor, je pense que les téléspectateurs ont envie de savoir si Mark Watney est condamné.

— Nous espérons que non, répondit Venkat. Mais une épreuve très difficile l'attend.

— D'après les dernières données recueillies par les satellites, la tempête qui secoue Arabia Terra ne se calme pas du tout, et elle empêche quatre-vingts pour cent de la lumière du soleil d'atteindre le sol.

— C'est exact.

— Et Watney n'a pas d'autre source d'énergie que ses panneaux solaires, c'est bien cela ?

— Oui, en effet.

— Son rover trafiqué peut-il rouler avec seulement vingt pour cent d'énergie ?

— Malheureusement, non. Nous avons tout essayé. À eux seuls, ses systèmes de support-vie consomment plus que cela.

— Dans combien de temps se retrouvera-t-il dans la tempête ?

— Il vient d'entrer dans Mawrth Vallis. Au rythme où il avance, il atteindra la tempête vers sol 471, c'est-à-dire dans douze jours.

— Il se rendra forcément compte de quelque chose. Avec une si faible visibilité, il ne sera pas long à comprendre que ses panneaux solaires vont avoir des problèmes. Ne pourrait-il pas faire demi-tour ?

— Malheureusement, de nombreux obstacles se dressent en travers de sa route. Les contours de la tempête ne sont pas une ligne magique. C'est juste une zone où la poussière est un peu plus dense. Et elle sera de plus en plus dense à mesure qu'il avancera. Néanmoins, l'évolution sera subtile. Chaque jour sera un peu plus sombre que le précédent, mais la différence sera à peine perceptible. (Venkat lâcha un soupir.) Il aura parcouru des centaines de kilomètres en se demandant pourquoi le rendement de ses panneaux solaires a diminué avant de remarquer la baisse de la visibilité. Par ailleurs, la tempête se déplace vers l'ouest, tandis que lui file vers l'est. Quand il s'en rendra compte, il sera trop tard pour faire demi-tour.

— Sommes-nous les spectateurs d'une tragédie ? demanda Cathy.

— Il y a toujours de l'espoir, rétorqua Venkat. Peut-être comprendra-t-il plus vite que prévu et changera-t-il de trajectoire à temps. Peut-être la tempête se dissipera-t-elle de façon inattendue. Peut-être trouvera-t-il un moyen de faire fonctionner ses systèmes de support-vie en consommant moins d'énergie que nous ne le croyions possible. Mark Watney est devenu un expert en matière de survie sur Mars. Si quelqu'un peut y arriver, c'est lui.

— Douze jours, dit Cathy en regardant la caméra. La Terre tout entière le regarde, impuissante.

Journal de bord : Sol 462

Un autre sol sans histoires. Demain, c'est mon jour de congé, donc j'ai un peu l'impression d'être vendredi soir.

J'ai traversé à peu près la moitié de Mawrth Vallis. Comme je l'avais espéré, ç'a été plutôt facile. Pas de pentes trop importantes à monter ou descendre, peu d'obstacles. Seulement du sable fin avec des pierres ne dépassant pas cinquante centimètres de hauteur.

Vous vous demandez peut-être comment je navigue. Pour aller chercher Pathfinder, j'avais Phobos, qui traverse le ciel d'est en ouest. Croyez-moi, Pathfinder, c'était de la rigolade à côté de ce que je vis.

Plus question de points de repère, il n'y a rien autour de moi. En plus, mes cartes sont constituées d'images satellite faible résolution ; je n'y distingue que les éléments les plus importants, tels que des cratères de cinquante kilomètres de diamètre. Personne ne s'était imaginé que je me baladerais si loin de la base. Les cartes haute résolution de la région de Pathfinder nous avaient été fournies par sécurité, au cas où Martinez aurait été obligé de nous poser loin de notre cible.

J'avais donc besoin d'un moyen fiable de déterminer ma position.

Latitude et longitude : voilà les clés. Pour la première, c'était facile. Sur Terre, les navigateurs de l'ancien temps avaient déjà compris. L'axe de la Terre, incliné à 23,5°, pointe vers l'étoile Polaire. Celui de Mars, incliné à un peu plus de 25°, montre la direction de Deneb.

Fabriquer un sextant n'est pas difficile. Tout ce dont vous avez besoin, c'est un tube pour viser, une ficelle, un poids et quelque chose pour lire les degrés. J'avais le mien en moins d'une heure.

Je sors donc tous les soirs avec mon sextant maison que je pointe vers Deneb. Quand on y pense, c'est un peu bête. Je suis sur Mars avec une combinaison spatiale, et je navigue avec un outil datant du XVIe siècle. Mais bon, ça marche !

La longitude est une autre paire de manches. Sur Terre, la plus ancienne technique pour déterminer la longitude impliquait de connaître l'heure exacte et de la comparer à la position du soleil dans le ciel. La difficulté, à l'époque, résidait dans la fabrication d'une horloge qui donne l'heure sur un bateau, les pendules ne fonctionnant pas en mer. Tous les plus grands scientifiques de l'époque se sont frottés à ce problème.

Par chance, je dispose d'une horloge tout à fait fiable. Il y a quatre ordinateurs dans mon champ de vision, au moment où j'écris ces mots. Et j'ai Phobos.

Phobos étant ridiculement proche de Mars, il orbite autour de la planète en moins d'une journée. Il traverse le ciel d'ouest en est – au contraire du soleil et de l'autre lune martienne, Deimos – et se couche toutes les onze heures. Évidemment, il se déplace d'une manière très prévisible.

Chaque sol, je passe treize heures à ne rien faire en attendant que les panneaux solaires rechargent mes batteries. Phobos se couche donc au moins une fois durant ce laps de temps. Je note l'heure à laquelle cela se produit, puis j'entre cette donnée dans une vilaine formule découverte par mes soins, et j'obtiens ma longitude.

Pour déterminer ma longitude, j'ai donc besoin de voir Phobos se coucher, et pour avoir ma latitude, de repérer Deneb à la nuit tombée. Ce n'est pas une méthode très rapide, mais je ne l'applique qu'une fois par jour. Je calcule ma position quand je suis arrêté, et j'en tiens compte pour planifier mon parcours du lendemain. Je me fie donc à une succession d'approximations. Jusque-là, je crois que ça a plutôt bien fonctionné, mais qui sait ce que me réserve l'avenir ? Je m'imagine déjà regardant ma carte en me grattant la tête et me demandant comment j'ai bien pu me retrouver sur Vénus.

* * *

Mindy Park zooma sur la dernière photo satellite avec une aisance trahissant de longues heures de pratique. Le campement de Watney était visible en son centre, avec ses panneaux solaires disposés en cercle autour du rover, comme à son habitude.

L'atelier était gonflé. Jetant un coup d'œil à l'horloge affichée sur l'image, elle constata que celle-ci datait de midi, heure locale. Elle trouva très vite le message qu'il leur avait adressé ; Watney l'écrivait le plus souvent au nord et à proximité du rover, quand il y avait suffisamment de pierres pour cela.

Pour gagner du temps, Mindy avait appris le morse, histoire de ne pas avoir à déchiffrer péniblement les caractères chaque matin. Elle écrivit un e-mail qu'elle envoya à la liste toujours plus longue des gens qui voulaient être tenus informés régulièrement du statut de Watney.

DANS LES TEMPS POUR UNE ARRIVÉE VERS SOL 494.

Elle fronça les sourcils et ajouta : « Note : cinq sols avant entrée dans la tempête. »

Journal de bord : Sol 466

Les meilleures choses ont une fin, et il en est de même de Mawrth Vallis.

Si mes calculs de longitude et de latitude sont corrects, je viens de franchir la frontière d'Arabia Terra. Pas besoin de calculs, toutefois, pour se rendre compte que le terrain n'est plus le même.

Ces deux derniers sols, je n'ai fait que monter, ascension douce mais constante, gravissant lentement la paroi qui marque l'extrémité de Mawrth Vallis. Je suis beaucoup plus haut, à présent. Acidalia Planitia – où trône l'Habitat solitaire – se situe trois mille mètres sous l'altitude zéro, contre cinq cents mètres en dessous pour Arabia Terra. J'ai donc franchi une dénivelée de deux mille cinq cents mètres.

Vous vous demandez peut-être à quoi correspond cette altitude zéro… Sur Terre, c'est le niveau de la mer. Sur Mars, il en est tout autrement, évidemment. Des geeks en blouse de laborantin se sont réunis pour décider que l'altitude zéro correspondrait à 610,5 pascals de pression. En ce moment, je me trouve cinq cents mètres en dessous de cette limite artificielle.

Les choses vont se compliquer. Du temps d'Acidalia Planitia, si je déviais de ma trajectoire, il me suffisait de me fier à des données nouvelles pour me diriger dans la bonne direction. Plus tard, dans Mawrth Vallis, je ne pouvais pas me planter, puisque je n'avais qu'à suivre le canyon.

À présent, je me trouve dans une zone plus difficile. Le genre de quartier où vous prenez soin de verrouiller les portières du rover et où vous ne vous arrêtez jamais complètement aux intersections. Bon, j'exagère un peu, mais disons qu'il vaut mieux ne pas se perdre dans un endroit pareil.

Arabia Terra est constellée de grands cratères difficilement praticables, que je suis obligé de contourner. Si je me trompe dans mes calculs, je peux me retrouver au bord d'un trou béant, mais je ne peux pas me permettre de descendre au fond et de remonter de l'autre côté. Gravir ce genre de côte coûte très cher en énergie. Sur du plat, je parcours quatre-vingt-dix kilomètres par jour. En montée, je pourrais m'estimer heureux d'atteindre une quarantaine de kilomètres. Sans compter les dangers que je courrais.

Je risquerais de me retourner à la moindre erreur, éventualité que je préfère ne pas envisager.

Certes, je serai bien obligé de descendre dans Schiaparelli. Impossible de faire autrement. Il me faudra alors conduire très prudemment.

Bref, si je me retrouve face à un cratère, je n'aurai d'autre choix que de rebrousser chemin pour trouver un passage plus facile. Sauf que, des cratères, il y en a partout autour de moi. Je vais devoir rester sur mes gardes, être vigilant. En plus de mes calculs de longitudes et de latitudes, je devrai me fier à des points de repère.

Mon premier défi consiste à passer entre les cratères de Rutherford et Trouvelot. Cela ne devrait pas être trop difficile, sachant qu'ils sont séparés de cent kilomètres. Je ne peux quand même pas foirer un truc pareil, si ?

Si ?

Journal de bord : Sol 468

Comme prévu, j'ai réussi à passer le fil dans le chas de l'aiguille sans problème. Un chas certes large de cent kilomètres, mais quand même…

Je profite enfin de mon quatrième jour de congé. Cela fait maintenant vingt sols que je roule. Pour l'instant, je suis dans les temps. D'après mes cartes, j'ai parcouru mille quatre cent quarante kilomètres. Je ne suis pas encore à mi-chemin, mais presque.

À chaque halte, j'ai ramassé des échantillons de sol et de roche. Comme lorsque je suis allé récupérer Pathfinder, sauf que cette fois, je sais que la NASA me regarde. Alors je note la date sur chaque sachet. Ils sauront bien mieux que moi où je suis passé. Ils pourront déduire les lieux où les échantillons ont été prélevés plus tard.

Je fais peut-être tout cela pour rien. Je ne pourrai pas emporter grand-chose dans le VAM. Le vaisseau aura besoin d'atteindre sa vitesse de libération pour intercepter *Hermès*, alors qu'il n'a été conçu que pour se positionner en orbite. La seule façon de lui faire prendre suffisamment de vitesse sera de l'alléger considérablement.

Il faudra faire des choix cornéliens, mais ce sera le boulot de la NASA, pas le mien. Quand j'aurai retrouvé le VAM, je serai de nouveau en contact avec elle, et on m'instruira des modifications à apporter.

Ils me diront sans doute un truc comme : « Merci pour les échantillons, mais vous pouvez les laisser sur Mars. *Idem* pour un de vos bras. Nous vous laissons décider lequel vous aimez le moins. » Je préfère néanmoins ramasser des échantillons, au cas où.

Les prochains jours devraient être assez faciles. Le prochain obstacle majeur sera le cratère de Marth, qui se trouve pile entre Schiaparelli et moi. Le contourner me coûtera une centaine de kilomètres, mais je n'ai pas le choix. Je vais tâcher de viser son extrémité sud. Plus je m'approcherai de son bord, moins je perdrai de temps à le contourner.

* * *

— Vous avez lu le dernier compte-rendu ? demanda Lewis en sortant son repas du micro-ondes.

— Ouais, répondit Martinez en sirotant sa boisson.

Assise de l'autre côté de la cour de récréation, le commandant ouvrit avec circonspection l'emballage fumant et décida de le laisser refroidir un peu avant de manger.

— Mark est entré dans la tempête de sable hier.

— Ouais, j'ai vu, acquiesça-t-il.

— Nous devons accepter l'idée qu'il n'atteindra peut-être jamais Schiaparelli, dit Lewis. Il faudra garder le moral, même si le pire arrive. Il nous reste beaucoup de route à faire avant de rentrer à la maison.

— Il n'y a pas si longtemps, on le croyait mort. Ça n'a pas été facile, mais on a réagi en vrais soldats. Et puis, de toute façon, il ne mourra pas.

— Ses chances sont maigres, Rick. Il est dans la tempête depuis une cinquantaine de kilomètres, et il en parcourra quatre-vingt-dix de plus chaque sol. Bientôt, il sera trop tard pour faire demi-tour.

Martinez secoua la tête.

— Il va s'en tirer, commandant. Ayez la foi.

— Rick, vous savez que je ne suis pas croyante, rétorqua-t-elle avec un sourire triste.

— Je sais. Je ne vous demande pas d'avoir foi en Dieu, mais en Mark Watney. Après toutes les merdes qui lui sont arrivées, il est toujours en vie. Et il survivra à cette épreuve aussi. J'ignore comment, mais j'en ai la conviction. C'est un petit malin, vous savez ?

Lewis avala une bouchée de son repas.

— J'espère que vous avez raison.

— Vous voulez parier cent billets ? lui proposa-t-il avec un sourire en coin.

— Bien sûr que non.

— Comme je vous comprends.

— Jamais je ne parierais sur la mort d'un de mes hommes. Toutefois, cela ne veut pas dire qu'il…

— Vous m'en direz tant, l'interrompit-il. Au fond de vous-même, vous savez qu'il va y arriver.

Journal de bord : Sol 473

C'est ma cinquième pause, et tout se passe pour le mieux. Je devrais frôler l'extrémité sud du cratère de Marth demain. Après, ce sera beaucoup plus facile.

Je suis au milieu de quelques cratères qui dessinent un triangle – le « Triangle de Watney ». Après tout ce que j'ai vécu sur cette planète, il est temps qu'on baptise des trucs de mon nom.

Trouvelot, Becquerel et Marth sont les angles de mon triangle, dont les côtés passent par cinq autres cratères majeurs. Ce ne serait pas si embêtant si je ne naviguais pas avec des moyens si rudimentaires. Dans le cas où je me retrouverais en face d'un cratère, je n'aurais d'autre choix que de faire demi-tour.

Après le cratère de Marth, je serai sorti du Triangle de Watney – décidément, ce nom me plaît de plus en plus –, et je pourrai foncer vers Schiaparelli en toute impunité. Je croiserai la route de quelques cratères, bien sûr, mais beaucoup plus petits, et de ce fait plus rapides à contourner.

Jusque-là, j'ai bien avancé. Arabia Terra est bien plus rocailleuse qu'Acidalia Planitia, mais pas autant que je l'avais craint. Je suis passé par-dessus la plupart des pierres et j'ai contourné les plus grosses. Il me reste mille quatre cent trente-cinq kilomètres à parcourir.

J'ai fait quelques recherches sur Schiaparelli et découvert des choses intéressantes. Le meilleur chemin pour y entrer se trouve exactement sur ma trajectoire. Nul besoin de tourner autour, donc. Et puis, cette fameuse entrée est facile à trouver, même pour un nul en navigation. Il y a un petit cratère sur le bord nord-ouest du bassin ; c'est le point de repère que je viserai. Au sud-ouest de ce cratère, une pente douce me permettra de descendre dans Schiaparelli.

Le petit cratère n'a pas de nom. En tout cas, pas sur les cartes dont je dispose. J'ai décidé de le baptiser « cratère de l'Entrée ». Quelqu'un n'est pas d'accord ? Non ? Bon…

Sinon, mon matériel commence à montrer des signes de vieillissement. Ce n'est pas étonnant, vu qu'il a dépassé sa date de péremption depuis bien longtemps. Depuis deux sols, les batteries mettent plus longtemps à se recharger. Les panneaux solaires ne produisent plus autant de watts qu'avant. Ce n'est pas très grave ; il suffit de les laisser travailler un peu plus longtemps.

Journal de bord : Sol 474

J'ai merdé.

Il fallait bien que cela arrive. Je me suis trompé dans mes calculs et me voici face au cratère de Marth. Comme il mesure plus de cent kilomètres de diamètre, je n'en vois qu'une petite partie, et je n'ai aucun moyen de savoir laquelle.

Le bord semble parfaitement perpendiculaire à la direction que j'avais prise. Impossible de dire si je dois le prendre par la gauche ou la droite. Je préférerais éviter de faire un grand détour, dans la mesure du possible. À l'origine, je comptais passer par le sud, mais maintenant que je suis perdu, rien ne me garantit que ce soit la meilleure solution.

Je vais devoir attendre le passage de Phobos pour déterminer ma longitude, et la nuit pour viser Deneb et calculer ma latitude. Fini de conduire pour aujourd'hui, donc. Par chance, j'ai déjà parcouru soixante-dix kilomètres sur les quatre-vingt-dix que j'avale normalement, donc ce n'est pas dramatique.

Marth n'est pas très profond. Je pourrais sans doute descendre à l'intérieur et remonter de l'autre côté. Comme il est relativement grand, je serais obligé de camper dedans une nuit... Toutefois, je préfère ne pas prendre de risques inutiles. Les pentes sont dangereuses et devraient être évitées. Comme j'ai de l'avance sur le planning de la NASA, je préfère prendre mon temps.

Je cesse donc de conduire plus tôt que d'habitude. Je vais installer mes panneaux solaires. Cela leur laissera plus de temps pour recharger les batteries, vu qu'ils commencent à montrer des signes de faiblesse. Hier non plus, ils n'ont pas fonctionné correctement. J'ai vérifié toutes les connexions, j'ai nettoyé la poussière, mais ça n'a pas suffi.

Journal de bord : Sol 475

Je suis dans le pétrin.

Hier, j'ai vu passer Phobos deux fois, j'ai repéré Deneb dans le ciel, et j'ai calculé ma position aussi précisément que possible. Ce que j'ai découvert ne m'a pas fait plaisir. Apparemment, je suis pile en face du cratère de Marth.

Meeeerde !

Je peux aller au nord ou au sud. Une des deux directions est sans doute meilleure que l'autre, car la distance à parcourir serait moindre.

Je me suis dit qu'il ne serait pas sage de choisir au hasard, alors j'ai fait une petite balade, ce matin. Il y avait plus d'un kilomètre jusqu'au sommet du cratère. Sur Terre, on ne réfléchit pas avant d'entreprendre ce genre de marche, mais dans une combinaison spatiale, c'est une véritable épreuve.

J'ai hâte d'avoir des petits-enfants. « Quand j'étais jeune, j'ai escaladé le flanc d'un cratère. Escaladé, oui ! En portant une combinaison spatiale ! Sur Mars, bande de petits merdeux ! Oui, parfaitement ! »

Bref, je me suis exécuté et... quelle vue, mes aïeux. De là-haut, le panorama était extraordinaire. J'avais espéré voir l'autre côté du cratère et en déduire la meilleure route à suivre, mais non, on ne voyait rien. Il y avait un genre de brume dans l'atmosphère. Rien d'étonnant là-dedans ; sur Mars, il y a du vent, de la poussière, des changements météorologiques brusques. Toutefois, cette brume était un peu trop… brumeuse, différente de celle qui recouvrait parfois les grands espaces d'Acidalia Planitia, mon ancienne maison dans la prairie.

Et puis, je me suis retourné pour découvrir avec étonnement que le paysage dans lequel j'avais laissé le rover – le véhicule était toujours là, vu qu'il y a très peu de voleurs de bagnoles sur Mars – semblait beaucoup plus dégagé.

J'ai regardé vers l'est, de l'autre côté du cratère, puis vers l'horizon ouest, puis l'est, puis l'ouest… Chaque fois, les combinaisons étant ce qu'elles sont, j'étais obligé de me retourner complètement.

Hier, j'ai dépassé un cratère. Il se trouve à l'ouest, à une cinquantaine de kilomètres, et je le distingue à peine à l'horizon. Vers l'est, toutefois, impossible de voir si loin. Le cratère de Marth mesure cent dix kilomètres de diamètre. Avec une visibilité de cinquante kilomètres, je devrais au moins être capable de voir la courbure du bord, mais non…

Je ne savais pas trop quoi en conclure, mais cette absence de symétrie me tracassait. Il faut dire que j'ai appris à me méfier de tout. C'est à ce moment-là que plusieurs idées ont fusé dans mon esprit :

1. La seule explication à cette visibilité asymétrique est une tempête de sable.
2. Les tempêtes de sable réduisent le rendement des panneaux solaires.
3. Cela fait plusieurs sols que mes panneaux solaires perdent de leur efficacité.

Deux conclusions se sont alors imposées à moi :

1. Je suis dans une tempête de sable depuis plusieurs sols.
2. Merde.

Non seulement je suis dans une tempête de sable, mais elle se densifie à mesure que j'approche de Schiaparelli. Quelques heures plus tôt seulement, je m'inquiétais de devoir contourner le cratère de Marth ; à présent, je vais devoir contourner quelque chose de beaucoup plus gros.

Et très vite. Les tempêtes de sable se déplacent. Si je reste ici, je vais être submergé. Mais dans quelle direction fuir ? Ce n'est plus une simple question d'efficacité. Si je choisis le mauvais côté, je boufferai de la poussière et je mourrai.

Je ne dispose d'aucune photo satellite. Je n'ai aucun moyen de connaître la forme ni la taille de cette tempête. Ni sa direction. Merde, je donnerais n'importe quoi pour pouvoir discuter cinq minutes avec la NASA. Maintenant que j'y pense, on doit se chier dessus, à la NASA, en assistant à ce spectacle.

C'est une course contre la montre. J'ai besoin d'informations sur cette tempête. Tout de suite.

Sauf qu'aucune idée ne me vient.

* * *

Mindy se dirigea lentement vers son ordinateur. Elle prenait son service à 14 h 10. Son emploi du temps était calqué sur celui de Watney. Elle dormait quand il dormait. Sur Mars, Watney se couchait quand il faisait nuit, tandis que Mindy prenait quarante-cinq minutes d'avance chaque jour. Et elle devait coller des feuilles d'aluminium sur ses fenêtres pour arriver à s'endormir.

Elle ouvrit les toutes dernières images satellite. Et haussa un sourcil. Il n'avait pas encore levé le camp. Habituellement, il prenait le volant tôt le matin, dès qu'il faisait assez jour pour naviguer. Puis il profitait du soleil de midi pour recharger les batteries.

Aujourd'hui, cependant, il n'avait pas bougé, et la journée était déjà bien entamée.

Elle chercha un message autour du rover et de la remorque, et elle le trouva à l'emplacement habituel, au nord du campement. Elle déchiffra la phrase en morse en écarquillant les yeux.

TEMPÊTE DE SABLE. RÉFLÉCHIS.

Les doigts comme engourdis, elle attrapa son téléphone et composa le numéro personnel de Venkat.

Chapitre 23

Journal de bord : Sol 476

Je crois pouvoir m'en tirer.

Je me trouve en bordure de la tempête. Je ne connais ni sa taille ni sa direction, mais je sais qu'elle se déplace, ce dont je dois pouvoir tirer parti. Je n'ai pas besoin de me balader pour l'examiner ; elle vient à moi.

La tempête n'est pas dangereuse pour le rover ; c'est seulement de la poussière dans l'atmosphère. Je préfère l'envisager en termes de « pourcentage de perte de puissance ». En vérifiant les chiffres d'hier, j'ai constaté que les batteries s'étaient rechargées à quatre-vingt-dix-sept pour cent. Donc, pour le moment, il s'agit d'une tempête à trois pour cent.

Il faut que je continue d'avancer et que je régénère mon oxygène. Ce sont mes deux objectifs. J'utilise vingt pour cent de mon énergie pour recycler mon oxygène – lorsque je m'arrête tous les cinq jours. Si je me retrouve dans une tempête à quatre-vingt-un pour cent, je suis dans la merde. Même en réservant toute mon énergie au recyclage de l'oxygène, ce ne sera pas assez. C'est le scénario fatal. Enfin, non, le scénario serait fatal bien avant. J'ai besoin d'énergie pour me déplacer, autrement je risque de rester bloqué ici jusqu'à ce que la tempête se dissipe. Ce qui peut prendre des mois.

Plus je générerai d'électricité, plus je pourrai me déplacer. Quand le ciel est dégagé, je réserve quatre-vingts pour cent de mon énergie au rover, qui me permet de parcourir quatre-vingt-dix kilomètres par sol. Dans l'état actuel des choses, avec ces trois pour cent de perte, je parcourrai 2,7 km de moins par sol.

Rouler un peu moins chaque sol, cela ne me dérange pas, car j'ai de l'avance ; toutefois, je ne peux pas me permettre de me laisser avaler par la tempête, autrement, je n'en sortirai jamais.

Dans le pire des cas, il faudra que j'avance plus vite qu'elle, ce qui me donnera le temps de la contourner sans être enveloppé. Pour cela, il me faut déterminer à quelle vitesse elle progresse.

Il me suffit de rester ici pendant un sol et de comparer la quantité d'électricité produite avec celle de la veille. En prenant bien évidemment soin de lire les chiffres à la même heure de la journée. Alors j'aurai le rythme de progression de la tempête, du moins en termes de perte d'énergie produite.

Mais j'ai aussi besoin de connaître sa forme.

Les tempêtes de sable sont grandes ; elles peuvent mesurer des milliers de kilomètres. Quand je déciderai de la contourner, il faudra que je sache de quel côté partir et que je roule à la perpendiculaire de sa trajectoire.

Voici mon plan :

Je suis en mesure de parcourir quatre-vingt-six kilomètres – parce que je n'ai pas pu recharger complètement mes batteries hier. Demain, je laisserai un panneau solaire ici et je partirai vers le sud. Je m'arrêterai au bout de quarante kilomètres pour déposer un autre panneau solaire, puis je repartirai pour quarante nouveaux kilomètres. Cela me donnera trois points de référence sur quatre-vingts kilomètres.

Le lendemain, je rebrousserai chemin, récupérerai les panneaux et collecterai les données. En comparant les watts engrangés à la même heure en trois endroits différents, j'en apprendrai un peu plus sur la forme de la tempête. Si elle est plus épaisse vers le sud, je filerai vers le nord, et inversement.

Je préférerais passer par le sud, car Schiaparelli se trouve au sud-est de ma position actuelle. Contourner la tempête par le nord allongerait considérablement mon voyage.

Toutefois, il y a un léger problème dans mon plan : je n'ai aucun moyen d'« enregistrer » les watts accumulés par les panneaux laissés derrière moi. Recueillir ces données est très facile avec l'ordinateur du rover, mais il me faut quelque chose que je puisse laisser derrière moi. Je ne peux pas me contenter des informations que je recevrai en conduisant ; j'ai besoin de chiffres enregistrés au même moment à trois endroits différents.

Je vais passer la journée à me prendre pour un savant fou. Je dois inventer un dispositif capable d'enregistrer les watts créés. Quelque chose que je puisse laisser avec un simple panneau solaire.

Comme je suis coincé ici pour la journée, je vais laisser les panneaux dehors. Autant en profiter pour faire le plein d'énergie.

Journal de bord : Sol 477

Cela m'a pris deux jours complets, mais je pense être capable de mesurer cette tempête.

J'avais besoin d'un dispositif me permettant d'enregistrer l'heure de la journée et la quantité de watts produite par chaque panneau solaire. J'en transporterai un avec moi, mais les deux autres seront seuls dans la nature. La solution, la voici : la seconde combinaison d'AEV que j'ai mise dans mes bagages.

Les combinaisons sont équipées de caméras qui enregistrent tout ce qu'elles voient. Il y en a une sur le bras droit – ou gauche si l'astronaute est gaucher – et une seconde au-dessus de la visière. Une horloge s'affiche dans le coin inférieur gauche de l'image, comme sur les vidéos tremblotantes que filmait mon père.

J'ai trouvé plusieurs multimètres dans mon kit d'électronique. Alors je me suis dit : Pourquoi concevoir un enregistreur, quand il me suffit de filmer l'affichage du multimètre toute la journée ?

J'ai opté pour cette solution. Avant de partir, j'ai pris soin de préparer tous mes kits et outils, au cas où il faudrait réparer le rover en chemin.

Pour commencer, j'ai récupéré les caméras de la seconde combinaison. En faisant très attention, évidemment, car je ne voulais pas abîmer cette dernière. Je n'en ai pas d'autre. J'ai sorti les caméras et les câbles les reliant aux puces mémoires.

J'ai posé un multimètre dans le fond d'une boîte à échantillons, puis j'ai collé une caméra sous le couvercle. Quand j'ai scellé la boîte, la caméra filmait correctement l'affichage de l'appareil.

Pour tester le tout, j'ai pris de l'énergie au rover. Comment fonctionnera le dispositif quand le rover ne sera plus là ? C'est très simple : il sera relié à un panneau solaire de deux mètres carrés ! Ce sera largement suffisant. J'ai également mis dans la boîte une petite batterie rechargeable – récupérée dans la combinaison, là encore – pour alimenter les machines durant la nuit.

Restait à régler le problème de la chaleur. Ou plutôt de son manque. Dès que je sortirai mon bricolage du rover, il se refroidira à toute vitesse, et s'il se refroidit trop, les systèmes électroniques cesseront de fonctionner.

J'avais donc besoin d'une source de chaleur. Mon kit d'électronique m'a fourni la réponse : des résistances. Plein de résistances. Et des résistances, ça chauffe. C'est leur nature. La caméra et le multimètre n'ont besoin que d'une fraction de l'énergie générée par le panneau solaire. Le reste passera dans des résistances.

J'ai fabriqué et testé deux enregistreurs d'énergie, confirmant que les images étaient stockées convenablement.

Puis j'ai fait une AEV. J'ai récupéré deux de mes panneaux solaires, que j'ai reliés à mes enregistreurs. Je les ai laissés bosser joyeusement pendant une heure avant de vérifier les résultats. Tout fonctionnait parfaitement.

La nuit va bientôt tomber. Demain matin, je laisserai un enregistreur ici et je partirai vers le sud.

Pendant que je travaillais, j'ai allumé l'oxygénateur – pourquoi pas, hein ? –, aussi mes réserves sont-elles pleines et suis-je prêt à partir.

L'efficacité des panneaux solaires est tombée à 92,5 %, aujourd'hui, comparée à 97 %, hier. Cela prouve que la tempête se déplace d'est en ouest, car la partie la plus dense se trouvait à l'est hier.

En ce moment, et à l'endroit où je me trouve, la luminosité baisse de 4,5 % par sol. Si je devais rester coincé ici seize sols de plus, je mourrais.

Mais vu que je n'ai pas l'intention de rester ici…

Journal de bord : Sol 478

Aujourd'hui, tout s'est passé comme je l'avais prévu. Impossible de dire si je m'enfonce dans la tempête ou si je m'en éloigne, et difficile d'évaluer l'évolution de la luminosité. Le cerveau humain a beaucoup de mal à distinguer ces différences.

J'ai laissé un enregistreur avant de partir, puis, après avoir roulé une quarantaine de kilomètres, j'ai fait une brève AEV pour en installer un autre. Puis, j'ai recommencé quarante kilomètres plus loin. J'ai également disposé mes panneaux solaires pour recharger les batteries.

Demain, je ferai le chemin inverse pour récupérer mes enregistreurs. Ce sera peut-être dangereux ; je vais retourner à dessein dans le cœur de la tempête. Mais le jeu en vaut la chandelle.

Au fait, vous ai-je dit que j'en avais marre des pommes de terre ? Parce que – mon Dieu ! – j'en ai vraiment marre. Si jamais je rentre un jour sur Terre, je vais m'acheter une petite maison dans l'ouest de l'Australie. Parce que l'Australie occidentale se trouve à l'opposé de l'Idaho, État champion de la patate américaine.

Je vous raconte tout ça parce que, aujourd'hui, j'ai dîné d'un sachet-repas. J'en avais mis cinq de côté pour des occasions particulières. J'ai mangé le premier il y a vingt-neuf sols, avant d'entreprendre ce voyage, mais j'ai totalement oublié de déguster le deuxième, il y a quelques sols, à mi-chemin de mon objectif. Alors voilà, je rattrape mon retard.

Je n'avais aucune raison de me passer de ce repas. Qui sait combien de temps il me faudra pour contourner cette tempête ? Si je dois rester coincé dans cette mélasse, si je dois mourir ici, je préfère manger ces repas réservés à des occasions spéciales.

Journal de bord : Sol 479

Vous êtes-vous déjà trompé d'entrée d'autoroute ? Vous savez, quand il faut conduire jusqu'à la sortie suivante pour pouvoir faire demi-tour et que ce trajet vous éloigne chaque seconde de votre destination… Quelle horreur !

J'ai eu ce sentiment toute la journée. Me voici donc de retour à mon point de départ. Beurk !

En route, j'ai récupéré l'enregistreur que j'avais laissé à mi-chemin. Et je viens de ramasser celui que j'avais installé ici hier.

Les deux dispositifs ont fonctionné comme je l'avais espéré. J'ai chargé les vidéos sur un ordinateur portable et j'ai avancé les films jusqu'à midi. J'avais enfin les chiffres de la production énergétique mesurée en trois points différents, sur une largeur de quatre-vingts kilomètres, et à la même heure.

L'enregistreur situé le plus au nord montrait une perte d'efficacité de 12,3 %, celui situé à mi-chemin une perte de 9,5 %, et celui du rover une baisse de 6,4 %. Grâce à ces chiffres, je sais désormais que la tempête se trouve au nord de ma position actuelle. Et je savais déjà qu'elle voyageait vers l'ouest.

Je devrais donc pouvoir l'éviter en roulant vers le sud pour la laisser me dépasser par le nord, avant de bifurquer vers l'est.

Enfin de bonnes nouvelles ! Le sud-est : justement la direction que j'espérais prendre. Je ne perdrai donc pas beaucoup de temps.

Ah !... Dire que je vais refaire ce satané trajet pour la troisième fois demain.

Journal de bord : Sol 480

On dirait que je distance la tempête.

Ayant passé la journée sur l'Autoroute martienne n° 1, me voici de retour à mon campement de la veille. Dès demain, je vais véritablement reprendre ma progression. Comme j'en avais marre de conduire, je me suis arrêté à midi. Le déficit d'énergie, ici, est de 15,6 %, contre 17 % hier. Cela signifie que je peux distancer la tempête, à condition de poursuivre vers le sud.

Je croise les doigts.

La tempête est *sans doute* circulaire. C'est habituellement le cas. Si ça se trouve, je suis en train de m'enfoncer dans un cul-de-sac. Si c'est le cas, je suis déjà mort. Mais bon, il faut bien tenter quelque chose.

Je serai bientôt fixé. Si la tempête est circulaire, le rendement de mes panneaux solaires devrait augmenter chaque jour jusqu'à revenir à cent pour cent. À ce moment-là, j'aurai dépassé la tempête par le sud et je pourrai foncer vers l'est. Nous verrons.

Sans cette tempête, je me dirigerais tout de suite vers le sud-est et mon objectif. En roulant d'abord vers le sud, je perds beaucoup de temps. Je parcours quatre-vingt-dix kilomètres par sol, mais je ne me rapproche de Schiaparelli que de trente-sept kilomètres – à cause de ce connard de Pythagore. J'ignore quand je serai suffisamment loin de la tempête pour pouvoir filer en ligne droite vers Schiaparelli. En tout cas, une chose est sûre, mon arrivée triomphale aux alentours de sol 494 est fortement compromise.

Sol 549. C'est le jour où ils viendront me chercher. Si je manque ce rendez-vous, je suis condamné à finir ma courte vie ici. Et il faut que je modifie le VAM avant le grand départ.

Fait chier !

Journal de bord : Sol 482

Jour de congé. Relaxation et spéculations.

Pour me relaxer, j'ai lu quatre-vingts pages des *Vacances d'Hercule Poirot* d'Agatha Christie – trouvées dans la collection de livres numériques de Johanssen. À mon avis, la meurtrière, c'est Linda Marshall.

Pour ce qui est des spéculations… eh bien, je me demande quand j'aurai vraiment distancé cette maudite tempête !

Je continue à rouler vers le sud et à souffrir d'un ensoleillement diminué, même si je garde mon avance. À ce rythme, je me rapproche de Schiaparelli de seulement trente-sept kilomètres par sol au lieu de quatre-vingt-dix. Et ça m'emmerde profondément.

J'ai un temps songé à faire une croix sur mon jour de pause. Je pourrais rouler au moins deux sols de plus avant d'avoir des soucis d'oxygène. M'éloigner de la tempête est très important. Toutefois, j'ai fini par renoncer. J'ai suffisamment d'avance sur la tempête pour pouvoir me permettre de m'arrêter un sol, et je ne suis même pas certain que rouler deux sols de plus améliorerait ma situation. Qui sait jusqu'où descend cette tempête ?

La NASA, elle, doit savoir. Toutes les chaînes d'informations, sur Terre, doivent avoir les photos satellite. Et je suis certain qu'un petit malin a développé un site du genre www.regardez.mark.watney.mourir.com. Cent millions de personnes doivent savoir exactement jusqu'où descend cette tempête.

Cent millions, mais pas moi.

Journal de bord : Sol 484

Enfin !

J'ai enfin échappé à cette satanée tempête ! Aujourd'hui, les panneaux ont rechargé les batteries à cent pour cent. Il n'y a plus de poussière dans l'atmosphère. La tempête se déplaçant à la perpendiculaire de ma trajectoire actuelle, cela signifie que je suis au sud de son extrémité méridionale – à condition qu'elle soit circulaire, sinon, eh bien... merde !

Dès demain, je roulerai vers Schiaparelli. Ce n'est pas trop tôt ; j'ai perdu assez de temps comme ça. J'ai parcouru cinq cent quarante kilomètres vers le sud pour éviter la tempête et pris un retard énorme.

Bon, ce n'est pas si catastrophique. Je suis en plein cœur de Terra Meridiani, et le terrain est beaucoup plus praticable que celui, escarpé et accidenté, d'Arabia Terra. Schiaparelli se trouve à l'est de ma position actuelle et, si mon sextant, mes observations et mes calculs sont fiables, il me reste mille trente kilomètres à parcourir.

En tenant compte de mes pauses nécessaires, et en tablant sur une progression de quatre-vingt-dix kilomètres par sol, je devrais arriver autour de sol 498. Eh ! ce n'est pas si mal. Cette tempête, qui a bien failli me tuer, ne m'aura retardé que de quatre sols.

J'aurai encore quarante-quatre sols pour procéder aux modifications que la NASA aura élaborées pour moi.

Journal de bord : Sol 487

Une opportunité intéressante s'offre à moi. Et quand je veux dire opportunité... je pense à Opportunity !

Je me suis tellement écarté de ma trajectoire, que je ne suis plus très loin du site d'atterrissage du robot Opportunity, qui faisait partie de la mission Mars Exploration Rover. Il se trouve à environ trois cents kilomètres. Il me faudrait environ quatre sols pour le retrouver.

C'est quand même tentant… Si je récupérais la radio de l'engin, si je la faisais fonctionner, je serais de nouveau en contact avec l'humanité. La NASA pourrait m'informer de ma position au quotidien, me conseiller sur la route à prendre, me prévenir en cas de tempête. Et veiller sur moi.

Pour être honnête, si ce projet m'intéresse, c'est pour une tout autre raison. J'en ai marre d'être seul, merde ! Grâce à Pathfinder, je m'étais habitué à communiquer avec la Terre. Et puis j'ai tout fichu en l'air en appuyant une perceuse contre la mauvaise table. Je pourrais mettre un terme à cette situation dans quatre sols.

Mais non, ce serait stupide, irrationnel. Je ne suis plus qu'à onze sols du VAM. M'écarter de ma trajectoire pour aller déterrer un rover antédiluvien et bricoler une radio en panne ? Alors qu'un système de communication fonctionnel m'attend à seulement deux semaines de route ?

Si la proximité relative de cet engin roulant – on a vraiment transformé cette planète en casse – constitue un attrait certain, ce ne serait pas très malin de ma part.

Par ailleurs, j'ai souillé assez de futurs sites historiques comme cela.

Journal de bord : Sol 492

Il faut que je réfléchisse un peu à ma chambre à coucher.

Pour l'instant, je ne peux l'installer que de l'intérieur du rover. Vu qu'elle est fixée au sas, il m'est impossible de sortir lorsqu'elle est déployée. Tant que je voyage, ce n'est pas très grave, puisque je suis obligé de la ranger chaque sol. Toutefois, lorsque j'aurai trouvé le VAM, je n'aurai plus besoin de conduire. Chaque décompression/recompression fragilise les parties encollées – j'ai appris cette leçon lorsque l'Habitat a explosé –, aussi vaudrait-il mieux que je trouve un moyen de la laisser déployée.

Putain!… On dirait que je suis vraiment convaincu de trouver ce VAM. Vous avez vu? J'ai réfléchi à ce que j'allais faire une fois arrivé sur le site d'Arès 4. Comme si c'était une évidence. De la rigolade. Je vais bel et bien arriver à Schiaparelli et trouver le VAM.

Cool.

Le problème, c'est que je ne dispose pas d'un autre sas. Il y en a un sur le rover et un autre sur la remorque, mais c'est tout. Ils sont fermement encastrés dans les machines, donc inutile d'imaginer pouvoir en récupérer un pour le fixer à la chambre.

En revanche, il est possible d'isoler celle-ci complètement. Et sans la modifier véritablement. En effet, l'ouverture par laquelle on la relie au sas est équipée d'un rabat qu'on peut dérouler pour sceller l'entrée. Rappelez-vous, j'ai récupéré cette porte sur une tente normalement réservée aux cas d'urgence, aux décompressions du rover. Elle serait inutile si elle ne pouvait pas se fermer hermétiquement.

Malheureusement, cette tente n'est supposée servir qu'une seule fois. L'idée est d'abriter les passagers du rover endommagé en attendant que leurs camarades viennent leur porter secours à bord de l'autre véhicule – il suffit alors de détacher la tente de l'engin endommagé pour la relier au second, puis de découper le sceau de l'extérieur pour accueillir les astronautes prisonniers.

Pour que cette option soit toujours possible, nous avions l'interdiction de monter à plus de trois dans un même rover. Par ailleurs, les deux engins devaient toujours être fonctionnels en même temps – ou alors, l'autre n'avait pas le droit de rouler.

Donc voici mon plan de génie: dès que j'aurai atteint le VAM, ma chambre à coucher cessera d'en être une. J'y logerai l'oxygénateur et le régulateur atmosphérique. Et je dormirai dans la remorque. Cool, pas vrai?

Il y a plein d'espace dans la remorque; je me suis donné beaucoup de mal pour cela. Le ballon offre un volume considérable. Pas beaucoup de surface au sol, c'est sûr, mais une belle hauteur sous plafond.

Par ailleurs, la toile de la chambre est dotée de plusieurs valves – à triple redondance, au fait –, car elle provient de l'Habitat. En effet, la NASA tenait absolument à ce que l'Habitat puisse être rempli de l'extérieur en cas de nécessité.

La chambre contiendra donc l'oxygénateur et le recycleur d'air et sera scellée, puis reliée à la remorque par des tuyaux qui leur permettront de partager la même atmosphère et par lesquels je ferai passer les câbles nécessaires à l'alimentation des machines. Le rover me servira à stocker mes affaires – car je n'aurai plus besoin de le conduire –, et la remorque sera complètement vide, transformée en chambre permanente. Voire en atelier pour procéder aux modifications des pièces assez petites pour passer par le sas.

Évidemment en cas de souci technique, je n'aurai d'autre choix que de découper la toile de la chambre pour atteindre l'oxygénateur ou le recycleur d'air ; toutefois, cela fait quatre cent quatre-vingt-douze sols que je suis ici, et les deux appareils n'ont connu aucun raté, aussi suis-je prêt à prendre le risque.

Journal de bord : Sol 497

J'arriverai devant l'entrée du cratère de Schiaparelli demain !

Enfin, sauf souci de dernière minute. Mais comme tout s'est très bien passé jusque-là... (C'était un sarcasme.)

Aujourd'hui est un jour de congé et, pour une fois, cela m'embête un peu. Je suis si près de Schiaparelli que j'en sens presque l'odeur. J'imagine qu'il sent le sable, ce cratère, mais ça n'a pas d'importance.

Ce ne sera pas la fin du voyage, c'est sûr. De l'entrée du cratère au VAM, il y a encore trois sols de route, mais putain, j'y suis presque !

Je crois que je vois le bord du cratère d'où je me trouve. Il est loin, très loin, et peut-être est-ce seulement mon imagination. Il se trouve à soixante-deux kilomètres, donc, disons que je le distingue à peine. Si c'est bien lui...

Demain, quand j'atteindrai le cratère de l'Entrée, je virerai vers le sud et je descendrai dans le bassin de Schiaparelli par la « Rampe d'accès ». J'ai effectué quelques calculs sur ma nappe de restaurant mentale, et la pente devrait être praticable. Il y a mille cinq cents mètres de dénivelée entre le bord et le fond du cratère, et la rampe mesure au moins quarante-cinq kilomètres de long. Cela nous donne une pente de 2,5°. Nickel.

Demain soir, je descends au dernier sous-sol !

Non, attendez, je vais reformuler ma phrase…

Demain, je vais toucher le fond !

Non, ce n'est pas beaucoup mieux…

Demain soir, je serai dans le trou préféré de Giovanni Schiaparelli !

D'accord, j'avoue que je vous taquine.

* * *

Pendant des millions d'années, le bord du cratère avait subi les assauts du vent, lequel érodait la crête rocheuse à la façon d'une rivière traversant une chaîne de montagnes. Après des éons de ce régime, le bord avait fini par céder, créant un véritable boulevard pour la zone de haute pression. La brèche s'était élargie de millénaire en millénaire. Ainsi, la poussière et les particules charriées par le vent se retrouvèrent-elles dans le fond de la cuvette.

Et puis, la situation s'était équilibrée. Le sable s'était accumulé, atteignant le niveau du sol à l'extérieur du cratère. Cessant de s'empiler, il s'étira latéralement, allongeant la pente jusqu'à atteindre, là aussi, un point d'équilibre défini par les interactions complexes d'une myriade de minuscules particules et de leur capacité à stabiliser un angle. La Rampe d'accès était née.

La météo forma des dunes et un terrain désertique. Les impacts de cratères tout proches apportèrent cailloux et rochers. La forme devint donc irrégulière.

La gravitation fit son œuvre. La rampe se compressa avec le temps, mais non pas régulièrement. Les terrains de densités différentes s'écroulaient à des rythmes différents. Certaines zones devinrent dures comme de la pierre, d'autres restèrent aussi douces que du talc.

L'inclinaison de la rampe était donc relativement faible, mais le terrain accidenté et difficile.

Arrivé devant le cratère de l'Entrée, le Martien pointa le nez de son véhicule vers le bassin de Schiaparelli. Il découvrit à sa grande surprise que la rampe était loin d'être lisse ; toutefois, le terrain n'était pas plus accidenté que le désert auquel il était habitué.

Il contourna les dunes les moins hautes et gravit avec circonspection les plus grandes. Il fit attention au moindre virage, aux plus modestes montées et descentes, à chaque rocher posé en travers de sa route. Il réfléchissait constamment à sa trajectoire, considérant les diverses possibilités qui s'offraient à lui.

Mais cela ne suffit pas.

Roulant sur une descente en apparence anodine, le rover croisa une crête invisible. Le sol dense et dur céda brusquement la place à une poudre fine. Comme la surface était recouverte d'au moins cinq centimètres de poussière, le changement de terrain n'était pas prévisible.

La roue avant gauche du véhicule s'enfonça soudainement, et la roue arrière droite se souleva, transmettant plus de poids à la roue arrière gauche, qui glissa sur le sol à la stabilité précaire et s'enfonça à son tour dans la poudre.

Pris de court, le conducteur n'eut pas le temps de réagir, et le véhicule roula sur le côté. Les panneaux solaires, soigneusement empilés sur le toit, s'éparpillèrent comme un tas de cartes lâché sur une table.

La remorque, attachée au rover par une pince, fut entraînée dans cette chute. Et puis la torsion finit par casser net le composite pourtant très solide comme une brindille. Les conduits qui reliaient les deux véhicules lâchèrent eux aussi. La remorque s'enfonça, tête la première, dans le sol meuble et se retrouva sur le toit, ou plutôt le ballon, s'immobilisant brusquement.

Le rover n'eut pas cette chance. Il fit plusieurs tonneaux, secouant son passager comme des vêtements dans un sèche-linge. Vingt mètres plus loin, un sable dense remplaça la poudre fine, et le rover s'immobilisa enfin.

Il était couché sur le flanc. Les valves auxquelles étaient reliés les conduits qui avaient cédé détectèrent la soudaine baisse de pression et se fermèrent. L'intégrité de l'habitacle fut sauvegardée.

Le conducteur était en vie. Pour le moment.

Chapitre 24

Les chefs de service regardaient la photo satellite projetée sur l'écran.

— Mon Dieu ! s'écria Mitch. Qu'est-ce qui s'est passé ?

— Le rover est couché sur le flanc, répondit Mindy en montrant l'image. La remorque, elle, est sens dessus dessous. Les rectangles éparpillés partout sont des panneaux solaires.

Venkat se pinça le menton.

— Sait-on quelque chose sur l'état de l'habitacle ?

— Pas vraiment, avoua Mindy.

— Des signes d'activité ? Peut-être une AEV ?

— Pas d'AEV. Le temps est dégagé. S'il était sorti, il y aurait des traces de pas dans le sable.

— C'est le site de l'accident tout entier ? demanda Bruce Ng.

— Je le crois, acquiesça Mindy. En haut de la photo – vers le nord, donc –, on voit des traces de pneus normales. Ceci..., poursuivit-elle en désignant des marques étranges dans le sol. Ceci est l'endroit où s'est produit l'accident. À en juger par l'emplacement de ce fossé, je pense que le rover s'est retourné là, et qu'il a fini sa course en glissant. On voit bien la tranchée qu'il a laissée dans son sillage. La remorque, elle, a basculé vers l'avant et s'est retrouvée sur le toit.

— Je ne dis pas que tout va bien, reprit Bruce, mais je ne crois pas que ce soit aussi grave que c'en a l'air.

— C'est-à-dire ? l'encouragea Venkat.

— Le rover a été conçu pour résister à des tonneaux. S'il y avait eu décompression, il y aurait des traces en étoile dans le sable, et je n'en vois aucune.

— Il se peut néanmoins que Watney soit blessé à l'intérieur, remarqua Mitch. Il a très bien pu se cogner la tête ou se casser le bras.

— Certes, admit Bruce. Je dis seulement que le rover doit être fonctionnel.

— De quand date ce cliché ?

— Nous l'avons reçu il y a dix-sept minutes, répondit Mindy en regardant sa montre. Le prochain arrivera dans neuf minutes, quand l'orbite de MGS4 le fera passer au-dessus du site.

— La première chose qu'il va faire, c'est une AEV pour évaluer les dégâts, dit Venkat. Mindy, tenez-nous au courant.

Journal de bord : Sol 498

Mmh…

Ouais.

Ma descente dans le bassin de Schiaparelli ne s'est pas super bien passée. Pour vous donner une idée de la situation, sachez que j'ai un peu de mal à taper ce texte sur l'ordinateur, qui est fixé près du tableau de commande, car le rover est couché sur le flanc.

J'ai été secoué dans tous les sens, mais j'ai l'habitude des déconvenues de ce genre. Dès que j'ai senti le véhicule basculer, je me suis mis en boule et j'ai attendu. Ouais, c'est le genre d'acte héroïque dont je suis capable.

Et ça a marché, puisque je ne suis pas blessé.

Il n'y a pas eu décompression, ce dont je me félicite. Les valves situées à l'entrée des tuyaux me reliant à la remorque se sont fermées. Cela signifie probablement que lesdits tuyaux ont été arrachés, et que la pince qui retenait la remorque a cédé. Génial.

Autour de moi, tout semble à peu près en bon état. Les réservoirs d'eau ont tenu le coup. *A priori*, mes bouteilles d'air ne fuient pas. La chambre à coucher est en vrac, dépliée, mais, comme elle est constituée de toile, je suppose qu'elle n'a pas souffert.

Les commandes sont en bon état, et l'ordinateur de navigation m'informe que le rover est « dangereusement incliné »… Merci, ordinateur !

Le véhicule s'est donc retourné. Ce n'est pas la fin du monde. Je suis en vie, et le rover est OK. Je m'inquiète surtout pour les panneaux solaires, que j'ai sans doute écrasés. Quant à la remorque, vu qu'elle s'est décrochée, il y a de grandes chances pour qu'elle soit dans un sale état. Le ballon qui la surplombait n'était pas vraiment fait pour ce type de cascade. S'il a éclaté, le contenu de la remorque a été éparpillé, et je vais devoir aller tout récupérer. Je ne peux pas me passer de ces systèmes de support-vie.

À propos de systèmes de support-vie, dès que les valves se sont fermées, le rover a basculé sur les bouteilles embarquées. Gentil rover ! Tu as mérité un Scooby Snack !

Je dispose de vingt litres d'oxygène – assez pour quarante jours –, mais sans le régulateur d'air qui se trouve dans la remorque je devrai me contenter de filtres chimiques pour le CO_2. Il me reste trois cent douze heures de filtres. Plus cent soixante et onze heures grâce aux filtres de ma combinaison. En tout, cela fait donc quatre cent quatre-vingt-trois heures, c'est-à-dire pas loin de vingt sols. J'aurai donc le temps de tout réparer.

Je suis vraiment tout près du VAM, à présent. Environ deux cent vingt kilomètres. Pas question que je laisse un accident de ce genre m'empêcher d'arriver à bon port. Je n'ai plus besoin de systèmes fonctionnant au maximum de leurs capacités, simplement de parcourir deux cent vingt kilomètres supplémentaires et de tenir pendant cinquante et un sols. C'est tout.

Bon, il est temps d'enfiler la combinaison et d'aller jeter un coup d'œil à la remorque.

Journal de bord : Sol 498 (2)

J'ai fait une AEV, et la situation n'est pas si grave. Remarquez, elle n'est pas bonne non plus.

J'ai écrasé trois panneaux solaires. Ils sont sous le rover. En miettes. Peut-être sont-ils encore en mesure de crachoter quelques watts, mais je ne compte pas trop dessus. Heureusement que je suis parti avec un panneau de trop. Il m'en fallait vingt-huit pour recharger mes batteries, et j'en ai emporté vingt-neuf : quatorze sur le toit du rover, sept sur celui de la remorque, et huit sur les étagères de fortune montées sur les flancs des deux véhicules.

J'ai essayé de remettre le rover à l'endroit, mais je ne suis pas assez costaud. Il va falloir inventer un système de levier. En dehors du fait qu'il est sur le flanc, le véhicule me paraît en bon état.

Enfin, je schématise. La pince d'attelage est morte. Elle a été à moitié arrachée. Par chance, la remorque est elle aussi dotée d'une pince de ce type, aussi vais-je pouvoir la monter sur le rover.

La remorque est dans une situation précaire. Elle est à l'envers, couchée sur le ballon toujours gonflé. J'ignore quel dieu je dois remercier pour ce miracle, mais je suis super content. Remettre la remorque d'aplomb sera ma priorité. Plus longtemps mon ballon supportera le poids du véhicule tout entier, plus il risquera d'éclater.

Pendant que j'étais dehors, j'en ai profité pour rassembler les vingt-six panneaux solaires qui n'étaient pas sous le rover et je les ai installés pour recharger les batteries. Tant qu'à faire…

J'ai donc plusieurs problèmes immédiats à régler : d'abord, remettre la remorque à l'endroit, ou, dans le pire des cas, soulager un peu le ballon. Ensuite, redresser le rover et, une fois que ce sera fait, monter la pince d'attelage que j'aurai prise à la remorque.

Ah ! oui, j'oubliais… écrire un petit message à la NASA. Ils doivent être très inquiets à la maison.

* * *

Mindy lut le message écrit en morse à haute voix.

— « Me suis retourné. Répare les dégâts. »

— Quoi ? s'étonna Venkat à l'autre bout du fil. C'est tout ?

— Oui, confirma-t-elle, le téléphone coincé entre l'oreille et l'épaule pendant qu'elle tapait un e-mail destiné à toutes les personnes concernées par ces nouveaux développements.

— Six mots ? Et rien sur son état de santé ? son équipement ? ses réserves ?

— Bon d'accord, c'était une plaisanterie. Il a laissé un message détaillé. Je vous faisais marcher. Comme ça. Pour rien.

— Ha ha ! très drôle... Continuez de vous foutre de la gueule d'un type qui a sept échelons d'avance sur vous dans la hiérarchie de la compagnie et vous verrez ce qui va se passer...

— Mon Dieu ! je risque de perdre mon travail de voyeuse interplanétaire ! Tant pis, je tâcherai de mettre à profit ma maîtrise pour trouver un autre boulot.

— Ah ! ce temps lointain où vous étiez timide...

— Je suis un paparazzi de l'espace, maintenant, et j'ai l'attitude qui sied à cette activité.

— D'accord, d'accord. Contentez-vous d'envoyer cet e-mail, s'il vous plaît.

— C'est déjà fait.

Journal de bord : Sol 499

J'ai eu une journée très chargée et j'ai accompli pas mal de choses.

Mais j'ai eu du mal à m'y mettre... Il faut dire que j'ai dormi sur une des parois latérales du rover. Impossible de gonfler la chambre à coucher quand le véhicule est sur le flanc. Je m'y étais habitué, à cette chambre. Là, j'ai dû me contenter de dormir *dessus*.

Enfin, vous vous en doutez, la paroi du rover n'est pas censée servir de lit. Toutefois, après une pomme de terre matinale et un cachet de Vicodin, je me sentais beaucoup mieux.

Au début, j'avais décidé de m'occuper d'abord de la remorque, puis j'ai changé d'avis. Tout bien réfléchi, jamais je ne réussirais à la redresser tout seul ; j'aurais besoin du rover.

C'était donc ma mission du jour.

J'ai tous mes outils avec moi, car il y aura des modifications à apporter au VAM. Et des câbles, aussi. Quand je serai installé à côté du vaisseau, mes panneaux solaires et mes batteries seront fixes. Et comme je n'ai pas envie d'avoir à déplacer le rover chaque fois que je devrai percer un trou de l'autre côté du VAM, j'ai aussi embarqué tous les câbles que j'ai pu trouver.

Excellente initiative, parce qu'un câble peut aussi servir de corde.

J'ai pris mon câble le plus long – celui qui alimentait ma perceuse tueuse, mon câble « porte-bonheur » –, je l'ai branché dans la batterie et dans la fameuse perceuse, puis j'ai cherché un terrain dur. Lorsque je l'ai eu trouvé, j'ai déroulé le câble au maximum et j'ai commencé à forer, enfonçant la mèche d'une cinquantaine de centimètres dans la roche. Alors, j'ai débranché le câble de la machine pour le nouer à la base de la mèche.

Puis je suis retourné au rover pour attacher l'autre extrémité du câble à la barre de toit opposée du véhicule. Ma corde de fortune était tendue à la perpendiculaire du rover.

J'ai attrapé le câble à mi-longueur et j'ai essayé de le tirer latéralement. L'effet de levier exercé sur le véhicule était colossal. J'espérais seulement que la mèche tiendrait le coup jusqu'à ce que le rover bascule.

J'ai reculé encore et encore. Quelque chose céderait peut-être, mais ce ne serait pas moi. J'avais Archimède de mon côté.

Le rover s'est redressé.

Il est retombé sur ses roues, soulevant un grand nuage de poussière. En silence. J'étais suffisamment loin pour que l'atmosphère fine n'ait aucune chance de transporter le son jusqu'à mes oreilles.

J'ai détaché le câble, libéré la mèche de la roche et je suis retourné au rover pour vérifier tous ses systèmes. C'est une tâche très ennuyeuse, mais on ne peut pas l'éviter.

Tous les systèmes et sous-systèmes fonctionnaient correctement. JPL a fait un sacré bon boulot en concevant ces engins. Si je retourne un jour sur Terre, je paie une bière à Bruce Ng. Enfin, tous les mecs de JPL mériteraient une bière.

De la bière pour tout le monde si je rentre à la maison !

Maintenant que le rover était d'aplomb, il était temps de s'occuper de la remorque. Problème : je n'y voyais plus assez clair. N'oubliez pas que je suis dans un cratère.

J'étais arrivé presque en bas de la rampe quand je me suis retourné. Celle-ci se situe contre le bord ouest du cratère. Pour moi, le soleil se couche très tôt, car je suis dans l'ombre de la paroi ouest. Et ça, c'est carrément emmerdant.

Mars n'est pas la Terre. L'atmosphère n'y est pas assez dense pour tordre la lumière et transporter les particules qui la reflètent dans les coins. C'est presque le vide, ici. Dès que le soleil n'est plus visible, je suis dans l'obscurité. Phobos me donne un peu de clair de lune, mais pas assez pour travailler. Quant à Deimos, il est tellement petit qu'il ne sert à rien.

Cela me fait vraiment mal de laisser une nuit entière la remorque retournée, couchée sur le ballon, mais je n'y peux rien. Comme elle est restée toute la journée dans cette position, j'imagine qu'elle est relativement stable. Pour l'instant.

Maintenant que le rover est d'aplomb, je peux gonfler ma chambre ! Dans la vie, ce qui compte, ce sont les choses simples.

Journal de bord : Sol 500

Quand je me suis réveillé ce matin, le ballon n'avait pas encore explosé. C'était un bon début.

La remorque constituait un défi plus compliqué que le rover. Pour la remettre à l'endroit, mon petit truc de la veille ne suffirait pas, car elle était couchée sur le toit.

J'ai commencé par rapprocher le rover du véhicule renversé, puis j'ai creusé.

Mon Dieu, je déteste creuser.

Le nez de la remorque pointait vers le bas de la rampe. Selon moi, la meilleure solution consistait à profiter de la pente pour la faire basculer vers l'avant. En gros, elle exécuterait un soleil et retomberait sur ses roues.

Toutefois, avant de la tirer avec mon câble de fortune, il était nécessaire de creuser un trou dans lequel faire basculer son nez, autrement, le véhicule ne ferait que glisser sur la pente.

Alors je l'ai creusé, ce trou. Un trou d'un mètre sur trois, profond d'un mètre. Cela m'a pris quatre heures d'un travail harassant, mais j'ai réussi.

J'ai sauté dans le rover et j'ai démarré doucement, entraînant la remorque dans mon sillage. Comme je l'avais espéré, le nez a plongé dans le trou et la remorque s'est mise à la verticale, avant de retomber lourdement sur les pneus en soulevant d'énormes plumets de poussière.

Je suis resté un temps assis, stupéfié par le fait que mon plan ait marché.

Et puis cette ombre maudite m'a avalé une fois de plus. J'ai hâte d'en sortir ! Encore une journée à conduire, et je me serai suffisamment éloigné de la paroi. Pour le moment, toutefois, la journée se termine une nouvelle fois prématurément.

Je vais passer la nuit sans les systèmes de support-vie contenus dans la remorque. Celle-ci est d'aplomb, mais toutes les conneries qu'il y a dedans fonctionnent-elles encore ? Heureusement, j'ai tout ce dont j'ai besoin dans le rover.

Je passerai le reste de la soirée à déguster une pomme de terre. Et quand je dis « déguster », je pense « haïr au point d'avoir envie de tuer quelqu'un ».

Journal de bord : Sol 501

J'ai commencé la journée avec un « thé à rien ». Le thé à rien est très facile à préparer. D'abord, prenez un peu d'eau chaude, puis… Et puis c'est prêt. Il y a quelques semaines, j'ai testé le thé à la peau de pomme de terre, mais je préfère ne pas en parler.

J'ai fait un tour dans la remorque, aujourd'hui. Cela n'a pas été facile. Il n'y a pas beaucoup de place, là-dedans ; j'ai dû abandonner ma combinaison dans le sas.

La première chose que j'ai remarquée, c'est qu'il faisait vraiment très chaud à l'intérieur. J'ai mis quelques minutes à comprendre pourquoi.

Le régulateur atmosphérique était en parfait état de fonctionnement, mais il n'avait rien à faire. Comme il n'était plus relié au rover, il n'avait pas de CO_2 à recycler. L'atmosphère, dans la remorque, était parfaitement équilibrée. Pourquoi se fatiguer, en effet ?

Comme aucune régulation n'était nécessaire, l'air n'était pas envoyé au CERA pour y être décomposé par le froid et ne revenait donc pas sous la forme d'un liquide ayant besoin d'être réchauffé.

Le GTR, impossible à arrêter, a continué à émettre de la chaleur. Celle-ci s'est accumulée jusqu'à ce que la situation s'équilibre, l'excédent de chaleur produit par le GTR s'évacuant par la carrosserie. Si ça vous intéresse, ce point d'équilibre se situe à 41 °C. Étouffant…

J'ai lancé un diagnostic complet du régulateur et de l'oxygénateur, et je suis heureux de vous annoncer que tout marche très bien.

Le réservoir d'eau du GTR était vide, ce qui n'était pas une surprise puisqu'il ne possède pas de couvercle. Il y avait, sur le plancher, plein d'eau que j'ai eu beaucoup de mal à éponger avec mes vêtements. Ensuite, j'ai dû remplir le réservoir du GTR avec de l'eau issue d'un container scellé. Rappelez-vous : j'ai besoin de cette eau pour y faire passer l'air retourné par le recycleur. C'est mon système de chauffage.

Tout bien considéré, j'avais eu de la chance. Les éléments critiques fonctionnaient bien, et les deux véhicules étaient d'aplomb.

Les conduits qui reliaient le rover et la remorque ont été très bien conçus et se sont décrochés sans se rompre. Je me suis contenté de les rebrancher, et les deux véhicules partageaient de nouveau la même atmosphère.

Restait à réparer la pince d'attelage. Elle était hors d'usage, car elle avait encaissé la totalité du choc. Comme je m'y attendais, la pince située à l'arrière de la remorque n'avait pas souffert. Il a donc suffi de la monter sur le rover et de raccrocher les deux véhicules.

Pour résumer, mon petit accident de rien du tout m'a coûté quatre sols, mais maintenant, je suis de retour !

Enfin, presque.

Et si je tombais dans un autre de ces trous emplis de poudre ? Avec ma déveine, la prochaine fois risquait de moins bien se passer. J'ai besoin de savoir si le terrain, devant moi, est sûr ou non. Du moins tant que je roulerai sur cette rampe. Quand je serai dans le fond du cratère, je retrouverai un terrain sablonneux normal.

Si seulement j'avais une radio pour demander à la NASA de me guider le long de cette rampe. Enfin, à choisir, je préférerais être secouru par une magnifique reine martienne à la peau verte à laquelle je pourrais enseigner ce que, sur Terre, nous appelons « l'amour ».

Cela fait un bout de temps que je n'ai pas vu de femme. Enfin, je dis ça…

Bon, pour ne pas risquer de me retourner une fois de plus, je… Sérieusement, je n'ai pas vu de femme depuis… des années ! Je ne demande pas beaucoup ! Sur Terre, un botaniste-ingénieur mécanicien, ça n'attire pas vraiment les gonzesses, mais quand même…

Bref. Je conduirai plus lentement. Je roulerai… au pas. Cela devrait me laisser le temps de réagir si une roue commence à s'enfoncer. Par ailleurs, si je roule moins vite, mon adhérence sera meilleure, diminuant le risque de perte de contact avec le sol.

Jusque-là, je roulais à vingt-cinq kilomètres par heure ; à partir de maintenant, j'irai cinq fois moins vite. Je suis toujours vers le haut de la rampe, mais, celle-ci ne mesurant que quarante-cinq kilomètres, il ne me faudra pas plus de huit heures pour en venir à bout, même en roulant lentement et en faisant attention.

Ce sera pour demain ; il fait déjà trop noir pour bouger. Ça aussi, ça va changer une fois que je serai en bas. Plus je m'éloignerai de la paroi en filant droit vers le VAM, plus mes journées s'allongeront. Très vite, je retrouverai des journées complètes.

Si je retourne sur Terre un jour, je serai célèbre, pas vrai ? L'astronaute sans peur qui a vaincu l'adversité. Les femmes vont m'adorer !

Une motivation supplémentaire pour rester en vie.

* * *

— On dirait bien qu'il a tout réparé, expliqua Mindy. Et son message du jour disait « TOUT VA BIEN », donc je suppose que tout fonctionne normalement.

Elle jeta un regard circulaire sur les visages souriants réunis dans la salle de conférences.

— Génial, lança Mitch.

— Excellente nouvelle, confirma Bruce, dont la voix résonnait dans le haut-parleur du téléphone.

— Où en sont les modifications du VAM ? demanda Venkat en se penchant vers le micro. JPL aura bientôt terminé de les planifier ?

— On bosse dessus jour et nuit. On a réglé la plupart des problèmes majeurs. Reste à fignoler les détails.

— Bien, bien. Des imprévus dont je devrais être informé ?

— Mmh..., fit Bruce. Oui, quelques-uns. Le moment n'est pas forcément bien choisi. Je serai de retour à Houston dans un ou deux jours. Nous les passerons en revue à ce moment-là.

— Vous m'inquiétez. D'accord, nous verrons ça plus tard.

— Je peux ébruiter l'info ? s'enquit Annie. Ce serait pas mal de voir autre chose que les images de l'accident dans les infos.

— Bien sûr, acquiesça Venkat. De bonnes nouvelles, pour changer, ça fera du bien. Mindy, dans combien de temps atteindra-t-il le VAM ?

— À son rythme habituel de quatre-vingt-dix kilomètres par sol, il devrait arriver vers sol 504. Sol 505 s'il traîne. Il prend toujours le volant au petit matin et s'arrête aux alentours de midi. (Elle regarda une application sur son portable.) Sol 504 à midi, cela équivaut à mercredi prochain, 11 h 41, chez nous, à Houston. Ou alors ce sera le lendemain à 12 h 21.

— Mitch, qui est responsable des communications avec le VAM d'Arès 4 ?

— Les contrôleurs de mission d'Arès 3. Ils seront dans la salle de contrôle n° 2.

— Je suppose que vous serez là aussi ?

— Un peu, mon neveu.

— Vous pourrez compter sur moi aussi.

Journal de bord : Sol 502

Chaque année, pour Thanksgiving, nous nous rendions à Sandusky en voiture de Chicago. Cela représentait huit heures de route. Nous allions chez la sœur de ma mère. C'est mon père qui conduisait, et il était le conducteur le plus lent et le plus circonspect que la Terre ait jamais porté.

Sérieusement. Il conduisait comme s'il passait tous les jours son examen. Il ne dépassait jamais la vitesse autorisée, il avait toujours les mains posées à dix et deux heures sur le volant, il réglait toujours ses rétroviseurs avant de démarrer, j'en passe et des meilleures.

C'était énervant au possible. Quand on roulait sur l'autoroute, les voitures nous dépassaient par la gauche et par la droite. Certaines nous klaxonnaient, parce que, honnêtement, respecter la limitation de vitesse pouvait faire de vous un danger public. Cela me donnait envie de descendre pour pousser.

Eh bien, j'ai eu ce sentiment toute cette satanée journée. Cinq kilomètres par heure, c'est la vitesse d'un homme en train de marcher. Et j'ai roulé à cette allure pendant huit heures.

Le but était de ne pas retomber dans un de ces trous emplis de poudre. Comme par hasard, je n'en ai croisé aucun en chemin. J'aurais pu rouler pied au plancher sans aucun problème. Mais, comme on dit, on n'est jamais trop prudent.

La bonne nouvelle, c'est que je ne suis plus sur la rampe. Dès que j'ai retrouvé un terrain plat, j'ai installé mon campement. J'avais largement assez conduit pour aujourd'hui. J'aurais pu continuer encore un peu, car il me restait environ quinze pour cent d'énergie, mais je préférais profiter de la lumière du jour pour stocker de l'électricité.

Je suis enfin dans le cratère de Schiaparelli ! Et à une distance respectable de la paroi, en plus. À partir de maintenant, je profiterai de journées d'ensoleillement complètes.

Tout bien réfléchi, c'est un événement extraordinaire. Voilà pourquoi j'ai dévoré le repas marqué « J'ai survécu à un truc qui aurait dû me tuer ». Mon Dieu, j'avais presque oublié à quel point la vraie nourriture pouvait être bonne.

Avec un peu de chance, je mangerai « Arrivée » dans quelques sols.

Journal de bord : Sol 503

Hier je n'ai pas pu recharger les batteries autant que je l'aurais voulu. Parce que j'ai conduit plus longtemps que d'habitude, elles n'ont eu le temps de se remplir qu'à soixante-dix pour cent. Ma journée de conduite a donc été écourtée.

J'ai parcouru soixante-trois kilomètres avant de devoir m'arrêter, mais ce n'est pas grave, car je ne suis plus qu'à cent quarante-huit kilomètres du VAM. Cela signifie que j'arriverai après-demain.

Nom de Dieu, je vais vraiment y arriver !

Journal de bord : Sol 504

Putain, c'est génial ! Putain ! Putain !

Bon, du calme, du calme...

J'ai parcouru quatre-vingt-dix kilomètres aujourd'hui. D'après mes estimations, je ne suis plus qu'à cinquante bornes du VAM. Mon voyage devrait se terminer demain. Je suis super enthousiaste, mais ce qui me réjouit le plus, c'est que j'ai reçu un signal émis par le VAM !

La NASA a demandé au vaisseau d'émettre le signal de l'Habitat d'Arès 3. Pourquoi pas, en effet ? C'était plus que logique. Le VAM est une belle machine parfaitement fonctionnelle et prête à faire tout ce qu'on lui demande. Ils lui ont donc ordonné de faire semblant d'être l'Habitat d'Arès 3 afin que mon rover reconnaisse son signal et me conduise jusqu'à elle.

C'était une super bonne idée ! Je n'aurai pas à tourner en rond à la recherche de la machine ; je roulerai droit vers elle.

Je n'ai reçu qu'un faible signal, mais cela devrait s'arranger à mesure que je m'approcherai. C'est étrange, quand on y pense : une simple dune peut empêcher le VAM de me parler, alors qu'il communique en permanence avec la Terre. Le vaisseau est pourvu de trois moyens différents de communication avec la Terre ; cependant, tous sont directionnels et impliquent que rien ne se dresse entre l'émetteur et le récepteur. Notamment pas des dunes.

J'ignore comment, mais ils sont parvenus à émettre un signal radial, certes de faible puissance, mais qui est parvenu jusqu'à moi !

Mon message du jour se résumait à : « SIGNAL CAPTÉ ». Si j'avais eu assez de pierres sous la main, j'aurais ajouté « IDÉE GÉNIALE ! », mais le terrain est vraiment sablonneux dans le coin.

* * *

Le VAM attendait dans la partie sud-ouest du bassin de Schiaparelli. Impressionnant, il culminait à vingt-sept mètres de hauteur, sa coque conique scintillant dans le soleil de midi.

Tractant sa remorque, le rover apparut sur la crête d'une dune. Il ralentit quelques instants, puis accéléra et poursuivit sa route à vive allure vers le vaisseau. Il s'arrêta à une vingtaine de mètres de l'engin.

Le rover resta là une dizaine de minutes pendant que l'astronaute enfilait sa combinaison.

L'homme enthousiaste sortit du sas en titubant, tombant à terre, se relevant aussitôt. Le regard rivé sur le VAM, incrédule, il faisait de grands gestes.

Les bras tendus et les poings serrés, il sauta plusieurs fois en l'air. Puis il mit un genou à terre et brandit plusieurs fois le poing.

Il courut jusqu'au vaisseau spatial et serra la jambe du train d'atterrissage B dans ses bras. Quelques secondes plus tard, il mit un terme à cette étreinte pour bondir de nouveau de joie.

Fatigué, les mains sur les hanches, l'astronaute leva des yeux émerveillés vers les lignes pures de la merveille technologique qui se dressait devant lui.

Il escalada l'échelle de l'étage d'atterrissage, il atteignit l'étage de décollage et entra dans le sas. Puis il scella la porte derrière lui.

CHAPITRE 25

Journal de bord : Sol 505

J'ai réussi ! Enfin ! J'ai trouvé le VAM !

Bon, à l'heure où je vous écris, je suis de retour dans le rover. Je suis entré dans le VAM pour démarrer les systèmes et lancer un diagnostic. Le tout engoncé dans ma combinaison d'AEV, puisqu'il n'y a pas encore de systèmes de support-vie, là-dedans.

Le vaisseau est en train d'effectuer toutes les vérifications imaginables pendant que je le remplis d'oxygène et d'azote grâce à des conduits reliés au rover. Ainsi sont conçus les VAM ; ils voyagent sans air. Ce qui est tout à fait normal, puisqu'on est censé avoir un Habitat pressurisé juste à côté.

Je suppose qu'à la NASA on sabre le champagne et on m'envoie plein de messages. Je les lirai bientôt, mais chaque chose en son temps. D'abord équiper le VAM de systèmes de support-vie. Après, je pourrai travailler confortablement.

Et il y aura cette conversation ennuyeuse avec la NASA. Enfin, le contenu de la conversation sera peut-être intéressant, mais les quatorze minutes de temps de transmission entre ici et la Terre vont être chiantes.

* * *

[13:07] HOUSTON : Félicitations de la part de tout le monde, ici, au Centre de contrôle ! Bien joué ! Quel est votre statut ?

[13:21] VAM : Merci ! Pas de problèmes de santé, pas de soucis physiques. Le rover et la remorque sont dans un sale état, mais fonctionnent toujours. L'oxygénateur et le régulateur marchent correctement. Je n'ai pas emporté le recycleur d'eau, seulement mes réserves. Il me reste plein de pommes de terre. J'ai ce qu'il faut pour tenir jusqu'à sol 549.

[13:36] HOUSTON : Heureux de l'apprendre. *Hermès* est dans les temps. Interception prévue pour sol 549. Comme vous le savez, le VAM va devoir perdre un peu de poids pour cette manœuvre. Nous vous enverrons la procédure à suivre dans la journée. Combien d'eau avez-vous ? Qu'avez-vous fait de votre urine ?

[13:50] VAM : J'ai cinq cent cinquante litres d'eau. Je me suis débarrassé de mon urine en chemin.

[14:05] HOUSTON : Gardez toute votre eau. Ne jetez plus votre urine. Stockez-la quelque part. Allumez la radio du rover et n'y touchez plus. Nous pouvons entrer en contact avec elle via le VAM.

* * *

Bruce entra péniblement dans le bureau de Venkat et, sans cérémonie, s'affaissa dans un fauteuil. Il lâcha sa mallette et laissa ses bras pendre mollement dans le vide.

— Le vol s'est bien passé ? demanda Venkat.

— Me rappelle pas. J'ai dormi.

— Alors, c'est prêt ?

— Oui, mais ça ne va pas vous plaire.

— Je vous écoute.

Bruce s'arma de courage et se leva en ramassant sa mallette. Il l'ouvrit et en sortit un livret.

— Gardez à l'esprit que ceci est le résultat de milliers d'heures de réflexion, d'essais, la solution de problèmes résolus grâce à la pensée latérale. Les meilleurs esprits de JPL ont bossé sur la question.

— Je me doute qu'il a été difficile d'alléger un vaisseau conçu pour être le plus léger possible, lui concéda Venkat.

— Le problème, c'est la vitesse d'interception, poursuivit Bruce en faisant glisser le livret sur le bureau. Le VAM est conçu pour se positionner en orbite basse, ce qui nécessite une vélocité de 4,1 kilomètres par seconde, alors que le passage d'*Hermès* se fera à 5,8 kilomètres par seconde.

Venkat entreprit de feuilleter le livret.

— Vous pourriez m'en faire un résumé ?

— Pour commencer, nous allons ajouter du carburant. Le VAM produit son carburant à partir de l'atmosphère martienne, mais le processus est limité par l'hydrogène dont il dispose. Et il en a assez pour produire dix-neuf mille trois cent quatre-vingt-dix-sept kilogrammes de carburant, comme prévu. Si nous lui donnons davantage d'hydrogène, il fera plus de carburant.

— C'est-à-dire ?

— Avec un kilogramme d'hydrogène, il peut générer treize kilogrammes de carburant. Watney est arrivé avec cinq cent cinquante litres d'eau. Nous lui demanderons de l'électrolyser pour obtenir soixante kilogrammes d'hydrogène. (Bruce se pencha sur le bureau, tourna quelques pages du livret et désigna un graphique.) Le dispositif du VAM les transformera en sept cent quatre-vingts kilogrammes de carburant.

— Que boira-t-il, s'il électrolyse son eau ?

— Il n'aura besoin que de cinquante litres pour tenir jusqu'à la fin. Et le corps humain ne fait qu'emprunter de l'eau. Nous lui demanderons d'électrolyser aussi son urine. Nous aurons besoin de tout l'hydrogène que nous pourrons trouver.

— Je vois. Et à quoi vont nous servir ces sept cent quatre-vingts kilos de carburant supplémentaires ?

— À transporter trois cents kilogrammes de plus. C'est toujours le même problème : carburant contre poids embarqué. Au décollage, le poids du VAM est de 12,6 tonnes. Même avec du carburant en plus, il va falloir faire descendre ce poids à 7,3 tonnes. Vous trouverez dans ce livret ce que nous préconisons pour perdre ces cinq mille kilos en trop.

— Dites-moi tout, l'encouragea Venkat en s'adossant à son fauteuil.

Bruce sortit un autre exemplaire du livret de sa mallette.

— Bon, il y avait des choses évidentes dès le départ. Normalement, le VAM est supposé embarquer cinq cents kilogrammes d'échantillons de roche et de sol. Nous faisons évidemment une croix dessus. Par ailleurs, il n'y aura qu'un passager au lieu de six. Quand on additionne le poids des astronautes à celui de leurs combinaisons et de leurs équipements, cela représente également une économie de cinq cents kilogrammes. Nous pouvons naturellement nous débarrasser de cinq fauteuils d'accélération et de tout un tas de choses non essentielles : le kit médical, les outils, les harnais, les sangles et tout ce qui n'est pas fixé à la paroi. Plus certaines choses qui le sont.

» Les systèmes de support-vie vont y passer aussi, poursuivit-il. Les réservoirs, pompes, radiateurs, conduits d'alimentation en air, le système d'absorption de CO_2, et même l'isolation des parois internes. Nous n'en avons pas besoin. Watney devra porter sa combinaison pendant toute l'opération.

— Cela risque de le gêner pour manipuler les commandes, non ?

— Il ne les manipulera pas. Le major Martinez pilotera le VAM à distance depuis *Hermès*. Le VAM a été conçu pour ça. Il a déjà été posé à distance.

— Et si quelque chose tourne mal ? demanda Venkat.

— Martinez est un pilote très entraîné. Personne n'est mieux placé que lui pour piloter cet engin, surtout en cas de souci.

— Mmh... Aucun vaisseau habité n'a encore été piloté à distance, mais continuez...

— Comme Watney ne pilotera pas, il n'aura pas besoin des commandes. Nous allons donc nous débarrasser du tableau de bord et de tous les câbles réseau et d'alimentation qui y mènent.

— Waouh ! fit Venkat. On va vraiment le désosser, cet engin.

— Vous n'avez encore rien entendu. Dépourvu de ses systèmes de support-vie, le vaisseau aura besoin de beaucoup moins d'électricité. Nous allons donc le dépouiller de trois batteries sur les cinq dont il dispose et du système d'alimentation auxiliaire. Le système de manœuvre orbital est pourvu de trois propulseurs, qui resteront sur Mars. *Idem* pour les systèmes de communication secondaire et tertiaire.

— Attendez, attendez..., l'interrompit Venkat, choqué. Vous parlez d'une ascension pilotée à distance sans système de communication de secours ?

— Absolument, confirma Bruce. Si le système de communication tombe en panne pendant l'ascension, le temps nécessaire pour rétablir la liaison sera trop long de toute façon. Un système auxiliaire ne nous servira à rien.

— Ce que vous me décrivez est très risqué, Bruce.

— Je sais, soupira celui-ci, mais il n'y a pas d'autre solution. Et je ne vous ai pas encore parlé des trucs vraiment méchants…

— Allez-y, qu'on en finisse, lâcha Venkat en se massant le front.

— Nous allons démonter le sas du nez, les hublots et le panneau de coque n° 19.

Venkat cligna des yeux.

— Vous voulez retirer l'avant du vaisseau ?

— Oui, acquiesça Bruce. À lui seul, le sas du nez pèse quatre cents kilos. Les hublots sont également très lourds. Et ils sont sertis dans le panneau n° 19, alors autant se débarrasser de lui aussi.

— Il va décoller avec un gros trou à l'avant du vaisseau ?!

— Watney couvrira le trou avec de la toile.

— De la toile ? Pour un lancement en orbite ?

Bruce haussa les épaules.

— La coque est surtout là pour empêcher l'air d'entrer dans le vaisseau. L'atmosphère de Mars est si fine qu'il n'a pas besoin d'être particulièrement aérodynamique. Le temps que l'appareil vole assez vite pour que la résistance de l'air pose un problème, il sera à une altitude telle qu'il n'y aura presque plus d'air. Nous avons effectué toutes les simulations possibles. Ça devrait être bon.

— Vous allez l'envoyer dans l'espace sous une bâche.

— En gros, oui.

— Vous allez transformer le VAM en pick-up bâché à la hâte.

— Ouais. Je peux continuer ?

— Je suis impatient de vous écouter.

— Il va aussi devoir retirer le panneau arrière de l'habitacle pressurisé. C'est le seul autre panneau qu'il puisse démonter avec les outils dont il dispose. Nous nous débarrassons aussi de la pompe à carburant auxiliaire. Ça m'embête un peu, mais elle est trop lourde et pas assez utile. Pareil pour un des moteurs du premier étage.

— Un moteur ?

— Ouais. Le premier étage du booster s'en sortira très bien avec un moteur en moins. Ça nous fera économiser un maximum de poids. Pendant l'ascension du premier étage, mais c'est déjà ça. On fera de belles économies de carburant.

Bruce se tut.

— C'est tout ? demanda Venkat.

— Ouais.

Venkat soupira.

— Vous allez retirer la plupart des équipements de sécurité. Vous avez calculé le pourcentage d'échec ?

— Il est d'environ quatre pour cent.

— Mon Dieu. Normalement, nous ne songerions même pas à tenter quelque chose de si risqué.

— On ne peut pas faire mieux, Venk. On a fait tous les tests possibles, toutes les simulations. Si tout fonctionne comme il se doit, ça marchera.

— D'accord. Génial.

* * *

[08:41] VAM : Vous vous foutez de ma gueule ?

[08:55] HOUSTON : Ce sont certes des modifications très importantes, mais nous n'avons pas le choix. Le document que nous vous avons envoyé contient toutes les instructions nécessaires pour les réaliser avec les outils à votre disposition. Vous allez aussi devoir commencer à électrolyser de l'eau pour alimenter en hydrogène l'usine à carburant. Vous recevrez très bientôt les détails de cette procédure.

[09:09] VAM : Vous m'envoyez dans l'espace à bord d'une décapotable.

[09:24] HOUSTON : Vous boucherez les trous avec de la toile à Habitat. Votre aérodynamisme sera suffisant dans l'atmosphère martienne.

[09:38] VAM : Ah ! la capote sera refermée, je suis soulagé.

Journal de bord : Sol 506

Durant mon voyage, pendant mon temps libre – et Dieu sait que je n'en manquais pas – j'ai imaginé un « atelier ». Je me suis dit que j'aurais besoin d'un endroit où travailler sans avoir à porter ma combinaison. À la base, j'avais prévu de mettre le régulateur atmosphérique et l'oxygénateur dans ma chambre à coucher et d'utiliser la remorque comme atelier, mais c'est une idée stupide que j'ai abandonnée.

Ce qu'il me faut, c'est un volume pressurisé dans lequel travailler. J'avais rejeté la chambre d'office parce qu'il est difficile d'y entrer avec des objets, mais je suis revenu sur ma décision.

Elle se fixe au sas du rover, donc, oui, effectivement, passer des objets dedans ne sera pas facile. Il faudra d'abord mettre l'objet dans le rover, fixer la chambre au véhicule de l'intérieur, la gonfler, puis passer l'objet dans la chambre. Chaque fois que j'aurai besoin de faire une AEV, je devrai vider la tente de tous les outils et équipements qu'elle contient avant de la dégonfler et de la replier.

Ce sera emmerdant, c'est clair, mais cela ne me coûtera que du temps, et, de ce côté-là, je me débrouille plutôt bien. Il me reste quarante-trois sols avant le passage d'*Hermès*. Vu les modifications auxquelles la NASA m'a demandé de procéder, le VAM lui-même pourra me servir de lieu de travail.

Ces malades de la NASA m'ont demandé de massacrer le VAM, mais je ne devrai toucher à la coque qu'à la toute fin. Je vais donc commencer par me débarrasser de tout ce qui est inutile et encombrant comme les chaises, les panneaux de commande et autres. Lorsque ce sera fait, j'aurai beaucoup de place pour bosser.

Je n'ai pas encore commencé à mutiler le vaisseau. Aujourd'hui, je me suis contenté de vérifier les systèmes. Maintenant que je suis de nouveau en contact avec la NASA, je vais devoir revenir à une façon de faire plus… sûre. Bizarrement, la NASA n'a pas totalement confiance dans mon rover bricolé ni dans ma façon de tout empiler dans la remorque. Voilà pourquoi elle m'a demandé de vérifier un à un tous les composants.

Le matériel est usé, mais fonctionne encore correctement. Le régulateur et l'oxygénateur sont loin d'être au top de leur forme, et la remorque perd un peu d'air tous les jours. Pas assez pour que cela soit problématique, mais l'étanchéité n'est pas parfaite. Cela inquiète un peu la NASA, mais nous n'avons pas de remède.

Après, ils m'ont demandé de lancer un diagnostic complet du VAM. Il est évidemment en bien meilleur état. Tout y est nickel et fonctionne parfaitement. J'avais presque oublié à quoi ressemblait du matériel neuf.

Dommage que je doive tout arracher.

* * *

— Vous avez tué Watney, dit Lewis.

— Ouais, acquiesça Martinez en fixant un regard noir sur le moniteur où les mots « COLLISION AVEC TERRAIN » clignotaient, accusateurs.

— Je lui ai joué un sale tour, avoua Johanssen. Je lui ai mis un altimètre défaillant et une coupure prématurée du moteur n° 3. C'est une combinaison mortelle.

— Ça n'aurait pas dû faire rater la mission, rétorqua Martinez. J'aurais dû remarquer que l'altitude était mauvaise. Les chiffres n'étaient pas du tout crédibles.

— Ne vous en faites pas, intervint Lewis. C'est pour cela que nous nous entraînons.

— Oui, commandant.

Martinez fronça les sourcils et refusa de lâcher le moniteur des yeux.

Lewis attendit qu'il se calme et se ressaisisse. Comme il ne bougeait pas, elle lui posa la main sur l'épaule.

— Ne soyez pas trop dur avec vous, reprit-elle. Vous n'avez eu que deux jours d'entraînement au décollage à distance. Cela n'était censé arriver qu'en cas d'annulation de la mission avant l'atterrissage sur Mars. Il se serait alors agi de limiter les dégâts en satellisant le VAM. Comme c'était très peu probable et pas très important, ils ne vous ont pas formé correctement. Maintenant que la vie de Mark dépend de cette manœuvre, vous avez trois semaines pour apprendre, et je suis absolument certaine que vous y arriverez.

— Oui, commandant, acquiesça Martinez, le front un peu moins plissé.

— On relance une simulation, annonça Johanssen. Vous voulez essayer quelque chose de particulier ?

— Surprenez-moi, Johanssen.

Lewis sortit de la salle de contrôle et se dirigea vers le réacteur. Comme elle « escaladait » l'échelle conduisant au centre du vaisseau, la force centripète qui s'exerçait sur elle diminua jusqu'à disparaître complètement. L'entendant arriver, Vogel se détourna de son ordinateur.

— Commandant ?

— Comment vont les moteurs ? demanda-t-elle en agrippant une poignée pour ne pas être entraînée par la rotation de la pièce.

— Ils fonctionnent tous dans des limites acceptables. Là, je suis en train d'effectuer un diagnostic du réacteur. Comme Johanssen est occupée par l'entraînement au lancement à distance, j'ai décidé de le faire à sa place.

— Bonne idée. Et notre trajectoire ?

— Pour l'instant, tout va bien. Aucun ajustement n'est nécessaire. À quatre mètres près, nous sommes sur la bonne trajectoire.

— Tenez-moi au courant de tout changement.

— *Ja*, commandant.

Lewis flotta à travers le cœur du vaisseau, attrapa l'autre échelle et « descendit » vers la salle de préparation du sas n° 2, sentant la pesanteur se renforcer progressivement.

Beck tenait une bobine de fil de métal dans une main et une paire de gants de travail dans l'autre.

— Eh ! commandant, comment ça va ?

— J'aimerais savoir ce que vous avez prévu pour récupérer Mark.

— Si l'interception se passe bien, ce sera facile. J'ai tout juste terminé de relier les câbles entre eux pour en faire un grand. Il mesure deux cent quatorze mètres. Avec le MMU [1], je pourrai me déplacer facilement. Jusqu'à dix mètres par seconde, d'après mes calculs. Au-delà, le câble risquerait de céder si je ne m'arrête pas à temps.

— Quand vous serez près de Mark, quelle vitesse relative pourrez-vous encaisser ?

1. Manned Maneuvering Unit. Système de propulsion permettant aux astronautes de se déplacer dans l'espace de façon autonome lors des AEV. Plus puissant que le SAFER, il peut atteindre un changement de vitesse (delta-v) de 24,3 m/s. (*NdT*)

— À cinq mètres par secondes, je pourrais agripper le VAM sans problème. Dix mètres par seconde, ce serait un peu comme sauter dans un train en marche. Au-delà, je risquerais de le rater.

— Donc, en tenant compte des limites de vitesse du MMU pour des raisons de sécurité, notre vélocité ne devra pas dépasser celle de Mark de plus de vingt mètres par seconde.

— Et l'interception devra se dérouler dans un rayon de deux cent quatorze mètres autour du vaisseau. Cela ne fait pas une très grosse marge d'erreur.

— On aura une marge de manœuvre importante, rétorqua Lewis. Le décollage aura lieu cinquante-deux minutes avant l'interception, et les fusées resteront allumées douze minutes. Dès que le moteur du second étage de Mark s'éteindra, nous connaîtrons le point d'interception et la vélocité. Et si le résultat des calculs ne nous convient pas, nous aurons quarante minutes pour apporter des corrections. Les deux millimètres par seconde de notre moteur peuvent paraître modestes, mais, en quarante minutes, il peut nous faire parcourir 5,7 kilomètres.

— Excellent, dit Beck. Sans compter que les deux cent quatorze mètres du câble ne constituent pas une limite indépassable.

— Je crains que si.

— Non, commandant. Je sais que je ne suis pas supposé me détacher, mais, sans ma laisse, je pourrais aller…

— C'est hors de question.

— Nous pourrions doubler, voire tripler notre rayon d'interception…

— Cette conversation est terminée, le coupa sèchement Lewis.

— À vos ordres, commandant.

Journal de bord : Sol 526

Peu de personnes peuvent se targuer d'avoir vandalisé un vaisseau spatial à trois milliards de dollars. Je suis l'une d'entre elles.

J'ai démonté des composants critiques du VAM de tous les côtés. C'est sympa de savoir que mon vaisseau ne sera pas entravé par tout un tas de systèmes redondants destinés à assurer ma sécurité…

J'ai commencé par jeter à la poubelle tout ce qui était petit. Puis je me suis attaqué à tout ce qui était démontable, comme les fauteuils de l'équipage, plusieurs systèmes de secours et panneaux de commande.

Je n'improvise rien du tout. Je respecte le scénario envoyé par la NASA, un scénario écrit pour me faciliter la tâche au maximum. Parfois, il m'arrive de regretter le temps où je prenais mes décisions seul. Et puis je me reprends, et je me dis que j'ai quand même de la chance qu'une bande de génies décide de tout à ma place et m'empêche de faire connerie sur connerie.

Périodiquement, j'enfile ma combinaison, je m'enferme dans le sas avec autant de détritus que possible et je balance tout dehors. Le paysage, autour du VAM, ressemble à un décor de *Sanford and Son*[1].

J'ai découvert l'existence de cette série grâce à la collection de Lewis. Sérieusement, le commandant a besoin de consulter quelqu'un au sujet de son addiction aux années soixante-dix.

Journal de bord : Sol 529

Je transforme de l'eau en carburant pour fusée.

Ce n'est pas si difficile.

Séparer l'oxygène de l'hydrogène ne nécessite que deux électrodes et un peu de courant. Je n'ai pas le matériel pour extraire l'hydrogène de l'air, et le régulateur atmosphérique ne sait pas faire ce genre de chose. La dernière fois que j'ai dû tirer de l'hydrogène de l'air – quand j'ai transformé l'Habitat en bombe –, c'était pour le brûler et fabriquer de l'eau. Bien évidemment, ce procédé serait contre-productif.

La NASA a réfléchi à la question et m'a envoyé la marche à suivre. D'abord, il faut déconnecter le rover de la remorque. Équipé de ma combinaison, je dépressurise la remorque et je la remplis d'oxygène pur à hauteur d'un quart d'atmosphère. Puis j'ouvre une boîte en plastique pleine d'eau et je mets des électrodes dedans. Voilà pourquoi j'ai besoin

1. Série télévisée américaine diffusée par la chaîne NBC entre 1972 et 1977 racontant les péripéties de la vie d'un brocanteur noir et son fils à Los Angeles. (*NdT*)

d'une atmosphère ; sans elle, l'eau bouillirait immédiatement, et je me retrouverais rapidement dans un nuage de vapeur.

Une fois l'hydrogène et l'oxygène séparés par électrolyse, la remorque était emplie d'encore plus d'oxygène et d'hydrogène. Un mélange assez dangereux, en réalité.

Alors j'ai allumé le régulateur. Oui, je sais, je viens de dire que celui-ci ne reconnaissait pas l'hydrogène ; en revanche, il sait très bien extraire l'oxygène de l'air. Passant outre toutes les sécurités, je lui ai demandé de stocker cent pour cent de l'oxygène. Une fois le processus terminé, il ne restait plus que l'hydrogène dans la remorque. C'est aussi pour cela que j'ai commencé par une atmosphère d'oxygène pur, pour que le régulateur puisse le récupérer plus tard.

Puis j'ai démarré le cycle du sas en laissant la porte interne ouverte. Croyant évacuer son contenu seul, le sas a aspiré tout l'hydrogène de la remorque avant de le stocker dans son réservoir. Et voilà ! J'avais une bouteille d'hydrogène pur.

J'ai transporté celle-ci dans le VAM afin de transférer son contenu dans le réservoir d'hydrogène du vaisseau. Je l'ai déjà dit à de nombreuses reprises, mais… vive les valves standardisées !

J'ai allumé l'usine à carburant, qui s'est aussitôt mise à travailler.

Je vais devoir répéter cette opération plusieurs fois avant mon départ. Je vais même commencer à électrolyser mon urine. J'imagine déjà l'odeur dans la remorque.

Si je survis à tout cela, je raconterai à tout le monde que je pissais du carburant de fusée.

* * *

[19:22] JOHANSSEN : Salut, Mark.

[19:23] VAM : Johanssen ?! Bordel ! Ils vous ont enfin autorisés à me parler directement ?

[19:24] JOHANSSEN : Oui. La NASA nous a donné son accord pour des communications directes il y a une heure. Nous ne sommes séparés que de trente-cinq secondes-lumière. Nous pouvons presque discuter en temps réel. Je viens tout juste d'installer le système et je le teste.

[19:24] VAM : Pourquoi ont-ils été si longs à vous donner l'autorisation ?

[19:25] JOHANSSEN : L'équipe de psys craignait des conflits de personnalité.

[19:25] VAM : Hein ! Simplement parce que vous m'avez abandonné sur une planète désolée avec aucune chance de survie ?!

[19:26] JOHANSSEN : Très drôle. Évitez de faire ce genre de blague à Lewis.

[19:27] VAM : Ça marche. Au fait... merci d'être revenus me chercher.

[19:27] JOHANSSEN : C'est normal. Comment se passent les modifications du VAM ?

[19:28] VAM : Jusqu'ici, tout va bien. La NASA a beaucoup réfléchi à la question. Toutes les procédures qu'ils m'ont envoyées fonctionnent. En revanche, elles ne sont pas faciles à mettre en œuvre. J'ai passé les trois derniers jours à démonter le panneau n° 19 et le hublot avant. Ils sont sacrément lourds, même dans la pesanteur locale.

[19:29] JOHANSSEN : Quand nous vous aurons récupéré, je vous ferai l'amour passionnément. Préparez votre corps.

[19:29] JOHANSSEN : Je n'ai pas tapé ça ! C'est Martinez ! J'ai lâché la console des yeux pendant une dizaine de secondes !

[19:30] VAM : Vous m'avez manqué, les gars.

* * *

Journal de bord : Sol 543

J'ai... terminé.

Enfin, je crois.

J'ai fait tout ce qu'il y avait sur ma liste. Le VAM est prêt à voler. Voler, c'est ce qui est prévu dans six sols. Normalement.

Peut-être refusera-t-il de décoller ? Après tout, il a un moteur en moins, désormais. Si ça se trouve, j'ai bousillé tout un tas de trucs en le modifiant. Et il n'y a aucun moyen de tester le premier étage. Une fois qu'on le met en route, on ne peut plus l'éteindre.

Le reste, en revanche, sera consciencieusement testé avant le décollage. Par moi, mais aussi par la NASA, à distance. On ne m'a pas donné le pourcentage de risque d'échec, mais je suppose qu'on n'a pas fait pire dans l'histoire des vols habités. Youri Gagarine avait un vaisseau beaucoup plus fiable et beaucoup plus sûr que le mien.

Et les engins soviétiques étaient de véritables cercueils volants.

* * *

— Bon, commença Lewis. Demain, c'est le grand jour.

L'équipage flottait dans la salle de récré. La rotation du vaisseau avait été stoppée en vue de l'opération à venir.

— Je suis prêt, annonça Martinez. Johanssen m'a joué tous les tours imaginables, et j'ai toujours réussi à mettre le VAM en orbite.

— Tous les tours imaginables, sauf les pannes catastrophiques, le corrigea Johanssen.

— Oui, oui, acquiesça Martinez. Ça ne sert à rien de simuler une explosion en vol ; il n'y a rien à faire.

— Vogel, que pouvez-vous nous dire de notre trajectoire ? demanda Lewis.

— Elle est parfaite. Nous sommes à moins d'un mètre de la route prévue, et à moins de deux centimètres par seconde de la vélocité optimale.

— Bien. Beck, où en êtes-vous ?

— Tout est prêt, commandant. Les câbles sont reliés les uns aux autres et soigneusement enroulés dans le sas n° 2. Ma combinaison et le MMU sont prêts aussi.

— Parfait. Notre plan de bataille coule de source, poursuivit Lewis en attrapant une poignée murale pour cesser de dériver. Martinez pilotera le VAM, et Johanssen gérera les systèmes pendant l'ascension. Beck et Vogel : je veux que vous soyez tous les deux dans le sas n° 2 avec la porte extérieure ouverte avant le décollage du VAM. Vous aurez cinquante-deux minutes à attendre, mais je ne veux pas risquer de rencontrer un problème technique au dernier moment avec le sas ou vos combinaisons. Quand on sera à portée d'interception, ce sera à Beck de jouer.

— Il sera peut-être dans un sale état quand on le récupérera, intervint Beck. Le VAM à moitié désossé va encaisser jusqu'à douze *g* pendant le décollage. Il se peut qu'il perde connaissance, voire qu'il ait une hémorragie interne.

— Félicitons-nous que vous soyez médecin. Vogel, si tout se passe comme prévu, vous ramènerez Watney et Beck à bord en tirant sur le câble. Si ça tourne mal, vous remplacerez Beck.

— *Ja*, acquiesça Vogel.

— Il ne reste plus qu'à attendre. Les plannings, les expériences scientifiques... tout est suspendu. Dormez si vous le pouvez ; sinon, profitez-en pour vérifier votre équipement.

— On va le récupérer, affirma Martinez, tandis que les autres flottaient hors de la salle. Dans vingt-quatre heures, Mark Watney sera ici avec nous.

— Je l'espère, major, je l'espère.

* * *

— Les vérifications finales pour cette équipe sont terminées, annonça Mitch dans son micro-casque. Chronomètre ?

— Tout est OK, monsieur le directeur.

— Combien de temps avant le lancement du VAM ?

— Seize heures, neuf minutes, quarante secondes.

— Entendu. À tous les postes : changement de directeur de vol.

Il retira son micro-casque et se frotta les yeux.

Brendan Hutch prit le micro-casque et se le mit sur la tête.

— À tous les postes : le directeur de vol est désormais Brendan Hutch.

— En cas de pépin, n'hésitez pas à m'appeler, lui dit Mitch. Sinon, à demain.

— Essayez de dormir un peu, patron.

Venkat assistait à cette scène depuis la cabine d'observation.

— Pourquoi demander au chronomètre ? L'horloge est affichée en gros sur le moniteur principal.

— Il est nerveux, expliqua Annie. C'est un spectacle rare, mais c'est à ça que ressemble Mitch Henderson quand il est nerveux. Il vérifie tout deux fois, trois fois...

— C'est compréhensible, acquiesça Venkat.

— Au fait, ils campent sur la pelouse, poursuivit Annie. Il y a des journalistes du monde entier. Il n'y a pas assez de place dans nos salles de presse.

— Les médias adorent les feuilletons. Demain, ils auront le dernier épisode, et personne ne sait encore comment l'histoire va se terminer.

— Quel est notre rôle dans tout ça ? s'interrogea Annie. Que pourra faire le Centre de contrôle si les choses tournent mal ?

— Rien. Que dalle.

— Rien ?

— Les événements se dérouleront à douze minutes-lumière d'ici. En pratique, ça signifie qu'*Hermès* devra attendre vingt-quatre minutes pour recevoir une réponse à une question. Douze minutes, ce sera aussi la durée du lancement du VAM. Non, ils seront livrés à eux-mêmes.

— On ne sert à rien, alors ?

— Tout à fait. Ça craint, hein ?

* * *

Journal de bord : Sol 549

Je mentirais si je disais que je ne fais pas dans mon froc. Dans quatre heures, une explosion géante me propulsera en orbite. Ce ne sera pas la première fois ; toutefois, je n'étais encore jamais monté à bord d'un engin bricolé comme celui-ci.

Je suis assis dans le VAM. Je porte ma combinaison parce qu'il y a un gros trou à l'avant du vaisseau, à la place d'un hublot et d'une partie de la coque. J'attends les « instructions de lancement ». En fait, non, j'attends le lancement tout court. Je n'aurai aucun rôle dans ce qui va bientôt se jouer. Je vais rester assis dans mon fauteuil en croisant les doigts.

Hier soir, j'ai dévoré mon dernier sachet-repas. Cela faisait des semaines que je n'avais pas mangé un vrai bon repas. Je vais abandonner quarante et une pommes de terre. Ces patates qui me séparaient de la famine…

Durant mon voyage, j'avais précautionneusement ramassé des échantillons, que je ne pourrai pas emporter. Je les ai laissés dans un container à quelques centaines de mètres d'ici. Peut-être enverront-ils un jour une sonde les récupérer. Je leur ai facilité la tâche, au cas où.

Ça y est. Après cela, il n'y a plus rien. Pas même une procédure d'abandon. À quoi bon, en effet ? Impossible de différer le lancement. *Hermès* ne peut pas s'arrêter pour m'attendre. Quoi qu'il arrive, le décollage aura lieu à l'heure dite.

Je dois affronter l'idée que je mourrai peut-être demain. Je ne vous mentirai pas : ce n'est pas rigolo.

Je préférerais que le VAM explose en vol, histoire de ne me rendre compte de rien. En revanche, si l'interception se passe mal, je flotterai dans l'espace jusqu'à ce que mes réserves d'air s'épuisent. Si cela doit arriver, j'ai prévu quelque chose… Je supprimerai l'oxygène du mélange que je respire, ne laissant plus que de l'azote pur. Ce ne sera pas si terrible. Les poumons sont incapables de détecter un manque d'oxygène. Je me sentirai très fatigué, je m'endormirai et je mourrai.

J'ai encore du mal à croire que c'est la fin de l'histoire. Je pars pour de vrai. Ce désert glacé a été mon chez-moi pendant un an et demi. J'ai réussi à survivre pendant quelque temps, je me suis habitué à la manière dont les choses fonctionnaient. Cette lutte terrifiante pour ma survie était ma routine. Me lever le matin, avaler mon petit déjeuner, m'occuper de mon champ, réparer ce qui est cassé, déjeuner, répondre à mes e-mails, regarder la télé, dîner, aller me coucher – la vie d'un fermier moderne.

Et puis je suis devenu chauffeur routier, parcourant de longues distances dans le paysage martien. Et enfin ouvrier, modifiant un navire d'une manière que personne n'avait encore envisagée. J'ai fait un peu de tout, c'est vrai, mais uniquement parce qu'il n'y avait personne pour le faire à ma place.

Tout est terminé, maintenant. Je n'ai plus rien à faire, plus de nature hostile à affronter. J'ai avalé ma dernière pomme de terre martienne. J'ai dormi dans le rover pour la dernière fois. J'ai laissé mes dernières empreintes dans le sable fin et rouge. Je quitte Mars aujourd'hui, d'une manière ou d'une autre.

Il était temps, putain.

Chapitre 26

Ils se réunirent.

Partout, sur Terre, ils se réunirent.

Sur Trafalgar Square, sur la place Tian'anmen, à Times Square, ils avaient les yeux rivés sur des écrans géants. Dans les bureaux, ils étaient regroupés autour des moniteurs d'ordinateur. Dans les bars, ils regardaient en silence les écrans de télévision suspendus dans les coins. À la maison, ils attendaient, le souffle court, sur leur canapé, d'assister au dénouement de l'histoire.

À Chicago, un couple d'âge mûr se tenait par les mains. L'homme serrait doucement sa femme, qui se balançait légèrement d'avant en arrière de terreur. Le représentant de la NASA se taisait pour ne pas les déranger, mais était prêt à répondre à leurs questions éventuelles.

— Pression du carburant, OK, résonna la voix de Johanssen dans des milliards de postes de télévision. Alignement du moteur, parfait. Communications, cinq sur cinq. Nous sommes prêts pour la check-list, commandant.

— Entendu, répondit Lewis. CAPCOM.

— OK, confirma Johanssen.

— Guidage.

— OK.

— Pilotage à distance.

— OK, répondit Martinez.

— Pilote.

— OK, acquiesça Watney dans le VAM.

Aux quatre coins du monde résonnèrent des applaudissements mesurés.

* * *

Mitch était installé à son poste du Centre de contrôle. Les contrôleurs avaient l'œil sur tout et se tenaient prêts à aider comme ils le pouvaient, même si le délai de communication entre *Hermès* et la Terre faisait d'eux de simples observateurs.

— Télémétrie, résonna la voix de Lewis dans les haut-parleurs.

— OK, répondit Johanssen.

— Récupération, poursuivit le commandant.

— OK, confirma Beck depuis le sas.

— Récupération secondaire.

— OK, acquiesça Vogel, qui se tenait près de Beck.

— Centre de contrôle, ici *Hermès*. Nous sommes prêts. Le décollage aura lieu à l'heure prévue. Nous sommes à H moins quatre minutes et… dix secondes.

— Vous avez entendu, chronomètre ? s'enquit Mitch.

— Affirmatif, monsieur le directeur. Nos horloges sont synchronisées.

— On ne pourra pas faire grand-chose, grommela Mitch, mais au moins serons-nous au courant des événements.

* * *

— Environ quatre minutes, Mark, annonça Lewis dans son micro. Comment ça va, en bas ?

— J'ai hâte de vous rejoindre, commandant.

— Nous allons tout faire pour vous satisfaire. Comme vous le savez, vous allez encaisser pas mal de *g* ; ne craignez surtout pas de perdre connaissance. Vous êtes entre les mains de Martinez.

— Dites à cet enfoiré que je ne veux pas de tonneaux !

— Entendu, VAM, acquiesça Lewis.

— Plus que quatre minutes, dit Martinez en faisant craquer ses phalanges. Prête à décoller, Beth ?

— Oui, répondit Johanssen. Ça va me faire bizarre de gérer ces systèmes tout en restant en apesanteur.

— Ce n'est pas ce que je voulais dire, mais, maintenant que j'y pense, ouais. Je ne serai pas écrasé contre mon dossier pendant ce vol. Trop bizarre.

* * *

Accroché à la paroi par son câble, Beck flottait dans le sas. Vogel se tenait à ses côtés, les bottes fixées au sol. Tous les deux regardaient la planète rouge, en dessous, par la porte ouverte.

— Je ne pensais pas revenir ici un jour, lança Beck.

— Moi non plus, acquiesça Vogel. Nous sommes les premiers.

— Les premiers ?

— Les premiers à visiter Mars deux fois.

— C'est vrai. Même Watney ne pourra pas dire ça.

— C'est vrai.

Ils contemplèrent Mars en silence pendant un long moment.

— Vogel…

— *Ja*.

— Si je n'arrive pas à atteindre Mark, je veux que vous décrochiez mon câble.

— Docteur Beck, le commandant vous a interdit de procéder à cette manœuvre.

— Je sais, mais si j'ai besoin de quelques mètres supplémentaires, je veux que vous me libériez. Je suis équipé d'un MMU ; je peux revenir au vaisseau sans l'aide du câble.

— C'est hors de question, docteur Beck.

— Je risquerais uniquement ma propre vie, et je suis tout à fait disposé à le faire.

— Vous n'êtes pas le commandant.

Beck lança un regard noir à Vogel, mais comme leurs visières réflectrices étaient baissées, cela n'eut aucun effet.

— Bien, lui concéda Beck. Mais je parie que vous changerez d'avis quand ça chauffera.

Vogel ne répondit pas.

* * *

—H moins dix… neuf… huit…, égrenait Johanssen.

—Mise à feu des moteurs principaux, annonça Martinez.

—… sept… six… cinq… Pinces d'amarrage décrochées.

—Environ cinq secondes, Watney, dit Lewis dans son micro. Tenez bon.

—À très bientôt, commandant, répondit Watney par radio.

—… quatre… trois… deux…

* * *

Watney était installé dans son fauteuil d'accélération tandis que le VAM grondait dans l'attente du décollage.

—Mmh…, murmura-t-il. Je me demande combien de temps encore…

Le VAM décolla avec une force incroyable – supérieure à celle de toutes les missions habitées de l'histoire humaine. Watney fut écrasé contre son fauteuil avec une telle violence, qu'il fut même incapable de grogner.

Ayant anticipé ce moment, il avait placé une chemise pliée derrière sa nuque, dans son casque. Comme sa tête s'enfonçait toujours plus profondément dans son coussin de fortune, les bords de son champ de vision devinrent flous. Il ne pouvait plus ni respirer ni bouger.

Droit devant lui, la toile qu'il avait tendue claquait violemment tandis que la vitesse du vaisseau augmentait de façon exponentielle. Il lui était difficile de se concentrer, mais quelque chose, à l'arrière de son esprit, lui disait que ces claquements ne présageaient rien de bon.

* * *

—Vélocité : sept cent quarante et un mètres par seconde, s'écria Johanssen. Altitude : treize cent cinquante mètres.

—Entendu, acquiesça Martinez.

—C'est trop bas, remarqua Lewis. Beaucoup trop bas.

— Je sais, confirma Martinez. Le vaisseau se traîne, il résiste. Qu'est-ce que c'est que ce bordel ?

— Vélocité : huit cent cinquante, altitude : dix-huit cent quarante-trois.

— Je manque de puissance ! s'emporta Martinez.

— Rendement du moteur : cent pour cent, annonça Johanssen.

— Puisque je vous dis qu'il se traîne ! insista Martinez.

— Watney ? appela Lewis dans son micro-casque. Watney, vous m'entendez ? Vous pouvez répondre ?

* * *

Watney entendit la voix de Lewis au loin. Comme si on lui parlait à l'autre bout d'un très long tunnel. Vaguement, il se demanda ce qu'elle voulait. La toile qui voletait au-dessus de lui attira brièvement son attention. Il y avait une déchirure, qui grandissait rapidement.

Puis son regard se posa sur un boulon de l'habitacle. Il n'avait que cinq côtés. Il se demanda pourquoi la NASA avait décidé que ce boulon aurait cinq côtés au lieu de six. Il fallait une clé spéciale pour le serrer ou le desserrer.

La toile se déchira davantage, le matériau effiloché claquant dans tous les sens. À travers l'ouverture, Watney vit un ciel rouge s'étirant à l'infini. *C'est beau*, pensa-t-il.

Tandis que le VAM prenait de l'altitude, l'atmosphère s'affinait. Bientôt, la toile cessa de claquer et s'étira simplement vers Mark. Le ciel vira du rouge au noir.

C'est beau aussi.

Comme il perdait connaissance, il se demanda où il pourrait bien trouver un super boulon à cinq faces comme celui-là.

* * *

— Il réagit mieux, annonça Martinez.

— L'accélération est redevenue optimale, confirma Johanssen. Il y a eu de la traînée aérodynamique, sans doute. Le VAM est sorti à présent de l'atmosphère.

— J'avais l'impression de piloter une vache, grommela Martinez tandis que ses mains voletaient au-dessus des commandes.

— Vous pouvez l'amener jusqu'à nous ? demanda Lewis.

— Jusqu'en orbite, oui, répondit Johanssen, mais la trajectoire d'interception est peut-être compromise.

— Qu'il arrive là-haut. Nous verrons après pour l'interception.

— À vos ordres, commandant. Extinction du moteur principal dans quinze secondes.

— Le pilotage est devenu fluide, dit Martinez. Le vaisseau ne me résiste plus du tout.

— Nous sommes très en dessous de l'altitude visée, l'informa Johanssen. La vélocité est bonne.

— En dessous ? À quel point ? s'enquit Lewis.

— Je ne peux pas vous dire, répondit Johanssen. Je ne dispose que des données de l'accéléromètre. Nous aurons besoin de signaux radar à intervalles pour déterminer sa véritable orbite finale.

— Guidage automatique de nouveau disponible, lança Martinez.

— Extinction du moteur principal dans quatre..., intervint Johanssen. Trois... deux... un... Extinction.

— Extinction, confirma le pilote.

— Watney, vous êtes avec nous ? appela Lewis. Watney ? Watney, vous nous recevez ?

— Il a sûrement perdu connaissance, l'informa Beck par radio. Il a encaissé douze *g* pendant le décollage. Laissez-lui quelques minutes.

— Entendu. Johanssen, vous avez calculé son orbite ?

— Je reçois des signaux à intervalles réguliers. Je calcule notre rayon d'interception et notre vélocité...

Martinez et Lewis regardèrent fixement Johanssen, occupée à ouvrir le logiciel de calcul de trajectoire d'interception. Normalement, le calcul des orbites incombait à Vogel, mais celui-ci était occupé ailleurs. Johanssen était sa remplaçante en matière de dynamique orbitale.

— La vélocité d'interception sera de onze mètres par seconde..., commença-t-elle.

— Je peux y arriver, intervint Beck par radio.

— La distance à l'interception sera de...

Johanssen s'interrompit et déglutit péniblement. Puis elle reprit d'une voix tremblante :

— Nous serons éloignés de soixante-huit kilomètres.

Elle enfouit son visage dans ses mains.

— Elle a bien dit soixante-huit *kilomètres* ? demanda Beck. Des *kilomètres* ?!

— Nom de Dieu, murmura Martinez.

— Reprenez-vous, lança le commandant. Réfléchissons. Martinez, le VAM est-il capable de poussée ?

— Négatif, commandant. Watney s'est débarrassé du SMO pour alléger l'appareil.

— Alors il faudra aller le chercher. Johanssen, combien de temps reste-t-il avant l'interception ?

— Trente-neuf minutes, douze secondes, répondit la jeune femme en essayant de contrôler sa voix.

— Vogel, reprit Lewis, quelle distance pourrions-nous parcourir en trente-neuf minutes si nous utilisions nos moteurs ioniques pour dévier de notre trajectoire ?

— Peut-être cinq kilomètres, répondit celui-ci.

— Ce n'est pas suffisant. Martinez, et si nous pointions nos fusées d'altitude dans la même direction ?

— Cela dépend de la quantité de carburant que nous voulons garder pour ajuster notre attitude lors du voyage du retour.

— Combien nous en faut-il ?

— Disons au moins vingt pour cent de ce qui nous reste.

— Bien. Si nous utilisons les quatre-vingts autres pour cent pour…

— Je suis en train de vérifier, la coupa Martinez en entrant les chiffres dans son ordinateur. On obtiendrait un delta-v de trente et un mètres par seconde.

— Johanssen, calculez-nous ça.

— En trente-neuf minutes, nous dévierions de notre trajectoire de…, commença Johanssen comme ses doigts voletaient sur son clavier. Soixante-douze kilomètres !

— Parfait. Combien de carburant faudrait-il pour… ?

—Soixante-quinze virgule cinq pour cent du carburant destiné aux corrections d'attitude, poursuivit Johanssen. Cela ferait tomber la distance d'interception à zéro.

—Faisons-le, ordonna Lewis.

—À vos ordres, commandant, acquiesça Martinez.

—Attendez, intervint Johanssen. Cela ramènera la distance d'interception à zéro, mais la vélocité d'interception sera de quarante-deux mètres par seconde.

—Dans ce cas, nous avons trente-neuf minutes pour trouver une façon de ralentir. Martinez, faites chauffer les fusées.

—Ça marche.

* * *

—Waouh ! s'écria Annie. Ça fait beaucoup d'événements en très peu de temps. Vous pourriez nous expliquer, Venkat ?

L'homme tendit l'oreille pour entendre l'audio par-dessus les murmures des VIP réunis dans la cabine d'observation. De l'autre côté de la vitre, Mitch leva les bras dans un geste de frustration.

—Le lancement s'est très mal passé, répondit Venkat en regardant les moniteurs situés derrière le directeur de vol. La distance d'interception allait être beaucoup trop importante. Ils vont utiliser les fusées d'ajustement d'attitude pour la réduire.

—À quoi servent ces fusées d'ajustement d'attitude, normalement ?

—Elles assurent la rotation du vaisseau. D'habitude, elles ne servent pas à sa propulsion. *Hermès* ne dispose pas de moteurs à réaction rapide, uniquement de moteurs ioniques à la poussée lente et régulière.

—Ça veut dire que… le problème est réglé ? tenta Annie.

—Non, répondit Venkat. Ils vont se rapprocher de lui, mais, à ce stade-là, ils voleront à quarante-deux mètres par seconde.

—Euh… je ne me rends pas compte…

—Cela équivaut à plus de cent trente kilomètres par heure. Beck n'a aucune chance d'attraper Watney à cette vitesse.

—Peuvent-ils mettre à profit les fusées d'ajustement pour ralentir ?

— Ils avaient besoin de beaucoup de vélocité pour se rapprocher de lui, et ils ont utilisé tout le carburant qu'ils pouvaient pour atteindre une vitesse suffisante. Ils n'en ont donc plus assez pour ralentir, expliqua Venkat en fronçant les sourcils.

— Que peuvent-ils faire, alors ?

— Je ne sais pas. Et même si je le savais, je ne pourrais pas le leur dire à temps.

— Merde…

— Oui, exactement, acquiesça Venkat.

* * *

— Watney ? appela Lewis. Watney, vous me recevez ?

— Commandant, intervint Beck. Il porte une combinaison de surface, non ?

— En effet.

— Elle devrait être équipée d'une biosurveillance, et est sûrement en train d'émettre. Le signal n'est pas puissant parce qu'il n'est destiné à parcourir que quelques centaines de mètres jusqu'au rover ou à l'Habitat, mais nous pouvons peut-être le capter.

— Johanssen ? demanda Lewis.

— J'y travaille. Je cherche la fréquence dans les données techniques. Donnez-moi quelques secondes.

— Martinez, reprit Lewis. Une idée pour nous faire ralentir ?

Il secoua la tête.

— Non, commandant, rien. Nous allons vite, beaucoup trop vite.

— Vogel ?

— Le moteur ionique n'est pas assez puissant.

— Il doit bien y avoir une solution, s'écria Lewis. On doit pouvoir faire quelque chose !

— Je reçois les données de sa biosurveillance, annonça Johanssen. Pouls : cinquante-huit, pression sanguine : quatre-vingt-dix-huit sur soixante et un.

— Ce n'est pas si mal, dit Beck. C'est un peu trop bas à mon goût, mais il a passé dix-huit mois dans la pesanteur martienne, donc ce n'est pas anormal.

— Combien de temps avant l'interception ? demanda Lewis.

— Trente-deux minutes, répondit Johanssen.

* * *

La délicieuse inconscience céda la place à un brouillard étrange, qui se dissipa bientôt pour révéler une douloureuse réalité. Watney ouvrit les yeux. Une douleur à la poitrine lui arracha une grimace.

Il ne restait pas grand-chose de la toile, dont des lambeaux flottaient autour du trou qu'elle était censée couvrir. Ainsi Watney profitait-il d'une vue parfaitement dégagée sur Mars, en contrebas. La surface grêlée de la planète rouge s'étirait à l'infini, semblait-il, son atmosphère fine formant une légère brume sur son pourtour. Seules dix-huit personnes, dans l'histoire de l'humanité, avaient joui de cette vue.

— Va te faire foutre, lança-t-il à la planète.

Il voulut atteindre les commandes situées sur son avant-bras et serra les dents. Il réessaya, plus lentement cette fois, et activa sa radio.

— VAM à *Hermès*.

— Watney ?! lui répondit-on.

— Affirmatif. C'est vous, commandant ?

— Affirmatif. Quel est votre statut ?

— Je suis à bord d'un vaisseau sans tableau de bord. C'est à peu près tout ce que je peux vous dire.

— Comment vous sentez-vous ?

— J'ai mal à la poitrine. Je crois que j'ai une côte cassée. Et vous, comment allez-vous ?

— Nous travaillons à votre sauvetage, expliqua Lewis. Le lancement ne s'est pas exactement passé comme prévu.

— Ouais, confirma Watney en regardant le trou, devant lui. La toile n'a pas tenu. Je crois qu'elle s'est déchirée très tôt dans le décollage.

— Oui, cela expliquerait pas mal de choses.

— Je suis dans la merde, commandant ?

— Nous avons réussi à corriger notre rayon d'interception grâce aux fusées d'ajustement d'attitude. En revanche, nous avons un souci avec la vitesse d'interception.

— Un gros souci ?

— Quarante-deux mètres par seconde.

— Ah ouais ! quand même…

* * *

— Eh ! au moins, il va bien pour l'instant, lança Martinez.

— Beck, appela Lewis. J'ai repensé à votre idée. Quelle vitesse pouvez-vous atteindre une fois détaché ?

— Désolé, commandant, mais j'ai déjà fait ces calculs. Au mieux, je pourrais atteindre vingt-cinq mètres par seconde. Et même si j'atteignais quarante-deux mètres par seconde, j'aurais besoin de quarante-deux mètres par seconde *supplémentaires* pour revenir à *Hermès*.

— Compris.

— Eh ! intervint Watney par radio. J'ai une idée.

— Cela ne m'étonne pas. Nous vous écoutons.

— Je pourrais trouver quelque chose de pointu pour percer un trou dans le gant de la combinaison et me servir de l'air qui s'échapperait pour me propulser vers vous. La poussée viendrait de mon bras et serait assez simple à diriger.

— Où est-ce qu'il va chercher tout ça ? se demanda Martinez.

— Mmh…, fit Lewis. Vous pensez pouvoir atteindre quarante-deux mètres par seconde de cette façon ?

— Aucune idée.

— Je vois mal comment vous pourriez contrôler votre trajectoire. Vous navigueriez à vue d'œil, et votre vecteur de poussée serait difficilement contrôlable.

— J'admets que ce serait super dangereux, lui concéda Watney, mais imaginez un peu : ça me permettrait de voler comme Iron Man !

— Nous allons continuer à chercher, conclut Lewis.

— Iron Man, commandant. *Iron Man !*

—Attendez un peu…, dit Lewis en plissant le front. Ce n'est pas une si mauvaise idée.

—Vous plaisantez, commandant ! s'écria Martinez. C'est une terrible idée. Il serait propulsé dans l'espace…

—Pas toute son idée, mais le concept. Utiliser l'atmosphère comme moyen de propulsion. Martinez, ouvrez le poste de travail de Vogel.

—À vos ordres.

Martinez pianota rapidement sur son clavier. Aussitôt, son moniteur afficha le poste de travail de Vogel. Le pilote bascula son contenu en anglais.

—C'est fait, commandant. Qu'est-ce qu'il vous faut ?

—Vogel dispose d'un logiciel capable de calculer les modifications de trajectoire provoquées par des brèches dans la coque, non ?

—Ouais, confirma Martinez. Il estime les corrections nécessaires en cas de…

—Oui, oui. Ouvrez-le. Je veux voir ce qui se passerait si nous faisions sauter le SV.

Johanssen et Martinez échangèrent un regard.

—Euh…, oui, commandant, acquiesça Martinez.

—Le sas véhiculaire ? demanda Johanssen. Vous voulez… l'ouvrir ?

—Il y a plein d'air dans ce vaisseau. Ça nous donnerait une belle poussée.

—Oui…, confirma Martinez en ouvrant le logiciel, mais on risquerait d'arracher le nez du vaisseau.

—Et nous perdrions tout notre air, se sentit obligée d'ajouter Johanssen.

—Nous scellerons le pont et la salle du réacteur. Le vide se ferait partout ailleurs ; il est hors de question de risquer une décompression explosive ici ou près du réacteur.

Martinez entra le scénario dans le programme.

—Je crois que nous aurions le même problème que Watney, mais à une plus grande échelle. On ne peut pas diriger cette poussée.

—On n'en aura pas besoin, rétorqua Lewis. Le SV se situe dans le nez. Le vecteur de l'air en train de s'échapper traversera le cœur exact du vaisseau. Tout ce qu'il faudra faire, c'est pointer le nez d'*Hermès* dans la direction opposée à celle où nous voudrons aller.

—Ça y est, j'ai les résultats, annonça Martinez. Une brèche dans le SV, avec le pont et la salle du réacteur scellés, donnerait une accélération de vingt-neuf mètres par seconde.

—Notre vélocité relative passerait à treize mètres par seconde, précisa Johanssen.

—Beck, vous avez entendu ? demanda Lewis.

—Affirmatif, commandant.

—Treize mètres par seconde, cela vous semble possible ?

—Ce sera risqué. Treize pour atteindre le VAM, plus treize autres pour rattraper *Hermès*. Mais c'est beaucoup mieux que quarante-deux.

—Johanssen, combien de temps avant l'interception ? demanda Lewis.

—Dix-huit minutes, commandant.

—Quel genre de secousse ressentirons-nous lorsque l'atmosphère s'échappera ? s'enquit Lewis auprès de Martinez.

—L'air s'évacuera en quatre secondes. Cela fera moins d'un *g* d'accélération.

—Watney, appela-t-elle dans son micro. Nous avons une idée.

—Youpi ! une idée !

* * *

La voix de Lewis résonna dans le Centre de contrôle.

—Houston, soyez informés que nous allons délibérément créer une brèche dans le SV afin de produire une poussée.

—Hein ? s'exclama Mitch. Quoi ?!

—Oh !... mon Dieu ! jura Venkat dans la salle d'observation.

—Putain ! lâcha Annie en se levant. Je ferais mieux de filer en salle de presse. Vous m'expliquez, avant que je m'en aille ?

—Ils vont créer une brèche dans le navire, dit Venkat, abasourdi. Ils vont créer une brèche dans le vaisseau... délibérément. Oh ! mon Dieu !

—Pigé ! lança Annie en trottinant vers la sortie.

* * *

— Comment allons-nous ouvrir les portes du sas ? demanda Martinez. On ne peut pas le faire à distance, et si quelqu'un se trouve à proximité au moment de la décompression…

— En effet, acquiesça Lewis. On peut en ouvrir une pendant que l'autre est fermée, mais comment ouvrir la seconde ? (Elle réfléchit pendant quelques secondes.) Vogel, revenez. Vous allez devoir nous concocter une bombe.

— Euh… vous pouvez répéter, commandant ?

— Une bombe, confirma Lewis. Vous êtes chimiste. Vous pouvez fabriquer une bombe avec ce que nous avons à bord, non ?

— *Ja*. Nous avons des produits inflammables et de l'oxygène pur.

— Excellent.

— Évidemment, il est très dangereux de manipuler un engin explosif dans un vaisseau spatial, fit remarquer Vogel.

— Ne le faites pas trop gros, alors. Il devra seulement percer un petit trou dans la porte intérieure du sas. Peu importe la taille. Et même si la porte est soufflée, ce n'est pas grave. S'il y a juste un petit trou, l'air s'échappera plus longtemps. Dans les deux cas, on aura le coup de pouce et l'accélération dont on a besoin.

— Je pressurise le sas n° 2, annonça Vogel. Comment activerons-nous la bombe ?

— Johanssen ?

— Euh…, bafouilla la jeune femme en mettant rapidement son micro-casque sur sa tête. Vogel, vous pourriez passer des câbles dans votre engin ?

— *Ja*. Les fils traverseraient une rondelle filetée sans compromettre l'étanchéité de la bombe.

— Nous pourrions relier ces fils au panneau éclairant n° 41, poursuivit Johanssen. Il se trouve près du sas, et je peux l'allumer d'ici.

— Nous avons donc notre détonateur activable à distance, dit Lewis. Johanssen, occupez-vous de ce panneau éclairant. Vogel, revenez nous concocter votre bombe. Martinez, allez fermer et sceller les portes de la salle du réacteur.

— À vos ordres, commandant, répondit Johanssen en projetant son fauteuil vers le couloir.

— Commandant ? appela Martinez, figé devant la sortie. Vous voulez que j'apporte quelques combinaisons spatiales ?

— Inutile, répondit Lewis. Si le sceau du pont devait lâcher, nous serions aspirés à une vitesse proche de celle du son. Avec ou sans combinaison, nous serions réduits en bouillie.

— Eh ! Martinez, lança Beck dans la radio. Vous voulez bien mettre mes souris à l'abri ? Elles sont dans le labo de biologie. Il n'y a qu'une cage.

— Pas de problème, Beck. Je les mets dans la salle du réacteur.

— Vous êtes avec nous, Vogel ? s'enquit Lewis.

— Je ressors tout juste du sas, répondit celui-ci.

— Beck, dit Lewis dans son micro-casque, j'ai besoin que vous reveniez aussi, mais ne retirez pas votre combinaison.

— Entendu, répondit le médecin. Pourquoi ?

— On va devoir faire sauter une des deux portes, expliqua-t-elle. Je préférerais que nous détruisions la porte intérieure et que l'autre reste intacte, histoire que le vaisseau garde sa silhouette lisse et aérodynamique.

— Oui, c'est logique, en effet, répondit Beck en retournant à bord du navire.

— Le souci, reprit Lewis, c'est que la porte extérieure devra rester bloquée mécaniquement en position ouverte pour ne pas être abîmée par la décompression.

— Pour ça, il faudra quelqu'un dans le sas, remarqua Beck. Il est impossible d'ouvrir la porte intérieure quand la porte extérieure est ouverte.

— Exact. Voilà pourquoi il faut que vous reveniez à bord, que vous dépressurisiez le SV et que vous bloquiez la porte extérieure en position ouverte. Après quoi vous devrez ramper sur la coque jusqu'au sas n° 2.

— Compris, commandant, acquiesça Beck. Il y a des anneaux partout sur la coque. J'y accrocherai mon mousqueton comme un alpiniste.

— Ne perdez pas de temps. Vogel, dépêchez-vous aussi. Vous devez fabriquer une bombe, la mettre en place, retourner dans le sas n° 2, enfiler votre combinaison, dépressuriser et ouvrir la porte extérieure pour que Beck puisse rentrer quand il aura fini.

— Il ne peut pas répondre parce qu'il est en train de retirer sa combinaison, expliqua Beck. Mais il a entendu.

— Watney, comment allez-vous ? demanda Lewis, dont la voix résonnait dans ses oreilles.

— Plutôt bien pour l'instant, commandant. Vous aviez parlé d'un plan…

— Affirmatif. Nous allons libérer notre atmosphère pour produire de la poussée.

— Comment ?

— En faisant un trou dans le SV.

— Hein ! Mais comment ?!

— Vogel est en train de nous préparer une bombe.

— J'étais sûr que ce type était un savant fou ! Mon imitation d'Iron Man serait préférable, je pense.

— C'est trop risqué, et vous le savez.

— Le truc, c'est que je suis égoïste et que je ne veux pas partager mon mémorial, à la maison. Je ne veux pas d'une bande de *losers* enterrés avec moi. En résumé, je ne peux pas vous laisser exploser le SV.

— Ah !… dans ce cas… Eh ! attendez une seconde ! Je viens d'apercevoir mes galons sur mon épaule, et il semblerait que je commande cette mission. Ne bougez pas, nous venons vous chercher.

— Et elle se croit maligne…

* * *

En tant que chimiste, Vogel savait fabriquer une bombe. À l'université, il avait passé beaucoup de temps à apprendre à ne pas en fabriquer par erreur.

Il y avait très peu de matériaux inflammables à bord, car un incendie aurait des conséquences désastreuses. La nourriture, en revanche, de par sa nature, contenait des hydrocarbures combustibles. Comme il manquait de temps pour s'installer et faire des calculs précis, il se contenta d'estimations.

Le sucre contient quatre mille calories par kilogramme. Une calorie équivaut à quatre mille cent quatre-vingt-quatre joules. En apesanteur, les grains de sucre se séparent, occupant tout l'espace disponible. Dans un environnement d'oxygène pur, chaque kilogramme de sucre libérera 16,7 millions de joules, produisant la force explosive de huit bâtons de dynamite. Telle est la nature de la combustion dans de l'oxygène pur.

Vogel pesa le sucre avec circonspection. Il le versa dans le contenant le plus solide qu'il trouva : un bécher en verre très épais. La solidité du contenant était aussi importante que l'explosif. Un contenant faible générerait une simple boule de feu à la force destructrice limitée. Un contenant solide, en revanche, contiendrait la pression jusqu'à ce qu'elle atteigne un potentiel véritablement destructeur.

Il perça rapidement un trou dans le bouchon du bécher, dénuda un morceau de fil électrique et l'enfonça à l'intérieur.

— *Sehr gefährlich*[1], murmura-t-il en versant dans le récipient un peu d'oxygène liquide issu des réserves du navire et en se dépêchant de le refermer.

En à peine quelques minutes, il avait fabriqué une bombe tuyau artisanale rudimentaire.

— *Sehr, sehr gefährlich.*

Il flotta hors du laboratoire et se dirigea vers le nez du vaisseau.

* * *

Comme Johanssen travaillait sur le panneau lumineux, Beck passa derrière elle en direction du SV.

— Fais attention en rampant sur la coque, lui dit-elle en l'attrapant par le bras.

— Fais attention en mettant la bombe en place, rétorqua-t-il en lui faisant face.

Elle embrassa sa visière avant de détourner les yeux, gênée.

— C'était débile. Ne raconte à personne que j'ai fait ça.

— Et toi, ne dis à personne que j'ai aimé, s'amusa Beck dans un sourire.

1. « Très dangereux », en allemand. (*NdT*)

Il entra dans le sas et scella la porte intérieure. Après avoir dépressurisé, il ouvrit la porte extérieure et la bloqua. Agrippant une poignée fixée à la coque, il sortit dans l'espace.

Johanssen le suivit du regard jusqu'à ce qu'il ait disparu, puis se retourna vers son panneau lumineux. Elle l'avait désactivé plus tôt depuis son poste de travail. Elle sortit deux câbles de la paroi, en dénuda les extrémités et sortit de sa poche un rouleau d'adhésif d'électricien avec lequel elle joua machinalement en attendant Vogel.

Celui-ci arriva une minute plus tard à peine, flottant dans le couloir en tenant sa bombe à bout de bras.

—J'ai choisi de n'utiliser qu'un fil pour la mise à feu, expliqua-t-il. L'option des deux fils et de l'étincelle serait trop risquée, notamment au cours de l'installation, en cas de décharge d'électricité statique.

—Comment fera-t-on pour déclencher l'explosion ?

—Le fil devra atteindre une température élevée. Un court-circuit devrait suffire.

—Il faudra bloquer le fusible, mais ça marchera, dit Johanssen.

Elle vrilla ses deux fils autour de celui de la bombe et entoura le tout de ruban adhésif.

—Je vous prie de m'excuser, dit Vogel, mais je dois retourner au sas n° 2 pour ouvrir la porte au docteur Beck.

—Mmh…

* * *

Martinez réapparut sur le pont.

—Comme j'avais quelques minutes devant moi, j'ai jeté un coup d'œil à la check-list pour la mise en sécurité du blocage des aérofreins de la salle du réacteur en cas d'aérofreinage. Tout est prêt pour l'accélération, et la salle est scellée.

—Excellente initiative, acquiesça Lewis. Préparez la correction d'attitude.

—À vos ordres, commandant, lança Martinez en se glissant derrière son poste de travail.

— La porte extérieure du SV est ouverte, annonça la voix de Beck dans les haut-parleurs. J'entreprends de traverser la coque.

— Entendu.

— Les calculs sont complexes, annonça Martinez. Il faut tout penser à l'envers. Le SV se trouve à l'avant, aussi la source de propulsion sera-t-elle à l'exact opposé de nos moteurs. Notre logiciel n'était pas prévu pour ça. Il doit comprendre que nous volons *vers* Mark.

— Prenez votre temps et faites ça bien. Et attendez mes ordres pour lancer la manœuvre. Pas question de faire pivoter le vaisseau tant que Beck est sur la coque.

— À vos ordres.

Quelques secondes plus tard, il ajouta :

— Ça y est, manœuvre prête à être exécutée.

— Attendez mon signal.

* * *

De nouveau équipé de sa combinaison, Vogel dépressurisa le sas n° 2 et ouvrit la porte extérieure.

— J'ai failli attendre, se plaignit Beck en montant à bord.

— Désolé pour le retard, j'avais une bombe à terminer, s'excusa Vogel.

— Cette journée a été pour le moins bizarre. Commandant, Vogel et moi sommes en position.

— Parfait, répondit Lewis. Collez-vous contre la paroi avant du sas. Vous allez recevoir un *g* pendant quatre secondes. Et surtout, n'oubliez pas d'accrocher vos mousquetons.

— Entendu, commandant, répondit Beck en s'assurant.

Les deux hommes se pressèrent contre la paroi.

* * *

— Bien, Martinez, poursuivit Lewis. Tournez-nous dans le bon sens.

— À vos ordres.

Martinez s'exécuta, modifiant l'attitude du navire.

Johanssen flottait sur le pont pendant la manœuvre. La salle pivota autour d'elle, tandis qu'elle agrippait une poignée.

— La bombe est prête et le fusible désactivé, annonça-t-elle. Je peux la faire exploser en allumant le panneau éclairant n° 41 à distance.

— Scellez le pont et installez-vous à votre poste.

— À vos ordres.

Johanssen tira la poignée de fermeture d'urgence et verrouilla l'entrée du pont en tournant plusieurs fois la manivelle, puis elle retourna à son poste pour faire quelques essais.

— La pression atmosphérique sur le pont atteint désormais 1,03 atmosphère... Elle semble constante. Le joint est étanche.

— C'est noté, approuva Lewis. Combien de temps avant l'interception ?

— Vingt-huit secondes.

— Waouh ! s'exclama Martinez. C'était vraiment juste.

— Vous êtes prête, Johanssen ? demanda le commandant.

— Oui, répondit la jeune femme. Il me suffit d'appuyer sur la touche « Entrée ».

— Martinez, comment est votre angle ?

— Parfait, commandant.

— Attachez-vous.

Tous les trois resserrèrent les sangles de leurs fauteuils.

— Vingt secondes, dit Johanssen.

* * *

Teddy prit place dans la salle d'observation des VIP.

— Où en est-on ?

— Plus que quinze secondes avant l'explosion du SV, répondit Venkat. Où étiez-vous ?

— J'étais au téléphone avec le président. Vous croyez que ça va marcher ?

— Aucune idée, avoua Venkat. Je ne me suis jamais senti aussi désemparé de toute ma vie.

— Si ça peut vous consoler, la quasi-totalité de la population mondiale ressent la même chose que vous.

De l'autre côté de la vitre, Mitch faisait les cent pas.

* * *

— … cinq…, quatre…, trois…, égrenait Johanssen.

— Accélération imminente. Préparez-vous, les mit en garde Lewis.

— … deux…, un…, termina la jeune femme. Activation du panneau lumineux n° 41.

Elle enfonça la touche « Entrée ».

À l'intérieur de la bombe de Vogel, l'énergie du système d'éclairage intérieur du vaisseau se déversa dans un fil fin et dénudé. Sa température monta, atteignant rapidement celle nécessaire à l'embrasement du sucre. Ce qui n'aurait été qu'un crépitement mineur dans l'atmosphère de la Terre devint une conflagration incontrôlable dans le bécher scellé rempli d'oxygène pur. En moins de cent millisecondes, l'énorme pression due à la combustion fit éclater le récipient. Il en résulta une explosion qui réduisit la porte du sas en morceaux.

L'atmosphère d'*Hermès* jaillit par le SV éventré, propulsant le vaisseau dans la direction opposée.

Vogel et Beck furent plaqués contre la paroi du sas n° 2. Lewis, Martinez et Johanssen subirent l'accélération dans leurs fauteuils. En termes de force exercée, elle n'était pas du tout dangereuse ; en fait, elle était moins intense que la pesanteur à la surface de la Terre. Toutefois, elle était irrégulière, tremblotante.

Quatre secondes plus tard, les secousses disparurent complètement et l'apesanteur régna de nouveau dans le navire.

— La salle du réacteur est toujours pressurisée, annonça Martinez.

— Le joint du pont a tenu le coup, enchérit Johanssen. Comme vous vous en doutez…

— Des dégâts ?

— Je ne sais pas encore. Je pointe la caméra n° 4 vers le nez du vaisseau. Je ne vois aucun problème sur la coque autour du SV.

—On s'occupera de ça plus tard. Quelle est notre vélocité relative et à quelle distance sommes-nous du VAM ?

Johanssen pianota rapidement sur son clavier.

—Nous serons à moins de vingt-deux mètres et avançons de douze mètres par seconde. La poussée a été plus puissante que prévu.

—Watney, appela Lewis. Ça a fonctionné. Beck va arriver.

—Youhou ! s'exclama Mark.

—Beck, c'est à vous. Douze mètres par seconde.

—Ça devrait pouvoir se faire !

* * *

—En sautant dehors, j'espère pouvoir gagner deux ou trois mètres par seconde, lança le médecin.

—Compris, répondit Vogel en agrippant le câble de Beck. Bonne chance, docteur.

Beck posa un pied contre le fond du sas, fléchit les genoux et bondit dans l'espace.

Une fois dans le vide, il se repéra très vite. Un rapide coup d'œil à droite lui permit de découvrir ce qu'il ne pouvait voir de l'intérieur du sas.

—Contact visuel ! Je vois le VAM !

Le VAM ne ressemblait même plus à un engin spatial, tel que les connaissait Beck. La coque lisse et aérodynamique était un ensemble hétéroclite de plaques manquantes et d'emplacements laissés vides par des composants superflus.

—Mon Dieu, Mark, qu'avez-vous fait à ce vaisseau ?

—Et encore, vous n'avez pas vu le rover, répondit Watney par radio.

Beck décrivait une trajectoire d'interception. Il s'était beaucoup entraîné à ce genre de mission. Lors de ces séances, il était supposé secourir un camarade dont le câble se serait cassé, mais le principe était le même.

—Johanssen, appela-t-il. J'apparais sur le radar ?

—Affirmatif, répondit-elle.

—Je veux connaître ma vélocité relative toutes les deux ou trois secondes.

—Ça marche. Cinq virgule deux mètres par seconde.

— Eh ! Beck ! appela Mark. L'avant du VAM est grand ouvert. Je vais me lever et me tenir prêt à vous agripper.

— Négatif, intervint Lewis. Pas de manœuvre non assurée, s'il vous plaît. Ne défaites la sangle de votre fauteuil que lorsque vous serez attaché à Beck.

— À vos ordres, répondit Watney.

— Trois virgule un mètres par seconde, annonça Johanssen.

— Je vais me laisser dériver un peu, puis je ralentirai lorsque je l'aurai rattrapé, expliqua Beck.

Il pivota sur lui-même et se prépara à freiner.

— La cible est à onze mètres, l'informa Johanssen.

— Entendu.

— Six mètres.

— Attention... contre-poussée ! dit Beck en rallumant les microfusées de son MMU.

Le VAM le dominait de toute sa taille.

— Vélocité ? demanda le médecin.

— Un virgule un mètre par seconde, répondit Johanssen.

— Pas mal du tout, commenta-t-il en tendant la main. Je crois que je peux attraper un coin de cette toile déchirée...

De fait, les lambeaux de toile constituaient les seules prises disponibles sur un navire autrement lisse. Beck étira le bras et les doigts et parvint à saisir le tissu.

— Contact ! (Raffermissant sa prise, il se rapprocha du vaisseau et lança son autre bras pour attraper un autre lambeau.) Contact confirmé !

— Docteur Beck, intervint Vogel, à partir de maintenant, les deux vaisseaux s'éloignent désormais l'un de l'autre. Il vous reste cent soixante-neuf mètres de câble, soit quatorze secondes environ.

— Entendu.

Beck passa la tête dans l'ouverture, regarda dans le compartiment et avisa Watney, sanglé à son fauteuil.

— Contact visuel établi ! s'écria-t-il.

— Je confirme ! lança Watney.

— Comment ça va, mon vieux ? demanda Beck en se hissant à bord du vaisseau.

— Je... Je... Laissez-moi une minute. Vous êtes le premier être humain que je vois en dix-huit mois.

— Nous n'avons pas une minute, rétorqua Beck en prenant appui sur la paroi pour se projeter en avant. Nous serons à court de câble dans onze secondes.

La trajectoire de Beck l'emmena jusqu'au fauteuil, où il bouscula maladroitement Watney. Les deux hommes s'agrippèrent par les bras pour empêcher Beck de rebondir en arrière.

— Contact avec Watney établi !

— Plus que huit secondes, docteur Beck, les informa Vogel.

— Compris, répondit Beck en solidarisant à la hâte leurs combinaisons respectives à l'aide d'un mousqueton accroché à l'avant de la sienne. Connectés !

Watney défit la sangle de son fauteuil.

— Sangle détachée.

— On se tire, dit Beck en prenant appui sur le fauteuil pour se lancer vers l'espace.

Les deux hommes flottèrent dans l'habitacle du VAM vers la sortie. Beck tendit le bras, attrapa le rebord et les fit passer par l'ouverture.

— Nous sommes dehors, annonça-t-il.

— Cinq secondes, le mit en garde Vogel.

— Vélocité relative par rapport à *Hermès* : douze mètres par seconde, précisa Johanssen.

— J'allume les microfusées, déclara Beck en mettant en route le système de propulsion de son MMU.

Pendant quelques secondes, les deux hommes accélérèrent vers *Hermès*, jusqu'à ce que des voyants rouges s'affichent sur le moniteur situé au-dessus des yeux du médecin.

— Je suis à sec. Vélocité ?

— Cinq mètres par seconde, répondit Johanssen.

— Accrochez-vous.

C'était Vogel. Durant l'opération, il n'avait cessé de donner du mou à Beck par le sas ouvert. À présent, il serrait dans ses mains le câble toujours plus long. Il ne le bloquait pas vraiment afin de ne pas être entraîné dehors ; il se contentait de créer une résistance, une friction.

Hermès était en train de tracter Beck et Watney, Vogel tenant le câble afin d'absorber les chocs. S'il le serrait trop fort, s'il tirait dessus, le mousqueton situé à l'avant de la combinaison du médecin risquerait de lâcher ; toutefois, s'il n'exerçait aucune traction, le câble finirait de se dérouler avant que les vitesses relatives des deux hommes et du vaisseau s'égalisent, ce qui arracherait aussi le mousqueton.

Vogel parvint à trouver le bon équilibre. Après quelques secondes intenses de calculs instinctifs, il sentit la résistance du câble diminuer.

— Vélocité égale à zéro ! s'enthousiasma Johanssen.

— Ramenez-les à bord, Vogel, s'écria Lewis.

— À vos ordres.

Avec des gestes fluides, comme s'il remontait un seau d'eau, Vogel tira ses coéquipiers vers l'entrée du sas. Après quelques secondes, il cessa de tirer activement et se contenta de laisser la ligne glisser dans ses mains, tandis que Beck et Watney dérivaient dans sa direction.

Les deux hommes entrèrent dans le sas en flottant. Le chimiste les attrapa, puis les contourna pour refermer la porte extérieure, tandis qu'ils cherchaient et trouvaient des poignées sur la paroi.

— Nous sommes à bord ! s'écria Beck.

— Porte extérieure du sas n° 2 verrouillée, se félicita Vogel.

— *Yes !* s'enthousiasma Martinez.

— Entendu, dit simplement Lewis.

* * *

La voix de Lewis résonna dans le monde entier :

— Houston, ici le commandant du navire *Hermès*. Les six membres d'équipage sont à bord sains et saufs.

Un tonnerre d'applaudissements retentit dans le Centre de contrôle. Les contrôleurs bondirent de leurs chaises en criant, en se congratulant, en exprimant leur joie de diverses façons. Une scène similaire se joua aux quatre coins du monde, dans les parcs, les bars, les salles municipales, les salons, les salles de classe et les bureaux.

À Chicago, l'homme et la femme, soulagés, se prirent dans les bras, avant d'inviter le représentant de la NASA à se joindre à leur étreinte.

Lentement, Mitch retira son micro-casque et se retourna vers la salle d'observation des VIP. Derrière la vitre, il vit plusieurs hommes et femmes bien habillés applaudir avec enthousiasme. Il croisa le regard de Venkat et laissa échapper un long soupir de soulagement.

Venkat se prit la tête à deux mains et murmura :

— Merci, mes dieux.

Teddy sortit un classeur bleu de sa mallette et se leva.

— Annie m'attend sûrement en salle de presse.

— Pas besoin de classeur rouge aujourd'hui, hein ? remarqua Venkat.

— Honnêtement, je n'avais pas préparé de classeur rouge.

Comme il se dirigeait vers la sortie, il ajouta :

— Excellent travail, Venk. Maintenant, ramenez-les à la maison.

Journal de bord : Jour 687

Ce « 687 » m'a pris par surprise. À bord d'*Hermès*, nous comptons les jours depuis le début de la mission. Sur Mars, on en est à sol 549, mais à bord du vaisseau, c'est le 687e jour de la mission. Je me fiche pas mal du calendrier martien, maintenant, et vous savez pourquoi ? Parce que je ne suis plus en bas !

Mon Dieu ! c'est vrai, je ne suis plus sur Mars ! J'en suis sûr parce que je suis en apesanteur et qu'il y a des êtres humains autour de moi. J'ai encore du mal à m'y faire.

S'il s'était agi d'un film, tout le monde m'aurait retrouvé dans le sas pour me taper dans la main et se congratuler. Mais on n'est pas dans un film, hein !

Je me suis cassé deux côtes pendant le décollage. Elles me faisaient mal depuis le début, mais la douleur a empiré quand Vogel nous a ramenés à bord en tirant sur le câble. Comme je ne voulais pas embêter les gens qui étaient en train de me sauver la vie, j'ai coupé mon micro et hurlé comme une petite fille.

Eh oui, dans l'espace, personne ne vous entend quand vous criez comme une petite fille.

Une fois dans le sas n° 2, ils ont ouvert la porte intérieure, et je me suis retrouvé à bord d'*Hermès*. Comme le vaisseau avait été vidé de son atmosphère, nous n'avons pas eu besoin d'attendre que le sas égalise les pressions.

Beck m'a demandé de me laisser faire et m'a poussé dans le couloir vers ses quartiers – qui servent d'hôpital en cas de besoin –, tandis que Vogel fonçait dans la direction opposée pour refermer la porte extérieure du SV.

Dans les quartiers de Beck, nous avons attendu que le vaisseau repressurise. *Hermès* a de quoi se remplir encore deux fois. Franchement, ce serait un vaisseau spatial pourri s'il n'était pas capable de se remettre d'une décompression.

Johanssen nous a donné le feu vert, et j'ai attendu que le docteur Beck – aussi appelé « Mère Poule » – retire sa combinaison, puis la mienne. Il a fait une drôle de tête en soulevant mon casque. Je craignais d'avoir une blessure grave au crâne ou un truc comme ça, mais non, c'était simplement à cause de l'odeur.

Cela fait un bout de temps que je ne me suis pas lavé. Que je n'ai nettoyé aucune partie de mon corps.

Après cela, j'ai eu droit à une radio et à un bandage thoracique, pendant que le reste de l'équipage vérifiait l'état du navire.

Alors, enfin, on a pu se taper dans les mains – ça fait mal –, après quoi mes coéquipiers se sont évertués à rester le plus loin possible de moi et de ma puanteur. Après des retrouvailles assez brèves, Beck a mis tout le monde à la porte, m'a administré un analgésique et m'a demandé de me doucher dès que je pourrais me servir de mon bras. Je suis donc en train d'attendre que le médicament fasse effet.

Quand je pense à tous ces gens qui ont œuvré pour sauver mes miches, j'ai du mal à y croire. Mes coéquipiers ont sacrifié une année de leur vie pour revenir me chercher. À la NASA, d'innombrables personnes ont travaillé jour et nuit pour m'aider à modifier le rover et le VAM. Et JPL s'est donné tellement de mal pour fabriquer un cargo qui a explosé au décollage. Mais au lieu de baisser les bras, ils en ont fait un autre pour ravitailler *Hermès*. L'Administration spatiale nationale chinoise a abandonné un projet sur lequel elle travaillait depuis des années pour nous fournir un lanceur.

Des centaines de millions de dollars, pour un pauvre botaniste. Mais pourquoi ?

Je sais pourquoi. Pour commencer, parce que je représente le progrès, la science et l'avenir interplanétaire auxquels nous aspirons depuis des siècles. Et puis – et peut-être est-ce la raison principale – parce que les êtres humains ne peuvent s'empêcher de s'entraider. C'est instinctif. On peut en douter parfois, mais c'est la vérité.

Quand un randonneur se perd dans la montagne, les gens organisent et coordonnent des recherches. Quand il y a un accident ferroviaire, les gens font la queue pour donner leur sang. Quand un tremblement de terre rase une ville, l'aide afflue de toutes les régions du monde. C'est une attitude si fondamentalement humaine qu'on la retrouve dans toutes les cultures, sans exception. D'accord, il y a des connards qui se moquent de tout, mais ils sont noyés sous la masse de ceux qui se soucient de leur prochain. Voilà pourquoi j'avais des milliards de personnes de mon côté.

C'est cool, hein ?

Enfin… Mes côtes me font souffrir le martyre, je vois toujours flou à cause de l'accélération que j'ai subie, je suis affamé, je ne reverrai la Terre que dans deux cent onze jours et, apparemment, je pue comme une crotte de putois déposée sur une paire de chaussettes trempées de sueur.

C'est le plus beau jour de ma vie !

M
MARQUIS
Québec, Canada